AFGESCHREVEN

Vals goed

MARC CAVE

Vals goed

Manteau
THRILLER

© 2007 Uitgeverij Manteau / Standaard Uitgeverij en Marc Cave
Standaard Uitgeverij nv, Mechelsesteenweg 203, B-2018 Antwerpen
www.manteau.be
info@manteau.be

Vertegenwoordiging in Nederland: Uitgeverij Unieboek BV, Houten
www.unieboek.nl

Eerste druk augustus 2007

Omslagontwerp: Wil Immink

ISBN 978 90 223 2206 2
D/2007/0034/211
NUR 330

1

'Wat is geloof...?' Hendrik Moens keek monkelend over zijn fijn metalen John Lennon-brilletje naar zijn bezoeker. Zijn woorden leken in de broeierige hitte van de vroege middag in de lucht te blijven plakken, als waren ze te zwaarwichtig om zomaar in het niets op te lossen. 'Mensen geloven omdat ze zekerheid willen... Omdat ze niet kunnen aanvaarden dat er na de dood niets is. Omdat ze bang zijn...'

Guido Tavernier – GT voor vrienden – keek verveeld en zonder gêne op zijn opzichtig Breitling-polshorloge. Hij was niet bij de pastoor langsgegaan om verzeild te raken in oeverloos religieus gezwets. Voor die spielereien had hij geen tijd. Zijn wat jennende opmerking over het dalende kerkbezoek was slechts als inleiding bedoeld. Maar hij kon een weerwoord niet laten. 'Het geloof in een of andere god is niets anders dan een excuus, een schaamlapje, om in naam van iets hogers de medemens te dwingen, te onderwerpen. Dat was zo tweeduizend jaar geleden en vandaag is dat niet anders. Denk maar aan al die gruwelijke moorden die dagelijks gebeuren in naam van een of andere religie. *Gott mit uns*, weet u wel.' Hij ademde zwaar in. 'Maar ik ben niet hier om over godsdienst te praten.'

Beschut tegen de brandende zon – het was vroeg in de middag, een bloedhete dag midden in juli – zaten ze onder de hoge kerselaar in de achtertuin van de pastorie. De boom droeg sinds mensenheugenis geen vruchten meer, maar zijn majestueus bladerdak zorgde voor verkoeling. Guido Tavernier reikte niet zonder moeite naar het glas koele witte wijn op het gammele plastic tafeltje voor hem. Zijn omvangrijke pens, die over zijn wat te nauw bemeten kaki zomerbroek zwabberde, bemoeilijkte in hoge mate zijn bewegingen.

Hendrik Moens, al bijna dertig jaar pastoor in de Sint-Gertrudiskerk van het landelijke Loverbeek, schokschouderde. 'Ik dacht al dat u daarvoor deze hitte niet had getrotseerd. Al sla ik een discussie over geloof nooit af', voegde hij er fijntjes glimlachend aan toe.

Tavernier schraapte de keel. Hij zat op hete kolen om uit te leggen wat hij van Moens verlangde. Het werd tijd dat die zieltjesherder ook voor hem eens iets deed. Maar plots werd hij onwel. Hij kreeg het ongemakkelijk warm en zijn maag speelde zwaar op. Hij ging moeizaam in de witte plastic stoel verzitten. Dat zou wel die halve kilo filet pur met frietjes en mayonaise zijn van deze middag. Hij keek met afgunst naar de magere ledematen van de pastoor. Schriele benen, een scherp, wat ingevallen gezicht, armen als grassprietjes. En dat terwijl Moens toch ook graag een glas dronk en altijd van de partij was bij een feestmaaltijd in het dorp. Je hebt zo van die mensen, troostte hij zichzelf. Schransen à volonté zonder een gram aan te komen, terwijl hijzelf... De gedachte aan zijn eigen plompe lichaam dat op de te smalle stoel geen goede houding vond, maakte hem kregelig. Hij was ongeveer even oud als de pastoor en ze waren allebei ongehuwd, al was dat natuurlijk om verschillende redenen. Maar dat waren tussen hen de enige overeenkomsten. Was Moens mager als een lat, dan was Guido Tavernier een bourgondiër in het kwadraat. Wat niet alleen tot uiting kwam in zijn over-

6

gewicht, maar ook in zijn altijd blozende wangen. Zijn hele lijf straalde energie en levenslust uit. Een joviale glimlach lag als vastgevroren op zijn gezicht. Een forse handdruk of een stevige klop op de schouder waren nooit ver weg. En dat moest ook. Hij had een zaak te leiden, het grootste vastgoedkantoor in de wijde omtrek. Zijn levenswerk. Alles had hij daarvoor over. Op de eerste plaats had hij er zijn familieleven voor opgeofferd. Veel vrouwen gehad, dat wel. Maar nooit getrouwd. Hoe had dat ook gekund, als hij het al was met de zaak? Om klanten te werven, om zijn netwerk uit te bouwen, was niets hem te veel. In de dagen dat Open VLD nog PVV heette, had hij de gevaarlijke, glibberige paden van de dorpspolitiek betreden. En niet zonder succes. Toen zijn partij bij de voorlaatste verkiezingen mee de meerderheid vormde, was hij tot schepen van ruimtelijke ordening benoemd. Niet dat deze baan hem zomaar in de schoot was geworpen. Hij had meer dan een paar pinten aan zijn collega's in het lokale partijbestuur moeten betalen om die functie binnen te rijven. Maar dat bleek zijn beste investering ooit. Als je de kat bij de melk zet, moet je niet verbaasd zijn dat die ervan drinkt. Zo was het ook met Guido Taverniers immokantoor gegaan. Bouwvergunningen waren nooit meer een probleem. Een kleine, onopvallende, maar o zo lucratieve aanpassing aan het gewestplan was dankzij zijn connecties binnen een maand geregeld. Kortom, zijn zaak draaide op een manier die hij niet voor mogelijk had gehouden. Tot de gemeenteraadsverkiezingen van 2006. Onder het linksliberale bewind van Verhofstadt verloor de Open VLD ook in Loverbeek zwaar. Weg schepenambt. Weg de rechtstreekse toegang tot het manna van de quasi automatische bouwvergunningen. Nu was GT weliswaar nog steeds raadslid, maar hij bleef op meer gemeenteraadszittingen afwezig dan dat hij er bijwoonde.

De politieke aardverschuiving was voor hem dus veel meer dan alleen maar gezichtsverlies. Niet dat hij een en ander niet had zien aankomen. Je kon moeilijk naast de constant slechte opiniepeilingen kijken. Daarom had hij tegen het einde van zijn laatste jaar als schepen een groot project op touw gezet. Of liever, dat had hij gedaan als directeur van zijn vastgoedkantoor. Hij had het plan opgevat zestig serviceflats te bouwen op een terrein, De Beemden, niet ver van het dorpscentrum. Er was weliswaar protest gekomen van de buren, die niet wilden dat een grootschalig complex zijn schaduw op hun achtertuintjes wierp. Hij had niet anders verwacht. Dat hield hem niet in het minst tegen om een architectenbureau de bouwplannen volledig te laten uitwerken en ze door de gemeente in recordtempo te laten goedkeuren. Er was maar één probleem. De grond waarop hij wilde bouwen, bezat hij niet. Nog niet. Die was van Maria Lepoutre. Maar voor GT was dat niet meer dan een tijdelijk ongemak. Waar het op aankwam, was alle vergunningen binnen te rijven, zolang hij zelf nog schepen was. Weliswaar voorwaardelijke, omdat De Beemden nog niet van hem was. Maar hij zou Maria Lepoutre een bod doen dat zij onmogelijk kon weigeren. Toen die uiteindelijk toch het been stijf hield – verduiveld nadat ze eerst mondeling akkoord was gegaan, inbegrepen een gratis flat voor de dame in kwestie – ging hij helemaal door het lint. Ze had zelfs durven ontkennen dat ze eerst had willen verkopen! Die houding, die glibberige lafheid die sommige mensen eigen is, maakte GT woedend. Hij wilde vooruit in het leven, dingen realiseren, op zijn manier de wereld verbeteren, ja zelfs mooier maken. Als zo'n onnozele ziel hem stokken in de wielen stak, dan was Guido Tavernier bereid alle stappen te zetten om dat te verhelpen. Hij wist dat de politiek, de dorpspolitiek, ermee te maken had. Het zouden wel die

8

azijnpissers van de CD&V zijn die maar al te graag de buurtbewoners tegen hem opzetten. Al of niet in overleg met die
salonidealisten van Groen! Samenspannen om hem een hak
te zetten. Hij die verdomme de laatste zes jaar zijn stempel
op het beeld van het dorp had gedrukt, het had verfraaid,
openbare werken had laten uitvoeren die toch in ieders
voordeel waren.

Intussen was hij al maanden bezig om Maria Lepoutre opnieuw aan zijn kant te krijgen. Hij had de geboden prijs
opgedreven, had geslijmd en gedreigd, maar zonder resultaat. Ze wilde niet verkopen. Niet aan hem. Niet om op haar
grond zestig uniforme flats neer te poten. Guido Tavernier
begreep het van geen kanten. Hij zag er weliswaar de hand
van de plaatselijke CD&V in, maar kende aan de andere kant
zijn pappenheimers goed genoeg om te weten dat politieke meningsverschillen snel verdwenen als er met euro's,
veel euro's, werd gezwaaid. Kwaadheid wisselde af met absoluut onbegrip. En almaar meer hielden financiële beslommeringen hem uit zijn slaap. Als hij niet snel De Beemden
in handen kreeg, kon hij officieel niet van start gaan met de
verkoop. Bovendien had hij nog andere dingen aan het
hoofd, zoals die misère met dat complex in Dendermonde.
Vijf winkels beneden en vier ruime appartementen op de
eerste en tweede verdieping. Alles in eigen beheer gebouwd. Voor eigen risico. Maar met uitzicht op vette winst.
De verkoop wilde echter niet vlotten. De vastgoedmarkt
was duidelijk over haar hoogtepunt heen. Ten slotte had
hij node moeten instemmen met verhuur om toch iets van
de kosten en interestlasten terug te winnen. Veel meer dan
een schijntje was het niet, vergeleken bij de bedragen die
hij iedere maand aan de bank moest afdragen. Hij kon het
nog even uitzingen – tijdens de periode van zijn schepen-

ambt had hij zijn financiële reserves flink gespekt – maar de dag dat hij in de problemen kwam, naderde met rasse schreden. Hij moest opschieten. Alle middelen aanwenden die nodig waren om die verdomde bouwgrond voor die serviceflats in handen te krijgen. De fabelachtige winsten die hij met dat project zou incasseren, losten zijn financiële beslommeringen in één klap op. Meer nog, hij hield er een klein fortuin aan over.

Daarom had hij vandaag met pastoor Moens afgesproken. Ondanks het feit dat kerk en godsdienst hem compleet koud lieten. Hij slikte omdat hij maagzuur in zijn keel voelde branden en keek met spijtige ogen naar zijn inmiddels lege wijnglas. Zijn lijf schreeuwde om vocht. 'Ik heb een zakelijke moeilijkheid die maar niet opgelost wordt. Maar u kunt mij helpen. Het is niet omdat we van mening verschillen over wat filosofisch geleuter, dat wij elkaar niet kunnen verstaan.' Hij presteerde het om naar de priester te knipogen.

'Ach zo.' Moens monsterde zijn bezoeker van top tot teen. 'Ik ben dus voor u niets meer dan een gratis consultancybureau. Of een veredelde sociale werker...'

Het klonk niet aanmoedigend. 'Nee, nee. Ik druk mij verkeerd uit. Het betreft mevrouw Lepoutre.'

'Maria? Mijn huishoudster?'

Tavernier knikte. Hij greep naar zijn zakdoek, die al klam aanvoelde, om nog maar eens het zweet van zijn voorhoofd te vegen. Zelfs onder die boom, uit de zon, voelde het aan als in een bakoven. Daarbij viel het hem op dat Moens geen druppel leek af te scheiden. En dat terwijl bij deze tropische temperatuur zijn eigen hemd aan zijn rug plakte. De wereld zat oneerlijk in elkaar. 'Het betreft die lap grond van haar. De Beemden, bijna aan het einde van de Dorpsstraat.'

'Ik weet waar De Beemden ligt en ik weet dat die grond eigendom is van mijn huishoudster.' Hendrik Moens zweeg. Hij wist waar Tavernier naar hengelde. In Loverbeek gingen de plannen van de man tegenover hem om daar een reeks serviceflats op te bouwen nog altijd over de tong. Maar dat die donkerblauwe VLD'er dacht dat het volstond om op hem in te praten opdat zijn huishoudster zou verkopen, dat getuigde van een schaamteloosheid die hem niet weinig verbaasde.

'Mevrouw Lepoutre staat niet open voor mijn idee om haar grond over te nemen...'

Moens zuchtte verveeld. 'Meneer Tavernier. Ik herhaal dat ik geen advieskantoor ben. Doet u haar gewoon een beter bod...'

GT grijnsde breed. Die pastoor had hij zo op zijn hand. 'Mocht u haar kunnen overtuigen van mijn gelijk...' Hij liet een veelbetekenende stilte vallen. Een merel kwam dichterbij trippelen, maar besloot toen om toch de andere kant op te gaan. Moens staarde zijn bezoeker onbeweeglijk aan, zijn gezicht vertrok geen spier. 'Het is een kwestie van elkaar goed begrijpen', ging Tavernier onverstoorbaar verder terwijl hij de ander recht in de ogen keek. 'Ik ben bereid om uw huishoudster boven op de prijs van de grond een flat cadeau te doen...' Dat was geen nieuw voorstel, maar dat wist Moens niet.

Maar die luisterde nauwelijks. Maria Lepoutre... Ze had haar man verloren – was het intussen vijftien of twintig jaar geleden? – toen haar dochter nog geen drie was. Een banaal verkeersongeluk. Een vrachtwagen die in de ochtendschemer een fiets niet had opgemerkt die al of niet zonder licht reed. Uiteindelijk, bijna tien jaar later, had de rechtbank in beroep beslist – op basis van één getuigenis – dat het zonder licht was. Hij had Maria net na de begrafenis van haar man als huishoudster aangenomen om haar uit de grootste financiële nood te helpen. Ze was er hem oneindig dankbaar voor. Vereerde hem zowat. Kwade tongen hadden keer op keer verhaaltjes rondgestrooid dat er tussen hen iets was. Lang geleden was zij leuk om te zien en hijzelf was natuurlijk een stuk jonger. De pastoor-meidroddels van altijd. Het had hem nooit iets kunnen schelen. Omdat hij voor Maria nooit iets anders dan respect had gevoeld. Omdat hij ondanks zijn meer progressieve religieuze opvattingen nooit zijn kuisheidsbelofte had gebroken. En nu wilde Tavernier hem als hefboom gebruiken om Maria te doen beslissen de grond die ze van haar ouders had geërfd, te verkopen. 'Ik kom in zulke zaken niet tussenbeide. Dat zou u moeten weten.'

'Ik ben een redelijk mens, meneer pastoor. Kijk. Indien u... eh... wilt bemiddelen, dan wordt de kerkgemeente er niet slechter van.' Hij aarzelde niet. 'Ik dacht aan een gift van 10.000 euro.'

'Omkoping dus', constateerde Hendrik Moens meteen en zonder omwegen. Hij lachte fijntjes. Tavernier deed precies wat hij van hem had verwacht. Iemand die opstaat en gaat slapen met de valse god van het geld, is niet meer tot normaal denken in staat. Hij kende de smeuïge reputatie van de man tegenover hem, toen die nog schepen van ruimtelijke ordening was. Hij herinnerde zich nog best hoe de buurt in opstand was gekomen tegen zijn plannen om serviceflats te bouwen en hoe Tavernier dat alles had weggehoond. Het enige bijzondere aan die zaak was dat Maria hem had verteld hoe Ronald Van Steirteghem, de voorzitter van de lokale CD&V-afdeling en sinds begin 2007 ook voorzitter van het OCMW, haar onder druk had gezet om niet aan Tavernier te verkopen. Dat scheen te maken te hebben met Arlette, haar dochter, maar hoe de vork precies in de steel zat, had hij nog niet kunnen uitvissen. Maar meer dan wat plaatselijk politiek gerommel zag hij daar niet in.

Pastoor Moens keek met spijt naar de lege wijnglazen op het witte plastic terrastafeltje. Het was hier heerlijk zitten, zo op zijn vertrouwde plekje onder de oude kerselaar. Maar dan bij voorkeur met een goed boek, niet in het gezelschap van die geldwolf, die alleen maar lachwekkende pogingen deed om hem in te schakelen als handlanger bij de verwerving van De Beemden. 'Het is beter dat u opstapt. Ik denk dat ik uw voorstel maar vergeet zodra u de deur uit bent.'

'Maar... Jullie hebben toch geld nodig voor de renovatie van het dak van de kerk?' Met niet weinig verbazing stelde GT vast hoe lichtzinnig, maar ook hoe vastbesloten Moens zijn genereuze voorstel afwees.

'Was u op de vorige raadszitting aanwezig geweest, dan had u geweten dat de gemeente het grootste deel van de herstellingskosten op zich neemt.'

Alle kleur trok weg uit Taverniers opgeblazen gezicht. Zonder een weerwoord begon hij zich moeizaam uit zijn stoel te hijsen. Die verdomde Van Steirteghem had zijn zet natuurlijk voorzien. 'Nondedju!' vloekte hij binnensmonds. De kalotten zijn maar pas opnieuw aan de macht of ze koeioneren mij als in hun beste dagen. Maar als ze het spel hard wilden spelen, dan zou hij ze een koekje van eigen deeg laten proeven. Ze zouden hem nog leren kennen!

Toen hij in de broeierige namiddaghitte op de stoep voor de pastorie stond, leek het of de wereld in slaap was gesukkeld, een siësta deed. Het was iets over drie, maar de straat was leeg. Nergens zag hij kinderen spelen, terwijl het toch schoolvakantie was. In de verte één auto, een stille stip die snel kleiner werd. Alleen in café De Koekoek, hier schuin tegenover, hoorde hij een radio blèren. Toch één teken van leven. Guido Tavernier had dorst. Dat ene, zuinige glas witte wijn bij de pastoor had hij allang uitgezweet. Even overwoog hij een frisse pint te halen, maar ten slotte besloot hij dat niet te doen. De Koekoek was het stamlokaal van FC Hoger Op Loverbeek, de voetbalploeg die speelde met shirtreclame van het aannemingsbedrijf van Van Steirteghem. Zijn BMW stond honderd meter verder geparkeerd op de onder zijn bewind mooi gerenoveerde marktplaats. Hij voelde zich niet lekker. Zijn maag bleef maar opspelen. Die verrekte steak. Was die maar niet zo lekker geweest... Het gesprek was helemaal anders uitgedraaid dan hij had gehoopt. Die koppige Moens moest zo nodig de heilige uithangen. Hij verlangde naar de koelte van de airco in zijn wagen. Straks, weer op kantoor waar hij een paar jaar geleden ook luchtbehandeling had laten plaatsen, moest hij zijn opties voor De Beemden nog maar eens op een rij zetten. Want als hij die bouwgrond niet kon bemachtigen – een gedachte die tot voor kort zonder meer belachelijk leek – moest hij dringend een aantal belangrijke beslissingen nemen. Hij kon geen centen blijven pompen in een project zonder toekomst. Hij scheet verdomme geen geld!

Het idee dat men hem te grazen zou nemen, dat hij zou moeten passen ten opzichte van Van Steirteghem en die kwezel van een Maria Lepoutre, om nog maar te zwijgen over zijn zware financiële misrekening, deed een fel vuur in hem ontbranden. Hij was er de man niet naar om een nederlaag te accepteren, hij was een winnaar, geen loser. En dan die zware verliespost in Dendermonde. Hij kon de briefjes van 500 evengoed in de open haard opstoken. De boze opwinding maakte dat hij jachtig ging lopen. Het zweet gutste over zijn gezicht. Zijn broek plakte tussen zijn benen. Toen hij op afstand de deuren van zijn zilvergrijze 530i openmaakte, klopte zijn hart in zijn keel. Hij liet zich kreunend op de zwartlederen autostoel vallen, draaide de contactsleutel om en zette de airco in de hoogste stand. Pas toen gaf hij zich rekenschap van de pijn in zijn linkerbovenarm en -schouder, die almaar feller stak. Pas toen merkte hij dat zijn hartslag na de korte, gejaagde wandeling niet tot rust kwam, maar vliegensvlug opliep alsof zijn hart een of ander stupide record wilde vestigen. Alsof zijn tikker uit zijn borstkas wilde ontsnappen. Guido Tavernier raakte in paniek op een manier die hij zich nooit had kunnen voorstellen. Ik heb een hartaanval! bliksemde het keer op keer door zijn hoofd. Zijn hart ging ongelooflijk tekeer, sloeg enorm snel, tegen een ritme dat hij nooit had vermoed, en miste dan keer op keer enkele slagen. Hij kreeg het koud en warm tegelijkertijd. Hij klappertandde. Hij dwong zichzelf rustig in te ademen en probeerde zo dat wilde proces onder controle te krijgen, maar dat lukte absoluut niet. Met ogen vol wilde angst keek hij hulpeloos naar buiten, naar de lege, zonovergoten straat, naar de wereld die er zo lief en vredig bij lag. Hij probeerde de autodeur open te duwen, maar had er de kracht niet toe. Alleen het raam kreeg hij naar beneden door met alle energie die hem restte op de elektrische bedieningsknop te drukken. Hij wilde zijn hoofd naar buiten steken en luid om hulp schreeuwen. Maar hij merkte dat hij plots niet meer kon bewegen, dat hij geen stem meer had. Het was alsof een betonblok op zijn borst drukte en hem langzaamaan verpletterde. Ben ik aan het sterven? Is dit het einde? Dat waren de laatste gedachteflarden die door zijn hoofd spookten voor hij het bewustzijn verloor en met het voorhoofd hard op het stuurwiel neerkwam. De snerpende, aanhoudende claxontoon die daar het gevolg van was, veegde de serene middagstilte weg alsof die nooit had bestaan.

2

Rachid Faoust duwde de gepantserde voordeur van zijn penthouse op de Mechelsesteenweg open en stelde niet zonder opluchting vast dat de schoonmaakster de airco had aangezet. Het was in dit land verduiveld even heet als rond de Middellandse Zee. Een paar uur geleden was hij in Zaventem geland na een vlucht zonder geschiedenis vanuit Beiroet. Hij woonde al meer dan tien jaar in Antwerpen en had een Belgisch paspoort, maar hij bleef Libanees en moslim in hart en ziel. Daarom had hij met tevredenheid geconstateerd dat Beiroet, de stad van zijn jeugd, zich sneller dan hij had durven hopen herstelde van de laffe Israëlische aanval van de zomer van 2006. Zogezegd gericht tegen Hezbollah, maar bedoeld om de islam te treffen. Om de wereld nog maar eens te bewijzen hoe superieur de Israëli's wel zijn. Hij glimlachte. Die joden, het zogezegde Uitverkoren Volk – hij spuwde de woorden vol verachting uit – zouden lik op stuk krijgen.

Hij liet zich op het Rossini-designbankstel vallen, schopte zijn met de hand gevlochten mocassins uit en greep naar de afstandsbediening om zijn B&O-flatscreen op te starten. Hij zapte naar RTBF – hij sprak Frans als de besten, Aantwèrps ging veel minder – en riep teletekst op, pagina 201, voor het laatste nieuws. De min of meer objectieve berichtgeving was een van de weinige dingen die hij in België apprecieerde. Hij zuchtte tevreden. Negen dagen was hij weggeweest. Eerst naar Beiroet, dan naar het gevaarlijke – want dicht bij de Israëlische grens gelegen – Tyrus en ten slotte naar Damascus. MidEast Exim nv – Import van siervoorwerpen en snuisterijen stond er in het Engels in gestileerde reliëfletters op zijn visitekaartje, net onder zijn naam. Hij had een hele voorraad prullaria besteld die binnen een paar maanden zou worden geleverd. Van Egyptische scarabeeën, zogezegd uit de tijd van de farao's, tot namaak Turkse zilveren theeserviezen. Op de Frankrijklei runde hij een winkel die enige bekendheid genoot om zijn groot assortiment en lage prijzen. Ze moesten eens weten welke marge ik op die dingen krijg, schamperde hij bij zichzelf. Maar die belachelijke winkel was slechts de dekmantel voor zijn echte activiteiten.

Faoust stond kwiek op zonder het tv-toestel uit te schakelen. Met zijn achtendertig jaar, en dankzij af en toe wat joggen, kon hij niet klagen over zijn fysieke gesteldheid. Hij was slank gebouwd, had donkerbruine ogen, een scherpe kin en kortgeknipt kastanjebruin haar. Alleen zijn huidskleur, die veel te bleek was voor die van de doorsnee-Libanees, maakte zijn afkomst voor een buitenstaander onzeker. Hij had er in het geheel geen probleem mee om dat in zijn voordeel aan te wenden. Zijn geijkte manier van doen was, wanneer hij op Zaventem landde na weer een trip naar het Midden-Oosten, bij de grenscontrole niet zijn paspoort gebruiken, maar zijn Belgische identiteitskaart. Hij gaf op die manier de indruk van minder ver te komen, uit minder gevaarlijke streken. De politieman zag wel aan zijn naam dat hij van buitenlandse afkomst was, maar tot nog toe had die tactiek hem voordeel opgeleverd. Hij was nog nooit tegengehouden en bijvoorbeeld gefouilleerd. Iets wat hij al vele keren had zien gebeuren bij donkerder gekleurde medereizigers.

Hij slenterde naar de maagdelijk witte keuken om een glas water, toen zijn mobieltje de eerste tonen van *Que sera, sera* liet klinken.

'Ja?'

'Ik wilde gewoon even checken of je goed bent aangekomen', klonk de niet onvriendelijke mannenstem.

'Geen probleem. Ik ben zo door de politiecontrole gewandeld.'

'Goed. We hadden natuurlijk niet anders verwacht, maar je weet nooit.'

'Och... Dit is België.'

'Je bewaart de beeldjes toch op een veilige plaats?'

'Dat spreekt voor zich. Maar word alsjeblieft niet te concreet. Wie weet wie misschien meeluistert. Zelfs in dit land.'

'Je hebt gelijk. Je weet wat je te doen staat.' Met een droge klik viel de verbinding weg.

Rachid Faoust dronk het glas kraanwater in één teug leeg. Er speelde een voldane glimlach om zijn lippen. Ze wisten wanneer zijn vlucht was opgestegen, ze wisten wanneer hij was geland. Om dan zoals steeds even te controleren of hij goed door de politiecontrole was gekomen en veilig in het appartement. Dat kon hij appreciëren. Efficiëntie noemen ze zoiets, mijmerde hij terwijl hij terug naar het bankstel liep. Hij wierp een zelfverzekerde blik op zijn bagage die hij bij de woonkamerdeur had achtergelaten. Zijn felgele Samsonite-reiskoffer, zijn zwartlederen attachécase met daarin de twee beeldjes, elk ongeveer twintig centimer groot. Hij bleef glimlachen. Hij greep naar zijn portefeuille en vond meteen de in vieren gevouwen factuur die bij de stukken

18

hoorde. Die was in het Engels opgesteld en bedoeld voor als de douane hem een vraag zou stellen. Wat overigens nog nooit was gebeurd. Volgens het document waren het twee replica's van Sumerische afgodenbeeldjes die dateerden van rond 2700 voor Christus. Met een waarde van amper 15 dollar per stuk. Hij grijnsde. Replica's? Replica's? Het was verdomd echt antiek. *The real stuff.* Gestolen uit het Museum van Oudheden in Bagdad in de dagen toen de Amerikaanse honden net Saddam Hoessein hadden verdreven. Samen geschat op minstens 400.000 dollar. In het officiële circuit weliswaar. Hij zou er een pak minder voor krijgen. Als hij beide unieke exemplaren in totaal voor de helft kon versjacheren, mocht hij niet ontevreden zijn. Faoust schokschouderde. 100.000 per stuk was ook niet slecht. Bovendien was het niet de eerste keer dat hij dergelijke waardevolle statuettes het land binnensmokkelde. Je zou kunnen stellen dat het bijna een gewoonte was, dacht hij niet zonder binnenpret. Twee keer per jaar bracht hij in zijn handbagage gestolen antiek dit kloteland binnen. Altijd zonder het minste probleem. Meestal oud-Sumerische of Babylonische kunst die in Irak en masse was ontvreemd onder de ongeïnteresseerde blikken van het christelijke bezettingsleger. Hij maakte een wegwerpgebaar. Het ging zo gemakkelijk. Soms wilde hij dat er wat meer spanning bij kwam kijken, zodat zijn eergevoel werd gestreeld. Maar die ongelovige honden waren gewoon te stom om hem te pakken. Een sukkelaar van een illegaal met een slecht nagemaakt paspoort eruit pikken, ja, dat konden ze. Maar voor het overige...

Hoe zijn broeders aan die antieke kunstvoorwerpen kwamen, liet hem koud. Bovendien kreeg hij nauwelijks meer dan een paar woorden uitleg over wat hij naar het westen smokkelde. Gelukkig deden zijn afnemers niet moeilijk. En met reden. De plundering van het Museum van Oudheden in Bagdad eind april 2003 was algemeen bekend. Sommigen beweerden dat meer dan 100.000 waardevolle voorwerpen op een geplande, professionele manier waren ontvreemd. Van New York via Londen tot Tokio werden in het wereldje van de gespecialiseerde antiekhandel regelmatig meesterwerken aangeboden die niet anders dan afkomstig konden zijn van die grote rooftocht. Handelaars te goeder trouw rapporteerden nauwgezet die voorwerpen en weigerden ze te kopen. Maar anderen hadden minder scrupules. En wat Faoust betrof, die had er al helemaal geen. Het paar voorwerpen dat hij zowat om de zes maanden uit Beiroet meebracht, diende maar één doel: geld inzamelen voor de goede zaak. De gedachte dat hij leurde met het historische erfgoed van een volk dat aan de wieg stond van de beschaving, liet hem ijskoud.

Faoust greep naar de Samsonite-koffer, liep ermee naar boven, naar zijn slaapkamer, en begon hem zorgvuldig uit te pakken. Het paar zomerjasjes hing hij in een kast, zijn hemden en ondergoed verdwenen in de wasmand. Hij begon zachtjes te neuriën. Hij was goed bezig. Bovendien mocht hij van geluk spreken. Iedere keer dat hij weer in Libanon kwam, werd hij op een manier die nooit wende geconfronteerd met de misère van de overgrote meerderheid van zijn landgenoten. Die hadden niet, zoals hijzelf, het geluk van een opdracht in het buitenland. Voor hen geen chic penthouse, geen modern comfort. Integendeel. Na de Israëlische inval van juli 2006 en de gemene aanval op Qana, waarbij die lafaards veertig kinderen hadden vermoord, was de klok twintig jaar teruggedraaid. De Hezbollah-broeders werden als vossen uitgerookt en zonder proces neergekogeld. En dat terwijl ze niets anders deden dan zich verzetten tegen die Israëlische fascisten. Plots was zijn goede stemming weg. Hij gooide de nu lege koffer boven op de slaapkamerkast en liep snel naar beneden. Nu die beeldjes nog veilig opbergen. Daartoe had hij, toen hij net het appartement had betrokken, een kluisje laten inbouwen in de wand tussen de keuken en de woonkamer. Het was niet diep en zoals in een goedkope B-film aan het zicht onttrokken door een schilderij. Meer was er niet nodig. Bovendien was het penthouse uitgerust met bewakingscamera's en was de stalen voordeur verzwaard. Het geld – meer dan een miljoen euro – en de beide beeldjes waren veilig. Daar was hij gerust op.

Het gebeurde niet vaak dat Rachid Faoust stilstond bij wat hij deed. Dat zijn handel en wandel illegaal waren, dat was zelfs geen vraag. Hij wist goed genoeg dat hij een hele rist Belgische en andere wetten met voeten trad. Zijn zwart-wit wereldbeeld was er een van slachtoffers en verdrukkers. Bij de eerste categorie hoorde het Palestijnse volk en bij uitbreiding alle moslims waar ook ter wereld. Aan de andere kant stonden de moordenaars, met op kop de duivelse Verenigde Staten en hun slaafje Israël. Of zoals zijn imam het zo treffend uitdrukte: het jodendom en het christendom in een monsterlijk, onnatuurlijk verbond tegen het enige, ware geloof, de islam. De strijd was hard en werd gevochten met ongelijke wapens: menselijke bommen tegen hoogtechnologische pantsers. De verliezen waren hoog, de opofferingen zwaar. Te veel martelaren, te veel doden. Maar met iedere dag die voorbijging, kwam de overwinning dichterbij, klonken de zegetrompetten luider. Voor Rachid Faoust was het slechts een kwestie van tijd voor het verwijfde, immorele westen het onderspit zou delven. Voor de groene vlag van de islam trots op de Grote Synagoge in Tel Aviv zou wapperen en op de kathedralen in West-Europa. Hij kende geen twijfel. Vragen moest je je bij dit alles niet stellen. Alle antwoorden stonden toch al in de Koran. Hij was slechts een radertje in een mechanisme die de loop van de geschiedenis onmerkbaar, maar daarom niet minder onherroepelijk, deed kantelen in het voordeel van de islam, de enige waarheid op aarde.

3

'U mag van geluk spreken', begon de cardioloog terwijl hij zich op de met donkergroene skai beklede bezoekersstoel liet vallen. 'Was u met uw hoofd niet op de claxon terechtgekomen, dan had u daar uren kunnen liggen.' De man, de stethoscoop nonchalant over de schouder, keek met een professionele blik naar het dikke lijf van Tavernier. Hij was zelf aan de zware kant, maar kon desondanks een afkeurende blik niet laten. 'U bent zowat het archetype van de hartpatiënt', stelde hij onomwonden vast. 'Veel te veel overgewicht met een *body mass index* van minstens 35, een stresserend beroep en u zult wellicht ook niet echt gezond eten, is het niet? Verder geen hartproblemen in de familie? Uw vader misschien?'

GT keek beteuterd en schudde zwak nee. Hij had al enkele keren zaaldokters aan zijn bed gehad, maar nog nooit de hartspecialist. Voor het eerst sinds hij in het ziekenhuis lag, kon hij min of meer helder denken en dan kreeg hij meteen een preek over zich heen. 'Ik weet eigenlijk niet wat er precies is gebeurd', bracht hij aarzelend uit. 'Mijn herinneringen gaan maar enkele dagen terug. Ik bedoel, hier in het ziekenhuis. Ik weet nog wel dat ik in mijn auto zat, ik herinner mij de paniek. Maar verder...'

De arts sloeg de rode kartonnen map open die hij al de hele tijd bij zich had. 'In het verslag van het urgentieteam staat dat die, zeg maar gelukkige, claxonstoot onder meer de klanten van een nabijgelegen café heeft gealarmeerd. Die hebben toen de 101 gewaarschuwd. U was zeer snel hier bij ons. Op de urgentieafdeling...'

Dat moeten de gasten van De Koekoek zijn geweest, dacht GT met gemengde gevoelens. Misschien was hij daar toch beter een frisse pint gaan pakken in plaats van koppig met een hoofd vol zorgen naar zijn BMW te spurten.

'Hoe dan ook, u had een zware hartaanval. U bent door het oog van de naald gekropen. U zult uw levensstijl helemaal moeten veranderen. Tenminste, als u van plan bent het hier op aarde nog een tijdje uit te zingen.' De cardioloog wikkelde er geen doekjes om. Een ervaring van meer dan twintig jaar had hem geleerd dat je slachtoffers van een hartaanval zo spoedig mogelijk na het gebeurde met de neus op de harde feiten moest drukken. Anders vervielen ze zo in hun slechte gewoonten.

'Tja.' GT keek met onbehagen naar zijn bolle, gespannen buik. Omdat het zo warm was, lag hij vanaf zijn middel onbedekt. Hij realiseerde zich dat hij vanuit die houding niet eens zijn pyjamabroek kon zien. Hij schaamde zich.

De cardioloog keek hem ernstig aan. 'Dit gaat niet over enkele kilo's, meneer Tavernier.' Aandachtig bestudeerde hij de met kleine spatadertjes getekende pens. 'Ik schat twintig tot vijfentwintig kilo. En u zult uw alcoholgebruik moeten matigen. De komende maanden zelfs volledig afschaffen. Gelukkig rookt u niet.'

'Ik dacht dat enkele glazen rode wijn juist goed waren voor het hart.' Het was een flauwe poging om grappig te zijn.

De arts trok zijn wenkbrauwen op. 'Een paar glazen doen een gezond mens geen kwaad. Maar ik heb niet de indruk dat u zich daartoe beperkte.'

Schaapachtig haalde GT de schouders op. 'Misschien was het iets meer...'

'Uw voedingspatroon moet helemaal anders. Geen vet, geen zout. De diëtiste komt een van de volgende dagen langs om een en ander met u in detail te bespreken.'

'Miljaar!'

Voor het eerst trok de schijn van een glimlach over het gezicht van de geneesheer. Hij trok zijn stoel dichter bij het bed en hernam op meer vriendschappelijke toon. 'Uw hart is zwaar ziek, meneer Tavernier. Zo zwaar ziek dat u een tweede hartaanval wellicht niet overleeft. Zelfs al bent u bij wijze van spreken als bij toverslag voor verzorging in een ziekenhuis. Wanneer ik u hier ontsla – binnen een week – moet u thuis iedere fysieke arbeid vermijden. En natuurlijk ook iedere spanning. Alles wat uw hart op een hoger toerental jaagt. Pas over enkele maanden starten wij met uw revalidatie. De wond aan uw hartspier moet eerst genezen.' De arts aarzelde, maar ging toch door: 'Ik zal u meer zeggen. Gelet op de ravage die in uw hart heeft gewoed, bent u iemand die in aanmerking komt voor een transplantatie. Wij zullen het daarover later hebben, maar ik denk dat u er goed aan doet in uw plannen voor het volgende jaar daar rekening mee te houden. Het UZ in Gent beschikt over een prima team...'

'Maar dat kan niet!' Het was een spontane, hoewel toonloze reactie. Guido Tavernier stond nog zwaar onder de medicatie. Wat hij hoorde zou hem onder andere omstandigheden onmiddellijk hebben doen ontploffen, maar nu was het of de drugs zijn emoties aan de ketting hielden. 'Ik heb een zaak, een vastgoedkantoor...' begon hij in een zwak protest.

'Dan raad ik u met aandrang aan om zo spoedig mogelijk maatregelen te treffen om een oplossing te vinden voor de komende maanden. En natuurlijk ook voor later, wanneer de transplantatie...'

'Onmogelijk!' onderbrak GT de cardioloog met vlakke stem. 'Dat kan niet. Mijn zaak...' Hij wilde rechter in bed gaan zitten, maar de elektroden en het infuus hielden hem op zijn plaats.

'Het is geen kwestie van al of niet willen, meneer Tavernier. Mocht u binnen enkele weken zelfs maar proberen het leven te leiden van voorheen, dan zal u dat, primo, wegens de toestand van uw hart niet kunnen en, secundo, het risico op een nieuwe hartaanval zo sterk doen toenemen, dat u voor u het weet het hoekje om bent.'

'U begrijpt het niet, u begrijpt het niet', jammerde GT stilletjes. 'Ik ben niet getrouwd, ik heb geen vrouw die mij kan helpen. Geen kinderen. Ik heb mijn zaak helemaal alleen opgebouwd.'

'Tja...' De cardioloog keek bedenkelijk. 'Het enige wat ik kan zeggen is dat u fysiek in de onmogelijkheid bent door te gaan als vroeger.'

De dagen daarna had Tavernier tijd te over om over zijn toestand en vooruitzichten na te denken. Bovendien werd de dosis medicatie die de werking van zijn geest benevelde progressief verminderd, wat maakte dat hij een stukje van zijn oude zelf terugvond. Hij kreeg ook weer vast voedsel, maar in zulke minuscule hoeveelheden dat hij constant honger leed. Hij had er – een beetje in de stijl van voor zijn hartaanval – een verpleegster op aangesproken, maar die verwees hem naar de diëtiste. Dat gesprek was van een ontnuchterende zakelijkheid. Op zijn nachttafeltje lag sindsdien een aan beide zijden bedrukt A4'tje met alles erop wat niet meer mocht. Gelukkig kwam zijn gevoel voor humor langzaamaan terug. Tegen de diëtiste sprak hij van zijn galgenmaaltijd toen die informeerde naar wat hij net voor zijn hartaanval had gegeten.

Wat zijn vastgoedkantoor betrof, had GT zijn opties zorgvuldig afgewogen. Inbegrepen de verkoop van zijn zaak. Maar dat ging hem ten slotte te ver. Dan kon hij beter meteen in zijn kist kruipen. Nee, hij moest een oplossing vinden die hem tijd gaf, die hem toeliet zich om zijn lichaam te bekommeren. Over enkele jaren, met een nieuw hart – hij vond het een verschrikkelijk idee, maar was realistisch genoeg om de mogelijkheden ervan in te zien – kon hij er op volle kracht weer tegenaan. Het was ook noodgedwongen dat hij tot dat besluit kwam. In die lange dagen, opgebaard als hij zich voelde op zijn ziekenhuisbed, zijn lijf vol pijnstillers en kalmeringsmiddelen, had hij vele uren gemijmerd over zijn leven, over wat hij had bereikt. Niet altijd bewust, maar zwevend tussen droom en werkelijkheid. Vroeger had hij er nooit bij stilgestaan. Maar dat hij nooit was getrouwd, dat hij geen vrouw en kinderen had die hem in het ziekenhuis opzochten, voelde plots als een schrijnend gemis. Voor wie had hij verduiveld al die jaren zo hard gewerkt? Zich politiek geëngageerd? Zijn gezondheid kapot gemaakt? Waarom? Waarom? Eerst wilde hij van het antwoord niets weten, omdat het te goedkoop was, te banaal. Maar ten slotte kon hij niet anders dan het aanvaarden: hij had dat allemaal gedaan om zijn eigen ego te strelen, om aan de goegemeente te tonen wat een flinke, succesvolle vent hij was. Zonder precieze aanleiding ging hij zijn doen en laten vergelijken met dat van pastoor Moens. Hij had op de man neergekeken, gedacht dat hij hem om zijn vinger kon winden, alleen maar omdat die priester er zulke progressieve ideeën op na hield. Maar als je naging wat Moens van zijn leven had gemaakt, hoe geliefd hij was, dan vond GT van zichzelf dat hij niet veel had om trots op te zijn. Eigenlijk niets. Behalve natuurlijk zijn zaak. Die had een reputatie die de wijde omgeving rond

Loverbeek oversteeg. Dat was zijn ankerpunt, zijn enige reden van bestaan. Alleen daarvoor moest hij de komende moeilijke maanden zien door te komen. Hij was met het idee van een interim-manager beginnen te spelen. Maar dat had hij vlug afgevoerd. Zijn vastgoedbedrijf telde te veel dossiers die beter niet door de handen van een vreemde gingen. Te veel zwart geld. Te veel projecten op het randje. Wat had die hartspecialist tot vervelens toe herhaald? Geen stress! Hij had zo al genoeg aan zijn hoofd. Node besefte hij dat er maar één werkbare oplossing overbleef.

'Bedankt voor de bloemen.'

Lutgart Vernimmen keek haar baas onzeker aan. Vandaag zag hij er minder slecht uit dan vorige week, toen ze ook was langs geweest. Maar veel kleur in zijn gezicht had hij niet. Gelukkig lag hij niet meer vastgeketend met die elektroden en was het infuus verwijderd. 'Graag gedaan. De anderen wilden ook meekomen, maar omdat je zei dat je mij alleen wilde spreken...' Het voorbije paar weken was niet makkelijk geweest. Zij en haar drie vrouwelijke collega's waren van het ene ogenblik op het andere op zichzelf aangewezen. En dat terwijl GT zich voordien met zowat alles bemoeide. Bovendien was er de onzekerheid, die naarmate de berichten over de ernst van de hartaanval zich vermenigvuldigden, leidde tot de meest fantasievolle geruchten over het voortbestaan van het kantoor. Ze hadden er zich zo goed en zo kwaad als mogelijk doorheen geslagen, maar de onrust over wat morgen zou brengen, knaagde constant.

'Je weet dat het kantje boord was. Ik had bijna het loodje gelegd...'

'Ja... Je moet je tijd nemen. Het rustig aan doen. Niet overhaast terugkomen.' Ze haalde diep adem. 'Intussen roeren de trommels zich. Luider dan ooit. Allerlei speculaties over het kantoor doen de ronde.' Ze kon er niet over zwijgen. 'Loverbeek blijft Loverbeek.' Tavernier grijnsde. Hij kon zich de cafépraat en de wilde verhalen gemakkelijk voorstellen. Had hij er vroeger ook niet vlijtig aan meegedaan? Door een CD&V'er of Sp.a'er die een tegenslag kende nog wat verder de put in te duwen? Ach... de dorpspolitieke spelletjes van altijd. 'Maar ik heb je niet gevraagd om naar hier te komen om op die kletspraat, dat gezever, in te gaan. Hoe lopen de zaken?'

Lutgart trok haar schouders recht en sloeg de benen over elkaar. Met haar 39 jaar werkte ze al een hele tijd voor GT. Ze was slank, droeg haar zwarte haren in een knot, had hoge jukbeenderen en een scherpe neus waardoor zij er eerder streng uitzag. Ze was zijn eerste aanwerving en had dus de meeste anciënniteit en ervaring. 'Wij hebben gedaan wat wij konden. Maar er komen telefoontjes binnen waar wij gewoonweg niet op kunnen antwoorden. Onder andere over het project in Dendermonde. Een paar mensen hebben gebeld om een winkel op de benedenverdieping te huren, maar ik dacht dat jij die al aan iemand had beloofd...'

GT hief in een bezwerend gebaar zijn rechterhand op. 'Daar gaan we het straks over hebben.' Hij aarzelde om verder te gaan. Hij kende Lut al lang, meer dan lang genoeg om te weten wat haar capaciteiten en vooral haar beperkingen waren. Opnieuw twijfelde hij of hij haar zou inschakelen als zijn gevolmachtigde, als zijn schaduw, als manager van de zaak. Maar opnieuw kwam hij tot het besluit dat hij geen andere keus had. 'Ik ben de komende maanden buiten strijd... Bovendien spreken de dokters over een harttransplantatie. Binnen een jaar of zo...' Hij zag hoe ze schrok, hoe ze haar best deed om haar verrassing te verbergen. Had hij haar dat nog niet moeten vertellen?

'Een transplantatie? En het kantoor? En wij?' Haar hoofd liep over van de vragen, van de zorgen voor morgen. Als haar baas eerst om te revalideren een aantal maanden wegbleef en daarna zo'n een zware operatie moest ondergaan, dan was het voor haar een uitgemaakte zaak dat zij en haar collega's hun baan kwijt waren. Het vastgoedkantoor zonder zijn kapitein zou met een rotvaart op de klippen lopen en zinken. Ze zuchtte van moedeloosheid. Ze dacht aan haar twee tienerdochters en aan de hoekwoning waarop ze nog zolang moesten afbetalen. Het salaris van haar man volstond daarvoor niet.

'Je moet niet panikeren.' Hij las de emoties van haar gezicht. Hij wist dat ze niet aan hem dacht, aan de onzekere maanden die hem wachtten, maar aan zichzelf, aan haar baan. Het verbaasde hem niet. GT was iemand die altijd eerst het slechte in de mensen zag. Omdat hij zelf weinig mededogen voelde, verwachtte hij het ook niet. Het liet hem koud. Hij zou zijn angst voor morgen wel alleen verwerken. Hij was een eenling, hij had de anderen niet nodig. Hij trok het laken hoger, dronk wat Evian uit de doorzichtige plastic beker op het nachtkastje en keek Lutgart schattend aan. De twijfel over wat hij haar zo meteen ging vertellen, was er nog altijd. Zou nooit verdwijnen. Ze beschikte nu eenmaal niet over een scherp verstand. 'De harttransplantatie is niet voor meteen. Ik moet eerst naar Gent, naar het UZ. Wie weet kom ik zelfs niet in aanmerking.' Hij had dat er zomaar uitgegooid. Nu pas besefte hij dat die mogelijkheid reëel was. 'Intussen moet ik het kalm aan doen. Geen stress. Een strikt dieet volgen... Maar dat wil niet zeggen dat het kantoor de berg af mag donderen. En daarvoor reken ik op jou.' Lutgart Vernimmen veranderde van houding en trok zenuwachtig aan haar rok. Ze vroeg zich af wat er ging komen. 'De hele periode vanaf nu tot na mijn transplantatie', GT wilde met de mogelijkheid dat die niet zou doorgaan geen rekening houden, 'draaien we de activiteiten terug tot het minimale. Net alsof we in winterslaap gaan. Geen nieuwe projecten. Uiteraard de klassieke makelaarstransacties, maar geen actieve prospectie. En geen afdankingen', voegde hij er met een flauwe glimlach aan toe. Hij zag hoe Lut opgelucht zuchtte en zich helemaal ontspande. 'En jij wordt de nieuwe kantoormanager.'

'Wat?' Ze wist niet meteen wat te zeggen. 'Eh... Dat is goed nieuws.' Ze besefte dat ze hem moest bedanken. Ze deed het niet. 'Maar kan ik dat aan? Ik bedoel...' Ze draaide met haar handen en keek hulpeloos naar haar baas.

Tavernier dankte stilletjes de dokters dat ze hem nog niet helemaal zonder kalmeringsmiddelen hadden gezet. Zo niet zou zijn tikker ongetwijfeld in overdrive zijn gegaan. Gaf hij Lut niet een ongelooflijke kans om vooruit te komen? En wat deed dat mens? Zich openlijk afvragen of ze het aankon. Of het beetje extra verantwoordelijkheid van haar nieuwe functie haar geen toeval zou bezorgen. GT keek met minachting neer op zulke individuen. In zijn ogen waren ze niets anders dan geboren verliezers, sujetten die hun kostbare tijd verspilden aan de stomste dingen. Oeverloos leuteren over de nieuwe zwangerschap van een of andere prinses of over het liefdesleven van een omhooggevallen filmster. Geen ogenblik kwam het bij hem op dat Lutgart Vernimmen zich eerlijk afvroeg of hij van haar niet te veel verlangde, of zij geen zware fouten zou maken. Maar er was eenvoudigweg niemand anders. Roeien met de riemen die je hebt, heet zoiets. 'Je doet het werk dat je altijd al hebt gedaan. Het enige verschil is dat er enkele coördinerende taken bijkomen.'

'Coördinerende taken?'

GT voelde ondanks de geneesmiddelen zijn ergernis toe-

31

nemen. 'Ja. Dat is toch niet te veel gevraagd! Neem nu dat project van die zes rijtjeshuizen in Waasmunster. Je moet de voortgang van de werken bijhouden, mij de betalings-opdrachten voorleggen wanneer onze architect een factuur heeft goedgekeurd. Later geef ik je volmacht op de bankre-kening. Is dat zo moeilijk?'

'Nee, nee. Tenminste, als je mij alles goed uitlegt...'

'Je nieuwe functie resulteert natuurlijk in een loonsver-hoging', tapte Tavernier plots uit een ander vaatje. 'Vanaf 1 augustus gaat jouw salaris met 300 euro per maand om-hoog. Bruto, welteverstaan.'

'Dank je wel.' Lut was sprakeloos. Toen ze naar het zie-kenhuis kwam, was ze bang dat ze zou horen dat zij en haar collega's werden ontslagen. En nu was daarvan geen spra-ke. Integendeel, ze kreeg zelfs loonsverhoging. En die coör-dinerende taken, zoals haar baas haar nieuwe verantwoor-delijkheden noemde, die had ze er ook zonder financiële tegenprestatie bij genomen. Tenslotte was het een kwestie van één lijn trekken. Tot GT er weer helemaal bovenop was.

'Met de lopende vastgoedpromoties zul je het meeste extra werk hebben. Er is Waasmunster, die drie eengezins-woningen in Lokeren en dat renovatieproject van vijf woon-eenheden op de Parklaan in Aalst. Maar daar is alles al ver-kocht. Alleen de opleveringen moeten nog gebeuren. En vergeet Dendermonde niet. Daar moet de eerste verkoop nog worden afgesloten...' GT dronk opnieuw wat water en liet zich terug op bed vallen. 'Het beste maak je per dossier een lijst op met de stand van zaken. Die kunnen we dan samen doorlopen. Om te zien of je geen dingen vergeet.' Lut knikte vlijtig ja. 'En dan is er natuurlijk De Beemden...'

De Beemden. GT's topvastgoedpromotie. Een ambitieu-zer, financieel vérstrekkender project had hij nog nooit aangedurfd. En gelegen in Loverbeek, waar hij zelf woonde.

32

Ook kende ze min of meer de achtergrond. Dat hij – toen hij nog schepen was – zichzelf een bouwvergunning had toegekend. Weliswaar voorwaardelijk, omdat hij de grond waarop hij wilde bouwen niet bezat. Ze wist dat Maria Lepoutre niet wilde verkopen. Zelf woonde ze niet zo ver van waar de serviceflats zouden komen. Ze had buren die lid waren van het actiecomité dat protesteerde tegen de vestiging van die vijf lage gebouwen. Had ze niet voor GT gewerkt, ze was waarschijnlijk zelf lid van dat clubje... 'Ik moet bekennen dat ik geen flauw idee heb hoever het met dat dossier staat. Heb je de grond al kunnen kopen?'

'Nee. Ik kwam van bij pastoor Moens toen ik mijn hartaanval kreeg.' De herinnering daaraan deed Tavernier huiveren. 'Ik heb geprobeerd om via hem Maria Lepoutre te overtuigen aan mij te verkopen. Maar hij heeft mij zowat aan de deur gezet.' Het had geen zin haar de dingen anders voor te stellen dan ze waren.

'Pastoor Moens daarvoor inschakelen?' Het leek haar een compleet belachelijke gedachte. Dat was een integere man. Dat wist iedereen in Loverbeek. Hoe kon haar baas zo naïef zijn?

'De pastoor en zijn huishoudster, da's bijna een koppel. Ik heb hem aangeboden bij te dragen in de reparatiekosten van het dak van zijn kerk. 10.000 euro. Ik dacht, voor wat, hoort wat.'

Lutgart Vernimmen fronste de wenkbrauwen. 'Dat was een... gewaagde zet. En hij heeft dus geweigerd.'

'Ja. Zei ik toch al. De gemeenteraad had intussen een subsidie goedgekeurd. Iets wat mij totaal onbekend was. Met de groeten van die CD&V-azijnpisser Van Steirteghem.'

Lut wist hoe gevoelig het verlies van het schepenambt bij haar baas lag. Het lag op het puntje van haar tong om verder op de zaak in te gaan. Maar toen herinnerde ze zich

33

dat hij spanning zoveel mogelijk moest vermijden, dat iedere opwinding uit den boze was. 'Zou het niet beter zijn De Beemden gewoon te vergeten?' antwoordde ze daarom. 'Gelet op de omstandigheden...'

GT liet met zijn zware lijf de matras stevig piepen, terwijl hij zich moeizaam rechtte. 'Lutgart, nu ga je eens goed naar mij luisteren. Het is uitgesloten, ik herhaal, absoluut uitgesloten, dat De Beemden wordt geschrapt. Dat project moet doorgaan!'

'Maar jij bent de komende maanden niet beschikbaar. Er moet nog zoveel in orde komen voor de bouwwerken kunnen aanvangen. De grond is zelfs nog niet van ons...'

Het deed hem plezier dat ze in de eerste persoon meervoud sprak. Eindelijk wat betrokkenheid. 'Wat we wél hebben is de bouwvergunning. Zoiets is geld waard, veel geld.' Hij aarzelde. Hij mocht zich niet opwinden. Hij moest aan zijn tikker denken. Maar al bij al voelde hij zich niet slecht. Het scheen zijn lijf goed te doen bezig te zijn met zijn werk. 'Bovendien is er nog iets.' Opnieuw twijfelde hij of hij zou doorgaan, maar nu om een andere reden. Hij was niet gerust op haar reactie. 'Ik heb in totaal al voor meer dan 100.000 euro aanbetalingen op De Beemden ontvangen. Meestal cash van mensen uit het Antwerpse.'

Ze schrok niet, maar keek hem gebiologeerd aan. Ze wist dat haar baas soms onbedachtzaam handelde. 'Voorschotten terwijl het nog niet zeker is dat het project doorgaat?'

'Ja. Dat komt omdat de verkoopbrochures al een tijdje geleden zijn verspreid. Ik weet het, ik weet het... Misschien te voortvarend. Om een of andere reden zijn het vooral Antwerpenaren die hebben toegehapt. Of misschien huizen daar enkele topverkopers. Als de zaak niet doorgaat, dienen die voorschotten natuurlijk terugbetaald.'

'Het ziet ernaar uit dat we de grond niet kunnen kopen.

Dus...' Ze keek langs hem heen. 'In jouw toestand lijkt het mij beter om het hele project af te blazen en dus alle voorschotten terug te geven.'

Hij keek haar verveeld aan. 'Dat kan niet. Ik heb die centen niet meer.'

'Maar je zei daarnet dat je 100.000 euro hebt ontvangen...' Ze begreep het niet.

'Als ik zeg dat ik dat geld niet meer heb, heb ik het niet meer.' Werd Lutje soms doof? 'Een deel heeft gediend om commissies te betalen, een ander om de bedrijfskosten van het kantoor te helpen dekken, waaronder jouw salaris. En je loonsverhoging', voegde hij er gemeen aan toe.

Ze slikte. 'Dus als De Beemden niet doorgaat...' Ze kreeg de gelegenheid niet om haar zin af te maken.

'De Beemden gaat door. Punt uit!' Tavernier werd moe. Bovendien had hij een berenhonger. Het was net of dat flinterdunne lapje geroosterde kalkoen met vijf prinsessenboontjes al verteerd was nog voor het zijn maag bereikte. Nog even doorbijten. 'De Beemden is onze eerste prioriteit. De toekomst van het kantoor en van zijn medewerkers hangt ervan af. De winstmarge op dat project is aanzienlijk. Enorm, mag ik wel zeggen. We moeten er alles aan doen om het te realiseren.' Hij gaapte ongegeneerd zonder zijn hand voor de mond te houden. 'De Beemden is onze redding. Niet meer of niet minder.'

Ze keek hem aan met ogen vol bewondering. Nauwelijks voelde hij zich beter, of hij vocht terug als een leeuw. 'Wat kan ik doen?'

'Maria Lepoutre blokkeert alles. Kan jij niet proberen uit te vissen hoe wij haar aan onze kant kunnen krijgen?' Hij wachtte niet op haar antwoord. 'Waar het op aankomt, is de periode te overbruggen tussen nu en tot de flats van de De Beemden worden opgeleverd.' Hij keek haar indringend aan. 'De vaste kosten van het kantoor, de zware aflossingen op Dendermonde...' hij slikte ongemakkelijk, '... zijn veel hoger dan de courante inkomsten.'

'Dat weet ik.' Ze zei het stil, afwezig. Ze dacht aan de bankafschriften met almaar hogere negatieve saldi, aan de telefoontjes van de bankdirecteur die steeds ongeruster klonken omdat de kredietlimiet bijna was bereikt. Ze had om geduld gevraagd, de man eraan herinnerd dat haar baas in het ziekenhuis lag. Maar dat leek die bureaucraat alleen maar achterdochtiger te maken.

'Ik zal wat privégeld in de zaak stoppen', sprak GT bedachtzaam. 'Om de grootste nood te lenigen.' Hij greep opnieuw naar de beker water en dronk een gulzige slok.

Lutgart knikte dat ze het begreep. Ze zag hoe zijn hand trilde.

'Wat wij nodig hebben, is een slimme, moedige oplossing', ging Tavernier verder. 'Ik heb een plannetje', vervolgde hij plots met een vonk nieuwe energie. 'Iets wat ons de financiële ademruimte geeft die ons vandaag ontbreekt...' Hij zag haar ogen oplichten. 'Hoeveel namen telt ons klantenbestand?'

Ze schrok van die directe vraag. Bovendien, hij kende het antwoord toch beter dan zijzelf? 'Eh... meer dan 2000. Kopers en huurders. Oude en nieuwe klanten. Iedereen bij elkaar.'

'Wat zou jij ervan zeggen om voor 250 euro een state-of-the-art-plasma-tv te kopen? Met een 50 inch scherm, dus een van 1,25 m...'

'Wablieft?'

'Je hebt mijn vraag goed begrepen. Nou, wat zou jij doen?' GT leunde achterover in zijn kussen en keek haar uitdagend aan.

Ze wendde haar blik af en keek berustend door het raam naar de ziekenhuisparking. Hij sprak in raadsels, maar antwoorden kon geen kwaad. Ze zou het spelletje meespelen.

'Voor 250 euro? Iets dat in de winkel misschien tien keer zo duur is? Ik zou toehappen.'

'Natuurlijk doe je dat. Iedereen springt op zo'n gelegenheid. Zeker als je het goed verpakt. Bijvoorbeeld als een bijzondere promotieactie.'

Ze schudde niet-begrijpend het hoofd.

'In de praktijk bestellen we... laten we zeggen...' hij dacht aan het bedrag dat hij zou moeten ophoesten, '... tien tv's. Netto zal mij dat een 20.000 euro kosten.'

'20.000 euro? Jij gaat 20.000 euro aan plasma-tv's uitgeven?' Ze begon te vermoeden dat de zware medicatie hem parten speelde. Hij wist toch dat er geen geld was? Daarnet had hij zelf nog gezegd dat hij privécenten in de zaak ging stoppen. Wat was er mis met hem?

'Ik vroeg je hoeveel mensen jij denkt dat er zullen toehappen?'

Ze knipperde met haar ogen. 'Veel... Wie zou niet op zo'n aanbod ingaan...'

'Dat denk ik ook. Stel nu dat... de helft van onze cliëntèle reageert en dus ieder 250 euro op onze bankrekening stort.'

Plots las hij een begin van begrip in haar ogen. 'Hé... 250 euro vermenigvuldigd met 1000 is... 250.000 euro!'

'In de praktijk zullen veel meer mensen storten. Je zei daarnet zelf dat je gek moest zijn om niet op zo'n aanbod in te gaan.' Hij aarzelde. 'Ik reken op minimaal 1500 positieve reacties. Alleen mensen die echt op hun financieel tandvlees zitten, zullen passen.'

'Maar 1500 positieve reacties, dat zijn 1500 plasma-tv's...'

'Dat is de kern van mijn plannetje.' GT had pretoogjes. 'We kopen dus maar tien tv's. Die laten we ook leveren. Aan zorgvuldig uitgekozen klanten die dus inderdaad maar

250 euro hebben betaald.' Hij keek dromerig voor zich uit. 'Dat alleen al zal twijfelaars helemaal over de streep trekken. Dan weten ze, dan zien ze, dat onze promotionele actie geen bluf is.'

'Maar al die anderen? Die verwachten ook een tv...'

'Wat heb ik daarstraks gezegd, Lut?' Hij keek haar aan als een strenge schoolmeester. 'We moeten de periode zien door te komen tussen nu en de oplevering van De Beemden. We hebben met andere woorden een overbruggingskrediet nodig. En dat wordt ter beschikking gesteld door al die mensen die ons 250 euro gaan overmaken. 1500 keer 250 euro... Als ik goed kan rekenen bijna 400.000 euro.' Hij zuchtte tevreden. Dit was het soort bedrag dat hij nodig had om de komende moeilijke maanden door te komen. 'We betalen die mensen terug uit de winsten op De Beemden. Die lopen in de miljoenen euro's.'

'Mag dat allemaal?'

'Mag dat allemaal. Mag dat allemaal...' Hij keek haar geringschattend aan. 'Lutje, laat het denken maar aan mij over...' Hij zag het helemaal zitten. Verdekke, je moest GT heten om zo'n meesterlijke oplossing te bedenken.

'Maar...'

'Het is een kwestie van overleven...' Hij doelde op het kantoor, maar stelde bij zichzelf bitter vast dat dit ook op hem betrekking had. 'Ik zei al dat een inventieve, fantasievolle oplossing nodig is om ons door de komende moeilijke maanden te loodsen. Zeg, je laat mij toch niet in de steek?'

Zijn persoonlijke, rechtstreekse vraag deed haar schrikken. Ze dacht aan de hypotheeklening op hun huis. Die ze zonder haar inkomen nooit konden aflossen. Ze voelde met de natte vinger dat wat GT van plan was, niet kon. Maar hij had al enkele keren zwaar gegokt en niet verloren. Misschien had hij gelijk en ging het inderdaad slecht om een bijzondere vorm van voorfinanciering. 'Nee, natuurlijk laat ik jou niet in de steek.' Ze liet het overtuigender klinken dan dat het voelde.

'Goed dan.' Hij reikte met zijn rechterhand naar haar. 'Ik ben blij dat ik op jou kan rekenen.'

Ze drukte hem aarzelend de hand, die klam aanvoelde. 'Geen probleem.' De zware hypotheekaflossingen kon ze op geen enkel moment uit haar hoofd zetten. Ze zou doen wat hij vroeg. Haar enige alternatief was ontslag nemen, maar dat wilde ze niet, dat kon ze niet. Niet voor hem, maar op de eerste plaats niet voor zichzelf. Op haar leeftijd een nieuwe, interessante baan vinden die goed betaalde, lag niet voor de hand. Maar op weg naar huis viel ze ten prooi aan een reeks verontrustende gedachten. Wat als GT De Beemden niet kón verwerven? Wat als het project geen doorgang vond? Of nog erger, wat als haar baas het slachtoffer werd van een nieuwe hartaanval? Een dodelijke, dit keer? Hoe zouden die voorschotten van 250 euro dan worden terugbetaald?

4

Aboe Jahl keek ongeïnteresseerd de studio in die hem door het OCMW van Loverbeek was toegewezen. Hij was liever in Antwerpen of een andere grote stad terechtgekomen, maar hij was erover ingelicht dat je daar als asielzoeker niet veel keus in had. België volgde een politiek van spreiding. Liever drie, vier vreemdelingen in ieder dorp, dan ze allemaal samen in woonkazernes te droppen. Hij schokschouderde. Dit boerengat was ook oké. Hij moest alleen zo spoedig mogelijk zien uit te vissen waar zich de meest nabije moskee bevond. En dat zou niet vlakbij zijn. Vanuit het enige raam dat de kamer rijk was, keek hij pardoes op de spitse toren met grijze leien van de kerk. Hij nam zich voor papier voor het raam te plakken zodat hij niet heel de tijd op dat stupide kruis op die piek keek. Hij was in het land van de christenen. Maar dat betekende nog niet dat hij die vijandige buitenwereld zo maar hoefde te ondergaan.

De eerste weken na zijn aankomst in België had hij doorgebracht in een opvangcentrum in Melsbroek, bij de luchthaven. Prikkeldraad overal, een streng regime. Je mocht de buitenwereld niet verkennen. Maar niet oncomfortabel gelogeerd. Veel beter dan waar hij vandaan kwam. Goed, stevig voedsel met respect voor zijn geloofsovertuiging. Hij was uit Soedan afkomstig – tenminste, zo stond dat op zijn paspoort – en landgenoten waren er niet, maar hij had goede gesprekken met een aantal geloofsbroeders. Het centrum leek wel een staalkaart van de oemma, de wereldmoslimgemeenschap: vluchtelingen uit Afghanistan, Mali, Syrië, Pakistan, Iran... Je vroeg je af hoe ze het in hun hoofd haalden om allemaal naar het onooglijke België te willen emigreren. Niet iedereen was hier immers met een missie zoals hijzelf. In het opvangcentrum was hij verschillende keren door de politie ondervraagd. Telkens gedurende enkele uren. Maar zonder de minste dwang. Hij was anders gewoon. Het leken eerder gesprekken tussen vrienden, waarbij niet alleen een tolk aanwezig was, maar ook een advocaat. Zijn persoonlijke advocaat, die gratis te zijner beschikking stond voor heel de duur van de asielprocedure. Aboe Jahl had ook dat bij voorbaat geweten. Hij was uitstekend gebrieft. Tot enkele jaren geleden ging het er in dit land helemaal anders aan toe. Toen kreeg je geld toegestopt en moest je zelf je plan trekken: een kamer huren, voedsel kopen, voor juridische bijstand zorgen. Nu kreeg je alles in natura, behalve wat zakgeld voor je ontspanning. Dat maakte het voor de echte asielzoeker misschien minder aantrekkelijk om voor België te kiezen – al zou je dat niet meteen denken afgaande op de drukte in het asielcentrum – maar voor hem was dat onbelangrijk. Hij streefde andere doelen na.

Tijdens die politieondervragingen had hij zich net dom genoeg voorgedaan om geen argwaan te wekken. Hij had een verhaal opgedist over een broer die door het regime in Soedan in de cel was gesmeten wegens gezagsondermijnende activiteiten in Darfoer. Hij wist dat ze dat zouden controleren. Maar ook dat ze slechts de bevestiging zouden krijgen van wat hij had verteld. Daar was door de nodige steekpenningen voor gezorgd. Het meest delicate punt was zijn paspoort. Gelukkig kon je voor weinig geld in Soedan een blanco origineel zo bij een ambtenaar kopen en ook de stempels waren geen probleem. Hij vermoedde dat de Belgische politie – en bij uitbreiding elke Europese politiedienst – niet beschikte over de juiste middelen om zijn volledige identiteit na te gaan. Zijn moslimbroeders hadden hem laten weten dat ze op dit punt geen moeilijkheden verwachtten, al zaten ze in het westen met het verzamelen van informatie ook niet stil. Achteraf bleken het zorgen om niets. Na ongeveer een maand werd zijn asielaanvraag zonder veel poespas in behandeling genomen en werd hij met een treinticket op zak vriendelijk verzocht zich te melden bij het OCMW van Loverbeek. Zijn advocaat was zelfs zo attent te zorgen voor een oudere dame van een of andere bijstandsorganisatie die hem begeleidde tot bij de OCMW-beambte – een blonde westerse hoer die hem in een nauwelijks verhullend topje onbeschaamd in de ogen had gekeken – opdat er geen taalproblemen zouden zijn. Van service gesproken! Hij lachte smalend.

Hij gooide de zwartblauwe versleten sporttas, die hij zogezegd uit Soedan had meegebracht, weg. Die belandde bij de poot van het vierkanten keukentafeltje. Behalve de koran, waarvan de beduimelde bladzijden op een intensief gebruik duidden en een mobieltje van een oud model met oplader, zat er nauwelijks iets van waarde in. Een paar T-shirts, een reservejeans in een nog lamentabeler toestand dan degene die hij droeg en wat toiletgerief. Het maakte allemaal niet uit. Aboe Jahl was geen man van het materiële. Deze wereld was maar een tijdelijk verblijf, een tussenstop op weg naar het paradijs. En om daar te komen leefde hij niet alleen strikt volgens de voorschriften van de Koran, maar probeerde hij bonuspunten te scoren door zich maximaal in te zetten voor de islam. Door meer te doen dan wat van de doorsneegelovige werd verlangd. Hij was er oprecht van overtuigd dat Allah van iedere moslim opschreef welke goede en slechte daden die beging. Zoals een boekhouder de rekeningen bijhield. En op de dag des oordeels zou de balans worden opgemaakt.

Hij was een slanke, bijna magere man van gemiddelde lengte en van een donkerbruine huidskleur. In zijn afgedragen jeans en T-shirt van een onbestemde grijze kleur waarop je nog vaag de letters CK kon onderscheiden, zag hij er niet anders uit dan veel jongeren van rond de vijfentwintig. Hij had kortgeknipt, pikzwart haar en hij droeg een gemillimeterde ringbaard. Het enige opvallende waren zijn ogen, die steeds leken te lachen. Een vriendelijke, niet te snuggere jongen van wie je dacht dat hij nooit een vlieg kwaad zou doen. Maar Aboe Jahl was niet dom. Als het moest, kroop hij in de huid van de ongeletterde asielzoeker uit een of ander land in oorlog, op zoek naar een vredig bestaan, naar een nieuwe toekomst. Zijn echte naam was Khalid al-Quwasi en hij had zijn jeugd doorgebracht in Zuid-Egypte, in Aswan. Hij was een Nubiër met familiebanden over de grens in Soedan. Eerst had hij zoals zovele kinderen een vooral godsdienstig geïnspireerde opvoeding gekregen in een *madrassa*, een religieuze school waar het in de eerste plaats de bedoeling is om de Koran helemaal uit het hoofd te leren. Later, dankzij een studiebeurs van de Egyptische regering, was hij in Caïro aan de Al Azhar-universiteit gaan studeren. Daar had hij de ware islam ontdekt. En de noodzaak om door een wereldwijde jihad de ongelovige honden voor eens en altijd van de kaart te vegen. Toen op 11 september 2001 die vliegtuigen zich in de WTC-torens op Manhattan boorden en een ander het Pentagon bijna verwoestte, had hij gehuild. Tranen van geluk en ontroering. Samen met ontelbare anderen had hij Allah bedankt en geprezen voor deze daad, die getuigde van een onvoorstelbare moed en zelfopoffering. Op dat precieze ogenblik had hij geweten dat de *shahadat*, het martelarendom, ook voor hem was weggelegd. Die wetenschap had hem vervuld met diepe blijdschap, met een gevoel van opperste voldoening dat hij voordien nooit had gekend. Nadat hij zijn studie archeologie met succes had beëindigd – hij kon als geen ander over de farao's vertellen – was hij naar Libanon getrokken. Op aanraden van een studievriend was hij lid geworden van de Qena-brigades, een splintergroep van Hezbollah. Toen de Israëli's in de zomer van 2006 Libanon binnenvielen, had hij meegedaan met enkele raids, onder meer op de haven van Haïfa. Achteraf gezien niks bijzonders, hoewel het zijn vuurdoop was. Later had men hem en een tiental medestanders naar Syrië gestuurd. Weg uit het heetst van de strijd. In Damascus had hij geduldig gewacht op de vervulling van zijn droom, zijn martelaarschap. Allah had voor hem België uitgekozen, een land dat hij voordien alleen bij naam kende. Als zogezegde vluchteling uit het door burgeroorlogen geteisterde Soedan was hij daar na enkele zorgvuldig geplande omzwervingen ten slotte aanbeland.

Op korte termijn verwachtte men niets van hem. Hij moest zich als een asielzoeker gedragen en zich verder gedeisd houden op het voorlopige adres dat de Belgische overheid hem zou toewijzen. Daarna hoefde hij alleen af te wachten. 'Don't call us, we'll call you.' Uitsluitend daarvoor diende het aftandse mobieltje dat hij tussen zijn versleten kleren meezeulde en dat hij om de paar dagen plichtsgetrouw oplaadde.

5

'Meneer pastoor...' Door het getraliede luikje hoorde hij beweging, zag hij hoe Maria zich in een positie werkte zodat haar mond dicht bij zijn oor was. 'Mag ik fluisteren?'
'Maar dat doe je toch al?' antwoordde hij laconiek, maar niet onvriendelijk.
'Ik... eh... Het gaat over Arlette.'
'Ja?'
'Ik schaam mij zo, meneer pastoor.'
Hij fronste de wenkbrauwen. 'Wat is er gebeurd?' Het leek een plaatsvervangende biecht te worden. Omdat Arlette zelf niet durfde of wilde komen – die zag hij nooit meer in de kerk – beet haar moeder voor haar door de zure appel heen. Dat was niet ongewoon. Vele mensen kwamen bij hem zonden biechten die niet de hunne waren. Vooral oudere vrouwen waren daar goed in. Hij gaf ze zonder uitzondering absolutie. En beschikte tegelijkertijd over een ongeëvenaarde bron van informatie.
'Ze heeft mij te schande gemaakt. Maar ik kan die schande niet langer voor mij alleen houden.' Het bleef enkele tellen stil. Alleen haar adem in zijn gezicht, die vaag naar knoflook rook, verried haar aanwezigheid.
'Neem je tijd.'
'Arlette was zwanger.' De nauwelijks verstaanbare woorden ontsnapten haar als in een zucht.

'Wás zwanger?'

'De vrucht is weggenomen.'

'En de vader?'

'Over hem heeft ze niets willen zeggen. Ik weet niet wie dat is.'

'Zo...' Hij wreef nadenkend over zijn kin. 'Ze heeft dus abortus gepleegd.' Hij speelde met het metalen bandje van zijn polshorloge. Hij was geen voorstander van zwangerschapsonderbreking. Hij wist dat het voor te veel mensen een gemakkelijkheidsoplossing was. Oeps, de pil vergeten. Dan maar het mes erin. Maar soms was het zonder meer verantwoord. En hoe dan ook, de wet liet het toe. 'Maria, je moet je daarom niet schuldig voelen...'

'Dat is het niet, meneer pastoor... De baby was bijna zes maanden...' Ze begon zenuwachtig te praten. 'Arlette had natuurlijk gemerkt dat ze geen maandstonden meer kreeg. Maar ze dacht er verder niet bij na. Ik denk dat ze gewoonweg niet wilde accepteren dat ze zwanger kón zijn. Maar dat bleef niet duren. Ten slotte is ze op zoek gegaan naar een dokter die haar wilde helpen. Nog wilde helpen. Dat is wat zij mij heeft verteld.'

'Waar is die abortus gebeurd?' Pastoor Moens fluisterde nu ook. Een abortus op een vrucht van bijna zes maanden. Werd zoiets in juridische termen niet moord genoemd?

'Niet ver van hier, in Gent. Maar niet door een arts, door een vroedvrouw.'

'Door een vroedvrouw! Hoe kon je zoiets toestaan? Je had Arlette moeten tegenhouden. Een vroedvrouw mag helemaal niet aborteren! Stel dat er complicaties waren opgetreden!' Hij was flink geschrokken en reageerde boos. Op een manier die hij van zichzelf niet gewoon was.

'Ik weet het. Ik weet het.' Maria jammerde. 'Maar ik wist van niets. Helemaal niets heeft ze mij verteld... Sinds ze bij het OCMW werkt en op dat flatje boven de kruidenierszaak van André en Monique woont, weet ik niet wat ze allemaal uitspookt. Ze verslijt vriendjes aan de lopende band. Meneer pastoor, ik herken mijn bloedeigen dochter niet meer...'

Hij hoorde hoe Maria Lepoutre stil snikte en toen haar neus snoot. Hij herinnerde zich dat ze eind maart had gezegd dat Arlette twee weken met vakantie was. Hij was er toen niet op ingegaan, maar had later alleen wat ontgoocheld vastgesteld dat ze geen kaartje had gestuurd. Iets wat ze anders altijd deed. Toen zal de ingreep hebben plaatsgevonden.

'Maar dat is niet alles', vervolgde zijn huishoudster nu opnieuw met een meer energieke stem. 'Die vroedvrouw is familie van Van Steirteghem. Dat wist Arlette natuurlijk niet. Een ongeluk komt nooit alleen. Het is alsof God haar wilde straffen.' Ze maakte een kruisteken en zuchtte gelaten. 'Die vroedvrouw, die moordenares,' ze spuwde het woord in zijn oor, 'kon haar mond niet houden. Arlette was heel openhartig. Vertelde waar ze woonde, waar ze werkte. En natuurlijk kende die vroedvrouw haar naam. Ze was bij wijze van spreken de deur nog niet uit, of Van Steirteghem wist dat zij een onwettige abortus had ondergaan. En omdat die vent als voorzitter van het OCMW mijn dochter goed kent, had hij haar meteen in de tang.'

'En door haar, jou.'

'Ja. En Van Steirteghem wil niet dat ik De Beemden aan Tavernier verkoop.'

Hendrik Moens voelde aan zijn kin en wangen, zoekend naar enkele baardhaardjes die hij die morgen misschien over het hoofd had gezien. Het was een triest verhaal. Een plotse droefheid overviel hem. Arlette woonde tot goed een jaar geleden bij haar moeder in een rijtjeshuis niet ver van de pastorie. Als klein kind kwam zij regelmatig over de

47

vloer. Hij had moeten oppassen zich niet te veel aan haar te hechten. In die dagen stond God hem veel nader dan vandaag. Een pastoor die zichzelf als een surrogaatvader ging beschouwen van de dochter van zijn huishoudster, dat was geen gezonde zaak. Later had hij het meisje leren kennen als één brok levenslust. Altijd een lach op haar gezicht. Geen slechte studente ook, maar niet iemand met veel interesse voor een carrière. Daarvoor was ze waarschijnlijk te mooi. Te blond. Met als gevolg te veel succes bij de plaatselijke mannelijke jeugd. Op haar zeventiende was ze tijdens de jaarmarkt zelfs verkozen tot Bloemenkoningin. Toen ze haar middelbare studies achter de rug had, was ze na een gemakkelijk toelatingsexamen en zonder veel tegenkandidaten als bediende begonnen bij het OCMW van Loverbeek. Onder de auspiciën van CD&V. 'Heeft Van Steirteghem jou benaderd met de vraag om De Beemden niet aan Tavernier te verkopen of was dat via Arlette?'

'Hij heeft mij aangesproken. Zomaar midden op straat. Toen ik boodschappen deed. Dat was ergens einde maart. Net toen ik met Tavernier mondeling de verkoop van De Beemden was overeengekomen.'

'Hij gunde zijn politieke tegenstander dat project niet. Of misschien is hijzelf iets met De Beemden van plan. Tenslotte zit hij in de bouw.'

'Daar heeft hij niets van gezegd. Hij heeft mij zonder franjes uitgelegd wat Arlette had gedaan. Ik heb hem eerst uitgescholden voor alles wat lelijk is. Hem uitgemaakt voor gore leugenaar. Zo mijn dochter door het slijk halen! Maar toen werd hij concreet. Die twee weken vakantie, toen niemand wist – zelfs ik niet – waar ze naartoe was, hebben mij aan het twijfelen gebracht. Ten slotte heeft hij mij beloofd dat hij alles geheim zou houden. Dat hij er persoonlijk voor zou zorgen dat Arlette geen problemen met het gerecht kreeg. Als ik De Beemden maar niet aan Tavernier verkocht. Ik kon zijn verhaal niet geloven...' Haar woordenvloed stokte ineens. 'Hij heeft nog iets gezegd', vervolgde ze aarzelend, haar woorden zorgvuldig kiezend.

'Ja...?'

'Hij beweerde dat de vrucht niet blank was, maar gekleurd. Meneer pastoor! De schande! De schande!'

Moens reageerde niet onmiddellijk. Arlette die van een gekleurd vriendje een baby had en die in het grootste geheim liet wegnemen. Maar veel te laat. En door een groot toeval kwam dat hele verhaal Van Steirteghem ter ore. Die natuurlijk zijn kans schoon zag om via Arlette haar moeder klem te zetten zodat zijn politieke tegenstrever De Beemden niet kon kopen. 'Toen ging de verkoop dus niet door', stelde hij ten slotte droog vast.

'En sindsdien laat Van Steirteghem mij en Arlette met rust.' Ze frommelde aan haar zakdoek.

'Maar loop jij rond met een hoofd vol zorgen.'

'Ik wil niet dat de naam van mijn dochter door het slijk wordt gehaald. En zeker niet dat ze te maken krijgt met het gerecht of de politie.'

'Tja...' Moens streek zenuwachtig over zijn kin. Het was niet aan hem om zich te bemoeien met de plaatselijke politiek. En het biechtgeheim was heilig, ook voor een vrijgevochten pastoor. Zelfs indien er sprake was van moord op een ongeboren kind. Maar misschien kon hij zijn huishoudster, een vrouw die hij door de jaren heen had leren respecteren, toch een beetje helpen. 'Je bent het slachtoffer van pure chantage', merkte hij koel op. 'Aan zoiets mag je nooit toegeven.'

'Maar meneer pastoor, wat moet ik doen? Ik kan toch niet toelaten dat hij mijn dochter zomaar in de armen van de politie duwt? Ik weet dat het heel erg is wat ze heeft gedaan... En de schande als dit allemaal bekend wordt!' Haar stem haperde. 'Eigenlijk heb ik die centen van de verkoop van De Beemden niet onmiddellijk nodig. Dat is gewoon mijn spaarpotje voor later.'

'Je geheim is bij mij natuurlijk in veilige handen. Maar... je mag nooit aan chantage toegeven', echode Moens. 'Wie weet waarvoor Van Steirteghem morgen verder nog bij jou komt aankloppen?'

'Denkt u? Ik doe toch wat hij van mij eist?'

Moens schudde het hoofd. Maria kon zo naïef uit de hoek komen. 'Ik begrijp je vrees. Maar ik geloof nooit dat Van Steirteghem zijn dreigementen hard maakt. Tenslotte is die vroedvrouw zijn familielid...'

'Ja, zijn nicht, als ik hem moet geloven...'

'Die zal hij dus niet zomaar verraden. Niet vergeten dat die dame de geneeskunde niet mag uitoefenen en dat ze op de koop toe een zware misdaad heeft begaan door over tijd een abortus te plegen.' Hij begon opnieuw boos te worden. 'Weet je, eigenlijk heb jij materie om Van Steirteghem in het nauw te drijven, eerder dan hij jou.' Hij zag door het traliewerk in de biechtstoel hoe Maria haar hand voor haar mond sloeg.

'Maar dat zal ik nooit doen.'

'Natuurlijk niet. Dat mag je ook nooit. Maar je mag evenmin toegeven aan chantage. Als je dat wilt – en voor zover je natuurlijk akkoord gaat met de voorwaarden – moet je De Beemden aan Tavernier verkopen. Of aan iemand anders. Je mag je niet door Van Steirteghem de les laten spellen. Ik garandeer je dat die man zich koest houdt.'

Ze was er zonder verdere vragen mee akkoord gegaan. Pastoor Moens wist immers hoe zulke zaken aan te pakken. Toen ze ten slotte de biechtstoel verliet, was hij vergeten haar de absolutie te geven. Ze had er zelf ook niet naar gevraagd.

6

'U verwachtte geen bezoek, zoveel is duidelijk', stelde pastoor Moens laconiek vast.

Hoewel het bijna middag was, liep GT nog steeds gekleed in een donkerpaarse, zijden kamerjas. Zijn overwegend grijze haren waren ongekamd en stonden in pieken. Hij droeg een stoppelbaard van dagen en keek Moens aan als was die een geestesverschijning. 'Eh... Ik sliep nog. Maar komt u binnen.'

'Ik kom op een andere keer wel langs. Ik had moeten bellen om te vragen of het schikte.'

'Dat is wel goed. Ik sta rond deze tijd toch op...'

Nieuwsgierig keek Hendrik Moens de rechthoekige woonkamer in, gelegen boven het vastgoedkantoor. Hij zag een moderne, duur ingerichte ruimte die naadloos overliep in een keuken die uit één blok lichtgrijze graniet leek gehouwen. Aan de muren hingen op strategische plaatsen non-figuratieve schilderijen, type egaal blauwe achtergrond met enkele nonchalant aangebrachte felgele stippen. Hij wist niets van moderne kunst, maar hij vermoedde dat ze niet goedkoop waren. In een vitrinekast tussen de twee ramen die op straat uitkeken, stond een tiental beeldjes die heel oud leken. Bij sommige ontbrak een arm of de neus, bij andere was de kleur helemaal weg. Het contrast tussen de moderne schilderkunst en de antieke beeldjes kon niet groter. Het geheel getuigde van smaak, maar maakte een koude, steriele indruk. Moens glimlachte. In de loop der jaren was hij bij zovele mensen over de vloer gekomen, dat hij zich sterk maakte het karakter van iemand in te kunnen schatten gewoon door naar zijn interieur te kijken. Hij wist dat het verwaand klonk en bewaarde die theorie daarom voor zichzelf. Maar hij kon alleen maar vaststellen dat die eerste indrukken achteraf vaak heel accuraat bleken. Wat hij nu zag bijvoorbeeld, liet er geen twijfel over bestaan dat Tavernier alleen leefde. Hoewel duur ingericht, miste het appartement intimiteit, de warmte van een vrouwenhand. Hier leefde een eenzaam mens.

'Ik kwam eens horen hoe het met u gaat. Ik weet dat u mijn kerk niet bezoekt, maar tenslotte werd u het slachtoffer van een hartaanval toen u de pastorie verliet.'

'Gaat u zitten.' GT wees naar een gemakkelijke stoel. Dat was nou echt iets voor een pastoor, speelde het door zijn hoofd. Als gieren naar een kadaver komen ze op jou af zodra ze weten dat er iets mis is. Dat ze denken dat ze je kunnen overmeesteren en terugwinnen voor de zogezegd goede zaak. Een verloren schaap opnieuw naar de kudde brengen. Hij lachte schamper bij zichzelf. Maar tegelijkertijd wist hij dat hij overdreef. Moens had niet voor niets een reputatie van integriteit en rechtlijnigheid. Dat had hij verdomme zelf nog niet zolang geleden mogen ondervinden. 'Wilt u koffie?' vroeg hij daarom niet onvriendelijk. Het kon geen kwaad te horen wat de pastoor te vertellen had. Bovendien, hij had tijd zat.

'Graag. Zwart alstublieft. Zonder suiker.'

Guido Tavernier slenterde naar de keuken en stak twee decafcapsules in de espressomachine. Hij mocht alleen cafeinevrij drinken.

'Ik ben hier niet als uw pastoor', begon Moens. 'Ik weet dat u vrijzinnig bent. Ik respecteer dat. Bovendien loop ik zelf niet zo hoog op met veel van die verhaaltjes die in de Bijbel staan. Ik wilde gewoon weten hoe het met u gaat.'

'Wel... Bedankt dat u naar mijn gezondheid informeert.'

'Ik veronderstel dat alle acuut gevaar geweken is?'

'Ja. Sinds ik weer thuis ben – en dat is toch al meer dan een maand – volg ik een strikt dieet en slik ik braaf mijn pillen. Al valt het u misschien niet op, maar ik ben al meer dan vijf kilo kwijt. Ik voel mij al bij al niet slecht. Minder stress ook.'

'Dat is goed. Lutgart Vernimmen runt nu de zaak?'

'Tja... Ze doet wat ze kan. Maar ik houd natuurlijk een oogje in het zeil. Op een afstand, weliswaar. Maar zo ver is dat nu ook weer niet.' Om zijn gelijk te bewijzen, wees GT met de punt van zijn pantoffel naar beneden, waar zich op de begane grond het immokantoor bevond.

'Dat is allemaal goed nieuws. Toen men u vond, dacht men dat u het niet zou halen.'

'Onkruid vergaat niet!'

De twee lachten besmuikt, maar onmiddellijk daarna viel een ongemakkelijke stilte. Pastoor Moens was met nog een bedoeling langsgekomen, maar wist niet meteen hoe over de echte reden van zijn bezoek te beginnen. Hij slurpte aan de hete, sterke koffie. Hij herinnerde zich maar al te best waarom Tavernier midden juli bij hem was geweest. Toen had hij niet geweten waarom Maria De Beemden niet wilde verkopen, behalve dat ze onder druk was gezet door Van Steirteghem. Nu wist hij hoe de vork in de steel zat. En die geschiedenis stonk als een beerput. Pastoor Moens, die gekleed was in een lange, beige sportbroek en een felgeel T-shirt dat hij in de uitverkoop voor 1,99 euro bij C&A had gekocht, schraapte zijn keel.

'Er is nog een reden waarom ik vandaag bij u ben. Ik

meen te weten dat Maria nu wel oren heeft naar uw voorstel om De Beemden van haar te kopen...'

GT trok vragend de wenkbrauwen op. Zijn eerste reactie was te denken dat de kerk plots meer geld nodig had dan de subsidie van de gemeente. Dat de pastoor daarom interesse had voor zijn zogezegde gift van 10.000 euro. Voor zijn hartaanval zou hij op die ontwikkeling met enthousiasme hebben gereageerd. Zou hij figuurlijk een wilde vreugdedans zijn begonnen omdat, eindelijk, eindelijk, de realisatie van zijn grote project binnen handbereik lag. Nu hielden de medicamenten zijn hartspier in een ijzeren greep. Het rustige ritme ging nauwelijks naar boven ondanks al die prikkelende vooruitzichten. Bovendien bleef hij achterdochtig. Hendrik Moens had hem slechts kort geleden zomaar aan de deur gezet, toen hij hem vriendelijk was komen vragen om op Maria Lepoutre in te praten. En nu, nu zat die magere panlat koelweg te beweren dat zijn huishoudster geen probleem meer had met de verkoop. Hier klopte iets niet. En geen klein beetje. Hier zat een intrige achter die hij niet zag. 'Hoe is zij zo plots van idee veranderd? Ik heb van haar niks gehoord. Dat verkoopcompromis – indertijd door mij al ondertekend – heeft zij ook nog niet teruggestuurd.'

Moens fronste licht de wenkbrauwen. 'Ik kom in deze zaak verder niet tussenbeide. Ik ben slechts de boodschapper. En ik kan u ook niet zeggen waarom zij nu wél wil verkopen en vroeger niet. Weet u, een pastoor heeft nog altijd een beroepsgeheim.'

Tavernier blies zijn wangen bol. 'Ik hóéf het natuurlijk niet te weten. Alleen, het is zo verbazend na al die maanden van afwijzing.'

'Ik begrijp dat. Maar Gods wegen zijn ondoorgrondelijk.' Als het hem goed uitkwam, maakte Moens handig gebruik van dat soort uitdrukkingen. 'Ik denk, als u met haar contact opneemt, als u haar aan het compromis herinnert, dat ze dan vlug tekent.'

GT bestudeerde het magere, wat ingevallen gezicht van de priester. Hij probeerde er een emotie op te lezen, aan de lichaamstaal van de man te zien wat er in hem omging, maar dat lukte niet. Hij vroeg zich verveeld af of Moens nu nog die 10.000 euro van hem verwachtte. Hij dacht van niet – het initiatief om naar hier te komen ging van de pastoor uit – maar hij was er niet zeker van. 'Wat die gift aan de kerkgemeente betreft...' begon hij daarom voorzichtig.

Moens reageerde meteen. 'Ik zei al dat de gemeente ons helpt met de reparatie aan het dak van de kerk.' Hij grijnslachte. 'Ik apprecieer uw voorstel, maar Maria tekent uw compromis ook zonder die gift.'

Een scheve glimlach speelde om Taverniers mond. Hij had er geen probleem mee een transactie te smeren door hier en daar wat centen rond te strooien. Aan een ambtenaar, een architect. Maar een priester... Dat was toch van een andere dimensie. Bovendien – als hij eerlijk was met zichzelf – vond hij Hendrik Moens geen onsympathieke vent. Op de eerste plaats natuurlijk omdat die er zulke progressieve ideeën op na hield. Maar het was meer dan dat. De man straalde een integriteit en innerlijke rust uit, die maar weinig mensen bezaten. Hij had een manier van doen zonder franjes, recht voor zijn raap. Met Moens sprak je van man tot man, geen gezever. Je liet de gebruikelijke spelletjes automatisch achterwege. In de grond een vent die best te lijden was.

Toen Moens terug naar de pastorie kuierde, de handen op de rug en met hier en daar een vriendelijke groet, vroeg hij zich af of hij er goed aan had gedaan Tavernier zelf in te lich-

55

ten. Hij kon voor de man niet veel respect opbrengen. Een typisch product van de hedendaagse geldcultus, de afgoderij van de eenentwintigste eeuw. Keihard werken, geen tijd voor familie of vrienden, niet vies om hier en daar te flirten met de grenzen van de wettelijkheid. En als kers op de taart de te verwachten problemen met de gezondheid. Maar het was niet alleen Tavernier. Heel de wereld stond op zijn kop. Hoeveel banen gingen niet verloren door herstructureringen en reorganisaties? Bedrijven die winstgevend waren, sloten hier de deuren om een paar duizend kilometer naar het oosten of het zuiden weer te openen. Met als enige bedoeling nog meer winst voor hun aandeelhouders. De gewone man werd daar niet beter van. Bovendien doken van heinde en verre mensen op zonder kansen, met een totaal verschillende culturele achtergrond en die in kleine, hechte gemeenschappen als Loverbeek werden gedropt. Zagen de beleidsmakers niet in hoe het fragiele sociale netwerk, het samenleven van alle mensen, hierdoor op termijn onmogelijk werd? Wilde men in alle steden en gemeenten eindigen met een Marokkaanse wijk, een Kongolese buurt, een Albanese? Ieder voor zich, ieder met zijn eigen netwerkjes, zijn eigen zeden en gewoonten. Moens stak gefrustreerd de handen in zijn zakken en versnelde de pas. Was het omdat hij een dagje ouder werd, dat hij de toekomst somber inzag?

7

Toen de eerste noten van *Que sera, sera* weerklonken, liet Rachid Faoust zich net in een heet bad glijden dat hij met papyrusolie had geparfumeerd. Het water stoomde en de spiegel van het badkamerkastje was helemaal beslagen. Hij liet een koranonvriendelijk shit horen, maar tegelijkertijd voelde hij zich opgelucht. Zou hij eindelijk groen licht krijgen? Zou hij nu ook zijn steentje kunnen bijdragen? Zich wreken op die laffe honden? Omdat maar één persoon het nummer van zijn mobieltje kende, wist hij wie hem belde. Hij greep naar zijn donkergroene badjas. De matzwarte Nokia lag op de rand van de dubbele wasbak.

'Rachid.'

'De lading mag worden verstuurd', klonk het zonder inleiding. 'De koopwaar is goedgekeurd. Luister goed! Wij hebben voor de tweede zending gekozen. Ik herhaal, voor de tweede zending.' De zware stem sprak hijgend, de woorden afkappend.

'Goed begrepen.' De verbinding werd zonder verdere poespas verbroken.

Het wordt dus SWIFT, sprak hij bij zichzelf. Hij vond het een goede keus. Een betere dan de twee andere.

De laatste keer in Beiroet had sjeik El Jahmin hem te kennen gegeven dat het lange wachten bijna voorbij was. Eens moest de beslissing natuurlijk vallen. Eens moest tot concrete actie worden besloten. Dat het België zou worden, daar was jaren geleden al overeenstemming over bereikt. In de weken na 11 september 2001, toen het hart van alle ware moslims overliep van fierheid en bewondering voor de heldendaden van hun broeders, was beslist om toe te slaan in Europa, in het centrum van de Europese Unie, in Brussel. Geen alternatieve actie zoals de Amerikanen die zich graag inbeeldden, waarbij drinkwater werd vergiftigd of een of ander virus werd verspreid, maar een rechttoe, rechtaan zelfmoordaanslag. Sindsdien hadden ze de operatie in alle details en in alle stilte voorbereid. De groep van sjeik El Jahmin, die zich sinds de zomer van 2006 de Qana Brigades noemde en die een onduidelijke band had met Hezbollah, zocht geen publiciteit via een militant die zichzelf opblies in een Israëlisch restaurant of op een bus. Ze hadden ook nauwelijks contact met andere organisaties van vrijheidsstrijders. En met het Al-Qaidanetwerk van Bin Laden hadden ze al helemaal niets van doen. Ze waren streng hiërarchisch gestructureerd met aan het hoofd sjeik El Jahmin in Beiroet en bijkantoren in Tyrus en Damascus. Rachid Faoust was hun man in West-Europa. Maar buiten België en Nederland had hij nog geen cellen opgericht. Dat was voor later. Dat kon wachten.

Oorspronkelijk had Faoust drie locaties voorgesteld. Het eerste was het NAVO-hoofdkwartier in Evere, een deelgemeente van Brussel. Het volgende was SWIFT in Terhulpen. Dat was weliswaar buiten Brussel gelegen, maar was een te mooi doelwit om te negeren. Het derde ten slotte, was het recent gerenoveerde Berlaymontgebouw, gelegen in het hart van de hoofdstad van Europa, waar de Europese Commissie met haar legertje ambtenaren kantoor hield. 'Een militair, een financieel en een politiek doelwit', had hij niet zonder trots aan sjeik El Jahmin uitgelegd. Die had gezegd dat hij zijn beslissing later telefonisch zou meedelen. En hij zou spreken over de eerste, de tweede of de derde zending om het uiteindelijke doelwit aan te wijzen. De naam van het gebouw mocht nooit vallen. Sinds SWIFT zwaar in opspraak was gekomen wegens het doorspelen van betalingsgegevens aan de Amerikaanse geheime diensten, had Rachid Faoust een instinctieve voorkeur voor dat target. Dat gebouwencomplex was streng beveiligd, maar het lag afgelegen in een groen, uitgestrekt domein ten zuiden van de hoofdstad. Het aantrekkelijke ervan school minder in de weerklank die hun heldendaad te beurt zou vallen, dan wel in de ongelooflijke uppercut die ze het westerse financiële bestel figuurlijk zouden verkopen.

Toen Faoust de eerste keer sjeik El Jahmin over SWIFT had gesproken, had die alleen maar de borstelige, peper-met-zoutwenkbrauwen gefronst. Hij kende die organisatie zelfs niet van naam. Faoust had geduldig moeten uitleggen welke belangrijke taken die vervulde. Hoe ze – op de achtergrond en niet bekend bij het grote publiek – bijna alle internationale betalingsverkeer voor haar rekening nam. Meer dan drie miljard interbancaire berichten per jaar. Hoe de 7500 aangesloten banken blind vertrouwden op de SWIFT-computersystemen, opgesteld in de hoofdzetel in Terhulpen om dat alles in goede banen te leiden. Pas toen hij met brede armgebaren en niet wars van dramatiek de geweldige impact van een aanslag op het internationale betalingsverkeer – en dus op het zakenleven – had geschilderd, verscheen er een zuinige glimlach om de lippen van de sjeik. Het idee om de westerse kakkerlakken te treffen in hun portemonnee, om hen financieel naar de strot te grijpen, sprak hem aan. El Jahmin had slechts gevraagd of de aanslag op de computers in Terhulpen zou volstaan. Of er niet op een andere plaats, op andere computersystemen, reservebestanden werden bijgehouden. Zodat de gevolgen van de aanslag op Belgische bodem snel konden worden opgevangen. Dat had Rachid Faoust moeten uitzoeken. Bij zijn volgende bezoek aan Beiroet wist hij te melden dat dit inderdaad het geval was, maar dat de schade die de aanslag in Terhulpen zou aanrichten voldoende groot was om het wereldwijde betalingsverkeer een hele tijd lam te leggen. Net of een financiële slagaderbreuk zou optreden. De patiënt zou er zich van herstellen, maar dat zou tijd vergen. Dat zou niet binnen 24 uur zijn gebeurd.

Toen het uiteindelijke doelwit nog niet vastlag, vond hij het een interessante oefening om de mogelijkheden van de drie targets met elkaar te vergelijken. Of liever de onmogelijkheden, was hij telkens tot het besluit gekomen. De NAVO in Evere was zonder meer het moeilijkst te treffen. Na 11 september waren de veiligheidsmaatregelen streng verscherpt. Toen hij enkele keren zo traag als hij durfde voorbij de hoofdingang reed, had hij de vele camera's opgemerkt en de zwaargewapende soldaten die er de wacht hielden. Dat soort doelwitten leende zich maar tot één aanpak. Een zelfmoordcommando met een bestelwagen gevuld met explosieven eropaf sturen. Met plankgas alle controleposten proberen te snel af te zijn om zich dan in een uitzinnige fontein van vuur en geweld in het gebouw te boren. Een operatie die wereldwijd op ieder tv-station te zien zou zijn en die de Qana Brigades meteen erkenning en respect zou geven. Maar al bij al met relatief weinig gevolgen voor die westerse honden. Nee, dan zag hij een aanval op de Europese Commissie beter zitten. Op de eerste plaats was het niet moeilijk om toegang tot het gebouw te krijgen. Bij-

voorbeeld via de rondleidingen voor bezoekers. De moeilijkheid zat hem echter in het naar binnen smokkelen van de springstof. Maar ook wat dat betreft had hij een oplossing. Of beter, hij zou kopiëren wat Fehriye Erdal in Istanbul had gedaan: de schoonmaakploeg infiltreren en dan met de explosieven verstopt in een plastic emmer, onder een dweil, door de controle zien te komen. Hij wist dat het te eenvoudig klonk, dat hij nog veel details zou moeten uit-
•werken voor hij het Berlaymontgebouw in een krachtige explosie kon laten kennismaken met de islam-vrijheidsstrijders. Maar hij vond zo'n actie veel zinvoller dan het opblazen van het NAVO-hoofdkwartier. Wie weet was Allah hem die dag zo gunstig gezind dat zijn zelfmoordcommando ook een aantal Europese commissarissen naar het hiernamaals kon meenemen. Ook die waren niets anders dan marionetten van de Amerikaanse poppenspelers.

Hij ontdeed zich van de badjas en liet zich met een zalige zucht in het water glijden. Rachid Faoust voelde zich opgelaten omdat hij groen licht had en omdat het doelwit eindelijk vastlag. Hij ging kopje onder. Hij hield van de geur die de papyrusolie op zijn huid zou achterlaten. Het kwam er nu op aan de stukjes van de puzzel die SWIFT heette, goed in elkaar te doen passen. Zoals hij met de NAVO en het Berlaymontgebouw had gedaan, was hij ook al in Terhulpen op verkenning geweest. Voorzichtig, nooit te dichtbij, had hij de omgeving in kaart gebracht. Onder een grote beuk had hij vanuit zijn donkerblauwe Toyota Avensis het komen en gaan van de bezoekers in de gaten gehouden. Hij had niet veel tijd nodig om te beseffen dat hij medewerking van binnen uit nodig had om zijn plannen te doen slagen. Maar dat was geen onoverwinnelijke moeilijkheid.

Hij bekeek zijn linkerscheenbeen en merkte dat hij zich licht had bezeerd. Misschien toen hij daarstraks naar zijn mobieltje greep. Hij streek met zijn vinger over de plek en voelde hoe die wat was gezwollen. Hij ademde diep in en ging weer kopje onder. De hele opzet zou op de eerste plaats tijd vergen en ook geld. Maar dat laatste was geen probleem. Door de jaren heen had hij een fortuin in zijn brandkastje opgeslagen. Geld dat bedoeld was om mensen om te kopen, om de logistiek van de aanslag te betalen. Bovendien had hij nog die twee antieke beeldjes, die hij van zijn laatste trip naar Beiroet had meegebracht. Tijd was ook geen punt. Sjeik El Jahmin wist goed genoeg dat een geslaagde actie stond of viel met een grondige, minutieuze voorbereiding.

Rachid Faoust trok zich recht uit het bad en begon zich zorgvuldig af te drogen. De keuze van de cellen waarop hij een beroep zou doen, was helemaal zijn zaak. Hij grijnsde. In Beiroet wisten ze niet wie hij allemaal tot zijn beschikking had. Wat niet wilde zeggen dat ze soms zelf niet zorgden voor aanvoer, zoals enkele maanden geleden met die zogezegde Soedanees. Die zat nu ergens hier te lande te wachten totdat hij hem belde. Bij zijn laatste bezoek aan Beiroet had El Jahmin hem met aandrang aan die man herinnerd. Hem geprezen als een menselijke granaat. Faoust lachte wellustig. Zulke strijders had hij nodig! Dat waren de zelfmoordcommando's die met niets of niemand rekening hielden. Stukken efficiënter dan die zieloze, Hollywoodachtige creaties die de Amerikanen soldaten noemden. Maar hij moest ook nog een van zijn mannetjes bij SWIFT zien binnen te smokkelen. Niet in een administratieve functie. Daarvoor was de scholing van zijn mensen niet goed genoeg. Misschien dan toch maar de schoonmaakploeg infiltreren. Of iemand van Belgacom sturen, die zogezegd een of ander mankement kwam herstellen... Hij kamde zorgvuldig zijn haren en voelde aan zijn baard. Die kon hij beter een beurt geven. En dan was er natuurlijk de mogelijkheid van omkoping. Hij had er in ieder geval het geld voor. Een of andere gefrustreerde medewerker een stapel bankjes in de hand drukken in ruil voor een toegangspasje. Rachid Faoust glimlachte breed tegen zijn spiegelbeeld. De toekomst zag er stralend uit.

8

Toen de eerste asielzoekers een kleine twee jaar geleden in de kantoren van het OCMW van Loverbeek verschenen, werd Arlette Lepoutre, het laatst aangeworven personeelslid, belast met de opvang en administratie van die vluchtelingen. Niet alleen voelden de anderen er niet veel voor om hun dagelijkse routine te veranderen, maar bovendien had ze spontaan aangeboden om dat werk te doen. Iedereen vond het een goede oplossing. Een jong, blond meisje als visitekaartje van de gemeente, dat zou die sukkelaars meteen op hun gemak stellen. Arlette deed meer dan van haar werd verwacht. Ze deed haar werk zorgvuldig, hing vaak met Brussel aan de telefoon als bepaalde dossiers naar haar zin niet vlug genoeg vorderden en bezocht ook regelmatig asielzoekers aan huis om te zien of het hun aan niets ontbrak. Eerst dacht ze dat taal een probleem zou zijn, maar ze ontdekte spoedig dat velen enkele woorden Engels verstonden. En was dat niet zo, dan was er nog altijd gebarentaal om iets uit te leggen.

Arlette was met haar negentien jaar in haar eerste baan getuimeld en ze deed haar werk graag. Toen haar moeder haar aanraadde om te solliciteren bij het plaatselijke OCMW, had ze eerst nukkig gereageerd. Ze zag zich al dag na dag het domste administratieve werk doen. Achter een beeldscherm zitten. Dossiers klasseren. Wachten tot de koffiebreak eraan kwam. Tot het middagpauze was. Tot ze terug naar huis kon. Ze kon zich niet voorstellen dat ze tot haar pensioen zo'n stom, inhoudsloos leven zou leiden. Zo zat zij niet in elkaar. Uitgaan ja. Niet alleen naar feestjes, maar ook naar de bioscoop en vooral naar muziekfestivals. Werchter had ze – ondanks de protesten van haar moeder – sinds haar vijftiende nog nooit gemist. Genieten van het leven! Dat was haar motto. En ook genieten van de jongens, van de aandacht die ze haar zo overvloedig schonken. Arlette leek in niets op haar moeder. Ze was niet klein en niet groot, 1,68 m, en had van nature van die heerlijk blonde haren die in zachte krullen lang over haar schouders vielen. Haar helderblauwe ogen keken de wereld in met een blik die een warm karakter verraadde. Altijd klaar om iemand te helpen, om iemand met haar klaterende lach op te beuren. Dat kwam goed van pas bij haar werk. Bij haar collega's zouden die asielzoekers niet op zoveel vriendelijkheid en geduld hebben kunnen rekenen.

Maar Arlette kon ook moeilijk nee zeggen. Al sinds ze in de voorlaatste klas van het middelbaar zat, was haar reputatie twijfelachtig. Tenminste, volgens haar moeder. Want de jongens waren een heel andere mening toegedaan. Voor hen was Arlette een meid uit duizenden. Altijd klaar om ergens mee naartoe te gaan. Niet bang om er 's avonds laat nog voor een stevige fietstocht op uit te trekken. Ondanks het standje van mama dat dan steevast volgde. En, zoals te verwachten was, kon Arlette sommige jongens beter lijden dan andere. Op een warme zomeravond een paar jaar geleden, ze moest nog achttien worden, toen het graan goudrijp stond en ze met Pieter, haar toenmalig vriendje, langs een weggetje dwaalde, had die haar het veld in getrokken.

Zijn handen zaten meteen onder haar topje. Ze had alleen voor de vorm geprotesteerd. Enkele minuten later lagen ze – wat tot haar eigen verbazing – naakt in het tarweveld. Hij onstuimig op haar. Maar ze voelde meer pijn van de stekelige grond dan van zijn stijve piemel die met enkele wilde stoten haar onschuld had doorboord. De weken daarna had ze bang afgewacht of ze haar maandstonden zou krijgen. Ze was boos op zichzelf omdat ze zich zo had laten gaan. Maar toen die vrees ten slotte voorbarig bleek, herinnerde ze zich alleen hoe heerlijk het was een man in zich te voelen. Die haar hoogtepunten had leren kennen die ze tot dan alleen uit stationsromannetjes kende. Ze was niet verliefd op Pieter. Maar dat wilde niet zeggen dat ze hem niet graag mocht. Na een tweede vrijpartij – dit keer wel op een veilige manier – begon ze zich af te vragen hoe het met andere mannen zou zijn. Haar vriendje leek zo onervaren. Hij kwam bij wijze van spreken al klaar alleen al door naar haar bloot lijf te staren. Ze begon te fantaseren over oudere mannen. Niet te oud, zo rond de 25 à 30 jaar, maar venten die wisten hoe een vrouw écht te verwennen. In Loverbeek kon ze dat evenwel moeilijk uitproberen, daarvoor was het dorp te klein. Daarvoor kende men haar te goed. Bovendien moest ze opletten dat haar moeder niets in de gaten kreeg.

Maar toen ze op een avond alleen naar de Gentse Decascoop ging en daarna een cola was gaan drinken, had ze Jos ontmoet, een derdejaarsstudent geneeskunde. Ze hadden een goed gesprek, meer niet. Wat niet belette dat ze de nacht bij hem op zijn kot doorbracht. Voor het eerst in de armen van een man, geen jongen. Het was bij die ene nacht gebleven, maar Arlette had de smaak te pakken. Eigenlijk is het heel eenvoudig, sprak ze bij zichzelf. Ik ben achttien. Sommige mensen hebben nicotine nodig om zich goed te voelen, anderen alcohol. Nou, ik draai op seks. Vrijen om te vrijen. Heerlijk klaarkomen, nieuwe standjes, nieuwe technieken en speeltjes uitproberen. Overdreven kieskeurig was ze niet, maar haar venten moesten er patent uitzien. Ervaringen met mannen waren voor haar zoiets als postzegels verzamelen. Af en toe kwam je een ongelooflijk gaaf exemplaar tegen, in prima conditie, maar meestal diende je genoegen te nemen met doordeweekse stukken. Die zagen er misschien niet slecht uit, maar je wist dat er beter bestond. De afdankertjes, de echte lelijkerds, de postzegels waarvan de tanding onvolkomen was, die liet ze links liggen.

Nog geen maand nadat ze haar flatje boven de kruidenierswinkel van André en Monique had betrokken – erg handig voor haar boodschappen – had ze Jonathan Kasihali ontmoet. Een vluchteling uit Liberia die op dat ogenblik aan het OCMW was toevertrouwd. De eerste keer dat ze hem had gesproken – hij de ogen neergeslagen, zij een en al behulpzaamheid – was haar de struise lichaamsbouw van de man opgevallen. Hij was haar kantoortje nog niet uit of ze was beginnen te dagdromen over negers met armen als boomstammen en die ook op een andere plaats zoveel rijker waren geschapen. Twee weken later ging ze Jonathan in zijn studiootje opzoeken. Zogezegd om te controleren of hij niets tekort kwam, of ze hem met zijn papierwerk niet kon helpen. Maar dat was een leugentje om bestwil. Ze wilde met de man vrijen, niets meer, niets minder. Ze hoefde niet veel moeite te doen om hem zover te krijgen. In minder dan een uur nam hij haar drie keer. Op een dierlijke manier die voor haar de Afrikaanse rimboe opriep, met alle bijbehorende geluiden erbij. Nadien, buiten op straat, deed het pijn tussen haar benen, maar nu wist ze uit eigen ervaring dat wat wordt gezegd over Afrikaanse mannen niet overdreven is.

Enkele weken later, toen haar maandstonden wegbleven, maakte ze zich eerst niet ongerust. Altijd had ze een voorraadje condooms in haar handtas. Nooit vergat ze die nog te gebruiken, zelfs al vonden haar minnaars dat niet altijd leuk. En zo ook niet met Jonathan of Jon, zoals ze hem noemde. Zo vaak als ze kon, ging ze hem opzoeken. Meestal in het geheim, soms zogezegd voor haar werk. Het waren prachtige weken. Alleen al de gedachte dat ze straks haar blote, blanke borsten tegen zijn gitzwarte, stalen torso zou drukken, maakte haar hitsig. Ze schatte de lengte van zijn ding in stijve toestand bijna twee keer zo lang in als dat van Pieter, haar allereerste lief. Jon was het buitenbeentje in haar postzegelverzameling, haar topstuk. Maar toen kwam het bericht dat zijn asielaanvraag was goedgekeurd. Hij verklaarde dat hij niet langer in Loverbeek wilde blijven. Intussen had hij vrienden in Antwerpen gemaakt. Hij besloot daarnaartoe te trekken om werk in de haven te zoeken. Zij vroeg of ze hem mocht opzoeken, maar dat had hij afgewimpeld. Intussen begon Arlette zich meer en meer ongerust te maken over haar maandstonden die maar niet kwamen. Maar zwanger kon ze toch niet zijn? Behalve die allereerste keer had ze nooit, nooit gevrijd zonder bescherming. Ten slotte kocht ze in een apotheek in Sint-Niklaas een predictortest. Het resultaat liet geen twijfel. Ze had prijs. Ze gaf er zich rekenschap van dat alleen Jon de vader kon zijn. Ze was de laatste tijd immers met niemand anders de koffer in gedoken. Ze brak zich het hoofd over de vraag hoe dat had kunnen gebeuren. Op internet vond ze uiteindelijk het antwoord. Sommige condooms, zelfs van de beste kwaliteit, liepen scheurtjes op als gevolg van te wild vrijen. Ze dacht breed glimlachend aan die eerste memorabele stoeipartij met haar zwarte vriend. Maar meteen daarna besefte ze dat het toen moest zijn gebeurd. Een minuscuul scheurtje in het condoom toen hij diep in haar was...

Arlette Lepoutre wist niet wat ze moest doen. De weken gingen voorbij zonder dat ze tot een besluit kwam. Als OCMW-ambtenaar wist ze waar Jon in Antwerpen woonde. Als ze wilde, kon ze hem zo opzoeken. Maar ze was op hem niet verliefd. Eigenlijk was ze nog nooit verliefd geweest. Jon kon vrijen als een beest, liet haar keer op keer kreunen van genot op een wijze waarvan andere vrouwen alleen maar konden dromen. Het idee dat hij de vader van haar kind was, liet haar echter ijskoud. Bovendien, ze was veel te jong voor kinderen. Eén geluk had ze. Haar zwangerschap verliep rimpelloos. Geen ongemakken, geen onpasselijkheden. Braken was er al helemaal niet bij. En zelfs na vier maanden was haar buik nauwelijks ronder. Ten slotte brak moeizaam het besef door dat een abortus haar enige redding was. Niet hier in de buurt natuurlijk, maar in Gent. Ze had een schoolvriendin die daar in het universitaire ziekenhuis als verpleegster werkte. Die had voor haar in een handomdraai een afspraak vastgelegd in de abortuskliniek. De dag dat ze daarnaartoe trok, zag ze als een bevrijding. Na Jon had ze maar één vrijer meer gehad. Opgepikt na een avondje Clouseau in het Antwerpse Sportpaleis. Met een lul twee lucifers dik. Misschien was dat juist goed, had ze toen gedacht. Je wist maar nooit of een zwangere vrouw zich niet onherstelbaar kwetste door onbesuisd te vrijen. Of misschien had ze dat juist wel moeten doen? Misschien zou de vrucht dan spontaan zijn afgedreven? Die onzekerheid zou ze door de abortus kwijt zijn. Zodat ze terug kon naar haar zorgeloze leventje van vroeger.

Haar ontgoocheling was des te groter toen de gynaecoloog, een kalend prutventje dat sterke brillenglazen droeg en haar behandelde alsof ze een stout kind was, haar na het onderzoek meldde dat haar zwangerschap niet kon worden onderbroken omdat die veel te ver gevorderd was. Ze had de man met grote ogen aangekeken. Ze wilde hem niet geloven. Ze vermoedde dat hij een spelletje met haar speelde. Dat hij haar wilde testen om te zien of ze er wel zeker van was dat zij haar baby weg wilde. Maar hij hield voet bij stuk: na twaalf weken is zwangerschapsonderbreking in België verboden. 'Maar wat dan?' vroeg ze radeloos. 'Wat moet ik doen?' De gynaecoloog riep er een sociaal verpleegkundige bij, die op haar beurt over een psycholoog sprak. Net of van die kant redding kon komen... Ze was al huilend weggerend, de dame verrast achterlatend.

Arlette reisde die avond niet terug naar Loverbeek. Eerst dwaalde ze een tijdje door Gent, zonder besef waarheen ze liep. Straat in, straat uit, sommige zonder verkeer, andere juist heel druk. Ze zag het nauwelijks. Ze probeerde te denken, te focussen. Zich de rest van haar leven voor te stellen met een zoon of dochter van Jon. Ze kon het niet. Haar hele zijn protesteerde tegen die gemene aanval op haar toekomst. Geen ogenblik twijfelde zij eraan dat hij haar zou laten zitten. Bovendien had zij evenmin zin om samen met hem een leven op te bouwen. Zij was zijn speeltje, zoals hij dat van haar was. Toen tegen halfzes de nacht viel – het was midden februari, maar gelukkig niet echt koud – drentelde ze aarzelend naar het Sint-Pietersstation. Het had geen zin langer in deze stad te blijven. Ze verlangde naar haar flatje, dat voor haar intussen een echt thuis was. Maar ze kreeg het niet over haar hart de trein te nemen. Nadat ze langer dan een uur een winderig perron op en neer was gewandeld in de afnemende drukte van mensen die na de gedane dagtaak naar huis spoorden, dook ze terug de grote vertrekhal in. De warmte daar deed haar goed. Het leek wel of ze daardoor weer wat helderder begon te denken. In Loverbeek was er voor haar geen oplossing, stelde ze nuchter vast. En omdat ik die baby niet wil... Ten slotte belde ze naar haar oude schoolvriendin met de vraag of ze even langs mocht komen. Die was gelukkig thuis en maakte geen bezwaar.

'Dus je bent al langer dan twaalf weken zwanger.'
'Ik wist dat niet, van die twaalf weken...'
'Wat zegt je moeder?'
'Die weet van niets. Als die dat zou weten...'
'Ja. Kan ik mij best voorstellen...' Even hadden ze gegniffeld zoals in de goede oude tijd.
'Ik weet niet wat ik moet doen. Ik wil dat kind niet houden.' Ze had niet gezegd dat het van een Afrikaan was. Maakte ook niet uit.
'De wet is natuurlijk de wet, maar...'
Haar vriendin vertelde haar over iemand die ze op het werk kende, die op haar beurt iemand wist die zich met abortussen op een later tijdstip inliet. Uiteraard in de illegaliteit. Maar een verpleegster, een vroedvrouw bovendien, dus met kleinere risico's dan bij de eerste de beste engeltjesmaker. Arlette hoefde niet lang aan te dringen opdat haar vriendin verder uitzocht hoe ze met die dame in contact kon komen. Aan het einde van die lange avond was ze op de divan blijven slapen. Plots had ze weer hoop dat alles toch nog in de goede plooi zou vallen, dat haar zwangerschapsnachtmerrie toch nog een gelukkig einde zou kennen.

Hoewel een en ander langer duurde dan ze had gehoopt, zag het er enkele weken later naar uit dat alles naar wens zou verlopen. Haar vriendin bezorgde haar het adres van de vroedvrouw, ze maakte een afspraak en de vrucht was zonder complicaties weggenomen. Wel deed het meer pijn dan verwacht en verloor ze veel bloed, zodat ze twee weken vakantie nam die ze in alle anonimiteit doorbracht aan de kust in Nederland, in een zowat verlaten Noordwijk aan Zee. De eerste dagen lag ze meer in bed dan wat anders, maar later kreeg ze een flinke eetlust en maakte ze lange, eenzame wandelingen op het strand. Toen ze terug in Loverbeek was, leek Arlette Lepoutre weer haar oude zelf: de blonde, blauwogige, goedlachse OCMW-medewerkster die iedere dag opnieuw met plezier naar haar werk kwam. Maar de hele affaire maakte haar behoedzamer. In plaats van zich halsoverkop in nieuwe avontuurtjes te storten, hield ze het de laatste maanden bij Roger, de zoon van de slager. Eens moest ze een punt achter haar wilde jaren zetten. En hoewel Roger bijlange niet zo gul door de natuur was bedeeld als Jon, kwam ze af en toe toch ook goed aan haar trekken.

De dag dat haar moeder haar confronteerde met wat zij van Van Steirteghem had vernomen, was voor Arlette daarom een zware klap. Tot dan dacht ze dat ze haar uitbundige seksleven grotendeels geheim had weten te houden. Ze wist wel dat ze hier en daar over de tong ging, maar ze was er absoluut zeker van dat mama niet veel vermoedde. En dat vond ze maar goed ook. Haar moeder was ouderwets – wat wil je als huishoudster van de pastoor – maar ze konden het samen goed vinden. Onlangs nog had ze haar niet zonder fierheid toevertrouwd dat ze nu met Roger ging. Een man die er niet slecht uitzag. Bovendien had zijn pa geld zat. Met andere woorden, één van de beste partijen in Loverbeek. Mama had geglunderd en was zonder de minste terughoudendheid huwelijksplannen beginnen te smeden.

De koude douche van de abortus was daarom des te erger. Het plaatje van de lieve, levenslustige dochter die alleen misschien wat veel vriendjes had, lag plots aan gruzelementen. Arlette hield zich zoveel mogelijk van de domme. Slechts die dingen gaf ze toe, die ze op geen enkele manier kon ontkennen. Maar resoluut weigerde ze te zeggen wie de vader was, zelfs toen haar moeder haar met een stem vol twijfel en afschuw voor de voeten wierp dat de afgedreven vrucht niet blank was. Arlette voelde geen enkele schuld. Voor haar was het of ze gewoon een vervelende fout had rechtgezet. Zoals was te verwachten schold haar moeder haar uit voor moordenares, voor goddeloos schepsel. Ze doorstond die storm goed. Ze wist dat mama niet lang kwaad op haar kon blijven. Wat haar eerst verbaasde was dat Van Steirteghem – die als kersverse voorzitter regelmatig de ocmw-kantoren binnenliep – niet in het minst liet blijken dat hij wist van haar abortus. Hij knikte af en toe goeiedag, maar niet meer of niet minder dan dat hij vroeger deed. Na een week stond ze er verder niet bij stil.

Intussen was dat alweer een tijdje geleden. Vandaag stond om 10 uur een afspraak gepland met Aboe Jahl, die Soedanees die ze ongeveer twee maanden geleden in Loverbeek had verwelkomd. Hoewel – ze moest glimlachen bij de gedachte – die toen niet veel had gezegd. Het was een oudere dame die het woord had gevoerd. Iemand van een of andere vrijwilligersorganisatie die zich bezighield met de opvang van asielzoekers. Het enige wat ze zich van hem herinnerde waren zijn vriendelijke, kinderlijk onschuldige ogen.

'Gaat u alstublieft zitten', sprak ze in het Engels terwijl ze de woorden goed articulerend en traag uitsprak. Haar cliënt was ruim op tijd gekomen. Hij zat rechtop in een van de twee bezoekersstoelen en keek naar de tippen van zijn afgedragen baskets. Hij was gekleed in een jeans die ooit een donkerblauwe kleur had en droeg een ruwgebreide, bruine trui met rolkraag. 'U spreekt toch Engels?'

'Ja. Ik versta Engels een beetje. Maar u niet snel praten, alstublieft.' Met opzet verhakkelde hij de taal, die hij zo goed kende.

Ze sloeg zijn dossier open en probeerde hem in de ogen te kijken. Dat was iets wat ze routinematig deed. Je praatte pas echt met iemand als je oogcontact had. Niet dat gedoe van naar de grond staren. 'Uw asielaanvraag loopt al enkele weken, meneer Jahl. Zoals u weet dient u zich regelmatig hier op het OCMW te melden.' Ze zag hoe hij zijn hoofd langzaam rechtte tot hij haar in de ogen keek. Opnieuw werd ze getroffen door zijn vriendelijke blik. Maar er was meer. Hij zag er zo rustig uit. Zo volkomen in evenwicht. In vrede met de wereld. Dat zag je niet vaak bij vluchtelingen, mijmerde ze. Ach, al bij al, zoveel ervaring heb ik niet met die mensen. Arlette keek naar zijn handen. Ze had ruwe handen en nagels met zwarte randen verwacht, maar ze zag die van iemand die had gestudeerd, handen die nog niet veel zwaar werk hadden hoeven te doen. Ook dat is uitzonderlijk, dacht ze. Van alle asielzoekers die ik tot nog toe heb ontmoet, kon je bij wijze van spreken van hun handen hun lijdensweg aflezen. Maar ze ging er niet op in. 'Ik heb vanuit Brussel nog enkele formulieren gekregen met bijkomende vragen die u moet beantwoorden. U mag dat ook via uw advocaat doen', voegde ze er plichtmatig aan toe. 'Maar het zijn geen lastige vragen. We kunnen die paperassen samen invullen en dan bent u er zo vanaf.'

Hij knikte instemmend. 'Alstublieft.' Hij zag hoe ze zich vooroverboog om bij de onderste lade van haar bureau te komen. Hij kon niet anders dan in haar diep uitgesneden topje kijken dat zich als een ontluikende bloem aan hem toonde. Hij rilde. De met kant afgezette, vleeskleurige bh die hij net kon zien, deed hem schichtig van haar wegkijken. Hij deed zijn best om iedere zondige gedachte uit zijn geest te bannen.

Arlette, die niets in de gaten had, vond eindelijk het formulier dat ze zocht. 'Het is een vragenlijst over uw opleiding. Over uw studies.' Ze glimlachte hem aanmoedigend toe. 'U bent toch naar school geweest?'

Aboe Jahl keek haar met een uitgestreken, uitdrukkingsloos gezicht aan. Maar inwendig kookte hij. Wat een ongelooflijke, betweterige slet was dat! Niet alleen jende ze hem door hem te behandelen als was hij een kind van nog geen tien, maar ze slaagde erin hem voortdurend naar haar borsten te doen kijken, twee zware oranjeappels die hem aanstaarden, die hem uitdagend toelachten. Hij verplichtte zich zijn kalmte te bewaren. Op geen enkel ogenblik, op geen enkele manier, mocht hij laten blijken dat hij iemand anders was dan wie hij voorgaf te zijn. Hij ademde diep in. Straks, bij het middaggebed, zou hij Allah om steun vragen. Hij moest het in deze vijandige omgeving zien uit te houden tot men contact met hem zou opnemen. Dan was het zijn beurt, dan zouden die gedegenereerde westerlingen snel merken met wie ze te doen hadden. Dan zou hij eindelijk het respect krijgen dat hij verdiende.

Toen de Soedanees nog geen kwartier later uit haar kantoortje was verdwenen, liep Arlette naar de drankenautomaat om een Zero Coke. Ze vond dat ze de laatste tijd – eigenlijk vanaf haar onderbroken zwangerschap – de neiging had aan te komen. Dus lette ze op haar voeding. Weer op haar stoel, nam ze de vragenlijst ter hand die ze daarnet met Aboe Jahl had ingevuld. Samen met hem had ze al nagegaan of ze niets was vergeten, maar nu overliep ze de vragen nog een keer. Wat vlug gebeurd was, want haar cliënt had volgens zijn zeggen alleen maar elementair onderwijs genoten in een plaatsje waarvan ze de naam waarschijnlijk verkeerd had neergepend. Het was allemaal zonder veel belang voor de verdere afhandeling van zijn dossier. Die A4'tjes moesten nu eenmaal worden ingevuld, maar of ze die in Brussel lazen, laat staan controleerden...

Aboe Jahl. Wat had die man vriendelijke ogen. En hoe onzeker leek hij niet... Haar gedachten dwaalden af naar Jon. Ze herinnerde zich hoe vol twijfels die was toen ze hem die eerste keer was gaan opzoeken in zijn studio. Zogezegd ter controle van zijn leefomstandigheden. De herinnering aan haar vurige minnaar was onmiddellijk terug. Levendiger dan ooit. Ze sloot haar ogen. Onmiddellijk was het of ze de handen van Jonathan weer op haar lijf voelde. Hoe hij haar tepels kneedde. Hoe hij haar tergend traag op de intiemste plekjes aflikte. Hoe hij wild in haar stootte. Ze kreunde zachtjes, maar meteen daarna dwong ze zich die heerlijke dagdromen te laten voor wat ze waren. Ze zat hier verdomme op kantoor. Ze zuchtte spijtig. Roger was een brave jongen, die op zijn manier zijn best deed, maar... Een échte man als Jon zou ze nooit meer hebben. Hoewel. Ze overliep diagonaal nog een keer de vragenlijst, die nog steeds voor haar lag. Hoe zou Aboe Jahl in bed zijn? Die vraag brandde plots in torenhoge letters op haar geestesoog. Ze verwachtte niet dat hij puur lichamelijk kon tippen aan haar neger. Onmogelijk dat een tweede man even fors was geschapen. Maar Aboe Jahl had andere kwaliteiten. Op de eerste plaats zijn vriendelijke, zachte ogen. Misschien vrijde hij op een even lieve manier. En al bij al zag hij er niet slecht uit. Geen grammetje vet, een eerder pezig dan gespierd lichaam. Arlette Lepoutre glimlachte. Ze nam zich voor om binnen een week of zo Aboe Jahl een bezoekje te brengen. Om te zien of hij niets tekort kwam. Haar goede voornemens om het kalmer aan te doen, om het bij Roger te houden, waren gesmolten als sneeuw voor de zon.

9

'Ik begrijp niet hoe jij aan Tavernier kon verkopen!' Karen Derijck, enig raadslid voor Groen! in de Loverbeekse gemeenteraad, had tranen in de ogen van woede en ontgoocheling. 'Hoe heb jij dat kunnen dóén! Tellen de gevoelens van de buurtbewoners dan helemaal niet? En jij bent op de koop toe de meid van de pastoor. Van zo iemand kun je toch een minimum aan respect voor zijn medemens verwachten!'

De woordenvloed stortte zich over haar heen zonder dat Maria Lepoutre veel kans kreeg om te reageren. Een week geleden was voor de notaris de verkoopakte getekend van De Beemden. Ze had gedaan wat de pastoor haar had ingefluisterd, al waren dat voor haar meer regelrechte bevelen. Maar ze beklaagde zich haar beslissing niet. Van Van Steirteghem had ze niets gehoord en ook Arlette had hij tot nog toe met rust gelaten. Tenminste, ze had van haar dochter niets meer vernomen. Meneer pastoor zou dus wel gelijk hebben. Zoals altijd. Aan het buurtcomité had ze niet meer gedacht. Ze vermoedde dat die dansten naar de pijpen van de CD&V, dus naar Van Steirteghem. Dat Groen! zich ook met het dossier bemoeide, was bij haar niet opgekomen.

'Jij denkt toch niet dat wij het hierbij laten? Wij gaan die verkoop aanvechten! Hoor je, aanvechten!' Karen Derijck klonk strijdbaar. De laatste gemeenteverkiezingen waren voor haar partij uitgedraaid op een nederlaag. Alleen zij was verkozen. Samen met het Loverbeekse partijbestuur dat bestond uit een onderwijzer, zijzelf en haar neef, was ze tot de conclusie gekomen dat het hen in Loverbeek ontbrak aan Thema's. GroeneThema's. Een fabriek die onbehandeld afvalwater loosde, een bos dat zomaar werd gerooid... Niets van dat alles in Loverbeek. Het enige dossier dat mogelijkheden bood, was de bouw van zestig serviceflats op De Beemden. Maar ze had het bij de verkiezingen nauwelijks kunnen gebruiken, omdat de eigenares van de grond, Maria Lepoutre, niet aan Tavernier wilde verkopen. Zonder grond geen serviceflats. Geen Thema. Nu had de meid van de pastoor dat ten slotte toch gedaan, maar te laat om er electoraal munt uit te slaan. Daarom was Karen dubbel kwaad op de huishoudster. Het was net of dat mens haar een verkiezingssucces niet gunde. Waarom had ze dan nu wel verkocht en eerder niet? En het was toch een belachelijke gedachte om in een dorp als Loverbeek zestig serviceflats te willen bouwen?

Maria Lepoutre keek op zoek naar hulp om zich heen. Ze vond het verschrikkelijk als mensen haar op straat aanspraken. Of die nu Van Steirteghem heetten of Derijck. Ze hield haar boodschappentas voor haar borst geklemd, als een eerste verdedigingslinie tegen zoveel verbaal geweld. 'Het is mijn grond. Van mijn ouders geërfd. Daar doe ik mee wat ik wil. Dat zijn uw zaken niet.' Maar haar handen beefden en haar stem klonk onvast.

Karen Derijck kreeg plots medelijden met haar. Ze had zich weer eens laten meeslepen door haar temperament. Ze was een niet onknappe vrouw met een diploma sociologie van de VUB op zak. Ze werkte in Brussel bij de Federale Overheidsdienst Justitie, waar ze dossiers van jonge delinquenten behandelde. Daar had ze zich onder invloed van een begeesterde collega het groene gedachtegoed eigen gemaakt. 'Het is al goed. Ik wilde niet agressief zijn', sprak ze wat bedremmeld. Dat is werkelijk de zwakke kant van mijn karakter, dacht ze bij zichzelf. Die emoties die zomaar opwellen, die hebben in de gemeenteraad ook al tot memorabele, maar voor het overige compleet nutteloze ruzies geleid. En het is Maria Lepoutre niet die de serviceflats bouwt, het is Tavernier. 'Ik vraag om excuus', ging ze rustiger verder, terwijl ze haar hand op de mouw van Maria's mantel legde. 'Maar onze ex-schepen van ruimtelijke ordening, die krijgt met mij te doen. Dat beloof ik u!' Ze trok haar hand terug, draaide een halve slag en vervolgde haar weg met nog steeds een blos van opwinding op de wangen. Maria Lepoutre keek haar hoofdschuddend na.

Lut Vernimmen tekende voor ontvangst van de aangetekende brief. Sinds GT haar ook daarvoor volmacht had gegeven, was ze dat intussen gewend. Het vastgoedkantoor kreeg regelmatig van die stukken. Huurders die opzegden, een aannemer die vond dat zijn facturen te lang onbetaald bleven, een eigenaar van een gebouw dat ze vroeger hadden verkocht en die met een lijst reclamaties kwam. Maar dit aangetekende schrijven kon ze verder niet zelf afhandelen. Het was van een Brussels advocatenkantoor met een hele rist dure namen op het briefhoofd. Toen ze onder de aanhef een verwijzing naar De Beemden vond, voelde ze meteen een nattigheid. Het schrijven was een aangetekende ingebrekestelling voor rekening van Karen Derijck met een hele reeks inbreuken en overtredingen die zouden gepleegd zijn of worden, indien het serviceflatproject doorging. Lutgart begreep niet veel van dat juridisch jargon. Het enige wat ze wist, was dat ze zo spoedig mogelijk GT op de hoogte moest brengen. In tegenstelling tot de eerste weken na zijn ontslag uit het ziekenhuis, zag zij er veel minder tegenop om een beroep op hem te doen. Die eerste weken dacht ze echt dat hij voor haar ogen een fatale hartaanval zou krijgen als ze hem weer een of andere vraag stelde. Die voor hem altijd een domme vraag was. Maar dat was niet gebeurd. Integendeel, ze vond dat hij verder goed herstelde. Hij volgde ook gewetensvol zijn dieet. Hij was duidelijk vermagerd. Spijtig genoeg zag hij er daardoor niet beter uit. De diepe groeven in zijn gezicht, net als de losse huidplooien in zijn hals, deden zwaar afbreuk aan het breed lachende michelinmannetje dat hij vroeger zo goed had benaderd.

Ze liep met de advocatenbrief in haar hand de trap op naar zijn appartement. Het was nog redelijk vroeg, het moest nog negen uur worden, en ze vroeg zich af of hij al wakker zou zijn. Ze wist dat hij er de voorkeur aan gaf dat ze hem in de vroege namiddag opzocht, wanneer hij zijn karige, caloriearme maaltijd net op had en hij toe was aan een kop cafeïnevrije koffie.

Pas na flink op de deur trommelen, hoorde ze gestommel. Lut wreef zich zenuwachtig in de handen. Ze hoopte dat hij niet boos zou zijn.

'Lut?' Hij had de deur op een kier en staarde haar aan, alleen gehuld in een karmijnrode pyjama.

'Goedemorgen, GT. Sorry dat ik stoor, maar er is een aangetekend schrijven dat je absoluut moet zien.'

'Nu?' Hij haatte het als ze hem uit zijn slaap haalde, zeker voor zoiets stoms als een aangetekende brief. Waarom kon Lutje dat niet zelf oplossen?

Ze zuchtte. 'Het gaat over De Beemden.'

'De Beemden?'

Sprak hij vandaag alleen in vraagtekens, vroeg ze zich ongemakkelijk af. 'Ja. Van een advocatenfirma uit Brussel.' Ze zwaaide met het epistel als om hem van haar gelijk te overtuigen.

'Een advocatenfirma? Uit Brussel?'

Weer een antwoord in een vraag. Wat had hij vanmorgen? 'Ze beweren dat de serviceflats niet gebouwd mogen worden. Dat we een heleboel regeltjes overtreden...'

'Wat!' Hij griste de brief uit haar handen, opende de deur van het appartement helemaal en begon razendsnel te lezen. Problemen met De Beemden was iets wat hij zich in geen geval kon veroorloven. Het had hem verdomme genoeg moeite gekost om die grond in te palmen.

Ze zag hoe zijn hand begon te trillen naarmate hij verder las. 'Ze kunnen nogal overdrijven, hé', bracht ze onhandig uit.

'Ze gaan ons kloten met de bouw van die zestig serviceflats. Dat is wat ze gaan doen. Shit. Ik moet gaan zitten...' Hij liet haar bij de voordeur staan en liet zich op de namaak art-nouveaustoel vallen die naast de vestiairekast in de hal van het appartement stond.

Hij had niet gezegd dat ze binnen kon komen, maar Lut volgde hem. Ze vond zijn reactie maar niks. Zo vervelend leek die brief haar niet. Ze hoopte dat zijn tikker niet in een hogere versnelling zou schakelen. 'GT...? Alles goed?'

Guido Tavernier keek haar met een blik vol medelijden aan. 'Voel ik mij goed? Nee, Lut, ik voel mij niet goed. Mijn hart... dat gaat. Maar De Beemden! Het is of de duivel ermee gemoeid is. Eerst die misère met die kwezel van de pastoor. Nu die groene inboorlingen...'

'Groene inboorlingen?' Daarover had ze in de brief niets gelezen.

Hij zuchtte berustend. 'Die aangetekende ingebrekestelling is geschreven in opdracht van Karen Derijck. Dat heb je toch gelezen! Je weet toch wie dat is?'

'Tuurlijk. Die woont in dat hoevetje, net buiten het dorp. Zij en haar man hebben dat mooi gerestaureerd.'

'Lutje, Lutje...' Hij keek naar het plafond op zoek naar hulp van bovenaf. 'Karen Derijck is toevallig ook de drijvende kracht van Groen! in onze gemeente. Ze zit overigens niet ver van mij tijdens de raadszittingen.'

'Ooh... Dat wist ik niet.' Ze keek verveeld naar haar schoenen.

'Ja, zo zit dat. Zal ik je vertellen wat ons boven het hoofd hangt?' Hij bleef geduldig wachten tot ze ja had geknikt. Terwijl hij op de stoel zat, torende ze hoog boven hem uit, maar zo voelde ze zich niet. Ze had dat kunnen weten van Karen Derijck. 'Die advocaten gaan alle mogelijke en onmogelijke argumenten gebruiken om De Beemden te torpederen. Op alles gaan die bloedhonden mikken. Alle smerige trucs gaan ze gebruiken.' Hij keek met verachting naar de brief in zijn hand. Kleine zweetdruppels parelden op zijn bovenlip. 'Ze vechten natuurlijk eerst de verkoop van de grond aan. Ik ken die wetsartikelen waarnaar ze verwijzen niet uit het hoofd, maar die zullen wel iets te maken hebben met een verkeerde bestemming.' Hij las nog enkele zinnen verder. 'Ze mikken op de ontbinding van de aankoopakte, dat is het.' Het leek of zijn schouders iedere seconde lager hingen. 'En dan is er natuurlijk de bouwvergunning. Belangenvermenging omdat ik toen schepen was...' Plots stond Tavernier recht. Hij klonk verbazend rustig, bijna koel. 'Ze zouden nochtans moeten weten dat het volledige schepencollege zijn fiat aan die vergunning heeft gegeven. Dat was ik niet alleen. Alles is volgens de wettelijke regeltjes gebeurd...'

Lutgart keek naar haar baas met een mengeling van verbazing en bezorgdheid. Ze kende intussen maar al te goed het belang van De Beemden voor het voortbestaan van het kantoor. Enkele kopers die voorschotten hadden betaald informeerden al wanneer de bouwwerken van start gingen.

En dat terwijl ze wist dat de eerste aannemer nog moest worden aangewezen. Bovendien was zij – of liever GT – nog altijd in onderhandeling met een paar banken voor het rond krijgen van de financiering van de bouwwerken. Vroeger deden ze altijd probleemloos zaken met Fortis, maar nu bleken die heren niet meer zo inschikkelijk. Misschien dat het daarom dit keer ING werd. Maar niets was nog ondertekend. 'Guido, we slaan er ons wel doorheen...' Meestal sprak ze hem aan met GT, maar nu leek Guido meer op zijn plaats.

Hij was weer gaan zitten. 'Ik denk niet dat ze kans maken om het project te kelderen,' begon hij traag, 'maar ik heb er geen flauw idee van hoelang het gaat duren voor die juridische beslommeringen van de baan zijn. Geen flauw idee. Eerder jaren dan maanden. En dat is geen vermoeden, maar een zekerheid.'

Ze zwegen allebei. Ten slotte verbrak Lut de stilte. 'We moeten natuurlijk ook een advocaat nemen...'

'Ja. En niet zomaar een. Een kantoor dat gespecialiseerd is in de materie. Zoals die hufters uit Brussel.' Hij liet de brief op het blinkend geoliede parket dwarrelen. 'Dat gaat mij een pak geld kosten.'

Ze knikte bijna onmerkbaar. 'Karen Derijck moet toch ook betalen?'

'Je denkt toch niet dat die centen van haarzelf komen? Groen! zal wel afdokken. Die moeten toch iets doen met het geld dat de overheid hun cadeau doet. Geld van de belastingbetaler. Van jou en van mij.' Guido Tavernier grabbelde naar een tablet Seloken, een bètablokker die hij zoals steeds bij de hand had, en slikte het zonder water door. Hij moest rustig nadenken over zijn volgende stappen. Hij zou zich niet laten kisten door die zielige stuiptrekkingen van die groene extremisten. De Beemden moest er komen! Maar die hele cinema mocht niet te lang duren. Hij dacht aan de voorschotten die hij had ontvangen, aan de verkoop die toch zo moeizaam aantrok, aan de financiering die nog altijd niet rond was, aan Lut die er met de aannemers een zootje van maakte... En op de koop toe was die actie met die plasma-tv's één groot fiasco. Hij had gerekend op maximaal 1500 positieve reacties. Maar toen zijn mailing nog geen week de deur uit was, kreeg hij het aan de stok met de twee elektrozaken die Loverbeek rijk was. Oneerlijke concurrentie, luidde het. Meteen werd er gedreigd met zware schadevergoedingen. Hij was fors op de rem gaan staan. Zelf in dit dossier een advocaat raadplegen, was zinloos. Voor een rechtbank maakte hij niet de minste kans. Meer nog, hij riskeerde vervolging. Dus had hij een nieuw schrijven rondgestuurd waarin hij de tv-actie afblies. Het tiental mensen dat 250 euro had gestort, was intussen al terugbetaald. Tavernier vermoedde, als in een aangeleerde reflex, dat Van Steirteghem ook hier de hand in had. Om hem de duivel aan te doen, zou zijn politieke tegenstander van altijd zijn gaan praten met een van de twee elektrozaken. Waarschijnlijk met die van Verbiest, een trouw CD&V-slaafje. 'Ze hebben ons lelijk in de tang', bracht hij verslagen uit. 'Zonder het overbruggingskrediet waarvoor die tv-actie ging zorgen...' Hij voltooide de zin niet. Hij keek hulpeloos naar Lut, die even verloren terugstaarde. Zo had ze haar baas nog nooit meegemaakt.

'Kan de bank niet helpen? Ons kaskrediet verhogen?'

Hij schokschouderde gelaten. 'We zitten nu al aan de limiet. Dat doen die in nog geen honderd jaar.'

Ze bleef hem aankijken. 'En jij? Je hebt toch al privégeld in de zaak gestopt? Waarom die voorschotten niet verhogen? Het is toch jouw bedrijf en van jou alleen?'

Hij lachte schamper. 'Méér privégeld? We hebben het

hier niet over een paar tienduizend euro, hè Lut. Om de periode te overbruggen tot ik weer helemaal gezond ben, tot we de claims van de groene jongens hebben kunnen counteren, zijn we jaren verder. Járen. Dat zei ik toch al!'

Ze keek beteuterd naar de grond. Ze vroeg zich af waar al de winsten naartoe waren die het vastgoedkantoor had gemaakt in de vette jaren. In de jaren toen GT nog schepen was. Het was toch niet mogelijk dat al die centen intussen waren opgegaan aan interestbetalingen of vastzaten in projecten zoals dat van Dendermonde? Hij moest nog ergens centen hebben. Dat kon niet anders! 'GT... Al die winsten die we hebben geboekt toen jij nog in het gemeentebestuur zat... Zijn die allemaal weg?' Ze stelde de vraag beschroomd, ze durfde hem niet aan te kijken.

Voor zijn hartaanval zou hij haar hebben toegebeten zich met haar eigen zaken te bemoeien. Maar dat was vroeger. Nu keek hij haar wat bevreemd aan en friemelde aan de bovenste knoop van zijn pyjamajasje. 'Nee... Natuurlijk heb ik geld aan die gouden tijd overgehouden. Kom...' Hij stond moeizaam op en troonde haar bij de elleboog de woonkamer in. 'Kijk. Zie je die beeldjes?' Hij wees naar de vitrinekast tussen de twee ramen aan de straatkant. 'Zie je?'

Lutgart Vernimmen was al vele keren op het appartement van haar baas geweest. Evenvele keren had ze ongeïnteresseerd naar diezelfde vitrinekast gekeken en zich terloops afgevraagd wat GT bezielde om zulke kinderachtige standbeeldjes in zijn woonkamer te dulden. Het leken niets meer dan goedbedoelde pogingen van zesjarigen om in klei hun mama of papa te vereeuwigen.

'Dit is echte kunst, Lut. Kunst met een hoofdletter!' GT's ogen vulden zich met tranen. 'Zie je dat standbeeldje? Die man met die baard?' Hij wees naar het midden van de vitrinekast, naar de middelste legplank. 'Kun jij je voorstellen dat dit bijna vijfduizend jaar geleden is gemaakt? In Mesopotamië, het huidige Irak?'

Lut keek naar het figuurtje. Het was misschien twintig centimer hoog, van gebakken klei en hield de handen voor de borst gevouwen.

'En dat is vijfduizend jaar oud...' Het klonk schamper, maar dat hoorde GT niet.

'Ja. Het dateert van ongeveer 2600 voor onze jaarrekening. Vijftig jaar geleden ontdekt in een tempel niet zo ver van het huidige Bagdad, in Tel Asmar.'

Lutgart was allerminst onder de indruk. 'En daar geef jij je geld aan uit? Die zotternij stel jij tentoon...'

'Dit zijn meesterwerken, Lut. Unieke stukken die teruggaan tot de wieg van de moderne beschaving.'

'Zal wel zijn, zeker...'

Die woorden, waar de desinteresse vanaf droop, brachten GT terug tot de werkelijkheid. Buiten zijn zaak had hij maar één passie en dat was het verzamelen van oude Sumerische kunst. Niet op de manier van sigarenbandjes, maar heel zorgvuldig. Slechts toehappend wanneer zich een écht waardevol stuk aanbood. Wat uiterst zelden gebeurde. Gelukkig had de loop van de geschiedenis hem de laatste jaren flink geholpen. Met de Amerikaanse inval in Irak was het alsof iemand op een knop had gedrukt waardoor plots, van de ene dag op de andere, de meest ongelooflijke, de meest waardevolle stukken antiek te krijgen waren. Oud-Sumerische kunst – vazen, beeldjes, tabletten, tabernakels, noem maar op – overspoelden vanaf midden 2003 de antiekmarkten als was het een tsunami. GT, zoals iedereen, wist dat het om geroofde objecten ging. Om kunstvoorwerpen die uit museumverzamelingen en uit archeologische vindplaatsen in Irak waren gestolen onder de ongeïnteresseerde blikken van de Amerikaanse invasietroepen. Maar dat kon hem niet deren. Zonder die inval had hij zich zelfs in zijn stoutste dromen nooit kunnen voorstellen dat hij dergelijke stukken van een uitzonderlijke kwaliteit zou kunnen bezitten. En nu stonden die hem zomaar vanuit zijn vitrinekast aan te staren. Betaald met het geld dat hij onder tafel had verdiend.

'Guido...?' Lut keek naar haar baas en dacht bezorgd dat de geneesmiddelen hem nog altijd parten speelden.

Hij haalde diep adem en kwam tot een moeilijk besluit. 'Jaja. Je begrijpt dat niet, maar die beeldjes zetten mij aan het dromen...' Hij tastte, zoals hij zo vaak deed sinds hij terug uit het ziekenhuis was, naar zijn borstkas en voelde aan zijn hart. Zijn tikker klopte met een kalme, regelmatige slag. Niets aan de hand. 'Wij hebben financiële ademruimte nodig. Geld om de maanden, om de jaren die op ons afkomen, door te komen.' Hij keek haar veelbetekenend aan. 'Telkens wanneer er centen nodig zijn, verkoop ik een beeldje. Zo simpel is dat.' Hij bestudeerde haar gezicht, maar omdat hij daarvan niets kon aflezen en ze voor de rest bleef zwijgen, ging hij door. 'Ik doe dat met enorm veel tegenzin. Maar soms moet een mens achteruitgaan om later verder te springen...'

'Zo'n beeldje verkopen...?' Ze wist niet of ze hem ernstig moest nemen, of dat hij een flauwe poging deed om grappig te zijn. 'Wat krijg je daarvoor? Wie zou daar nu goed geld voor geven?'

Hij bekeek haar met een grijns vol misprijzen en tegelijkertijd medelijden. 'Voor jou zijn dit alleen maar mislukte beeldjes, hé? Dingen die je zo in de vuilnisemmer zou kieperen... Troost je. De meeste mensen zouden ze niet herkennen. Waarom dacht je dat ik ze zomaar in een vitrinekast tentoonstelde waar iedereen bij kan?' Hij pauzeerde en wierp een intense blik op zijn kleine verzameling. 'Je hebt niet het minste idee hoeveel die beeldjes waard zijn. Weet je, alleen al dat kleine figuurtje, die vrouw op haar knieën die een of andere god aanbidt, gaat bij Christie's of Sotheby's voor meer dan honderdduizend dollar van de hand. Alléén al dat kleine figuurtje...'

Lutgart keek ineens met meer respect naar de vitrinekast. Aarzelend viel ze in. 'Als wat jij zegt juist is, dan moeten alle beeldjes samen...'

'Bijna een miljoen euro waard zijn.' Hij keek haar aan als was hij een veldheer die zonet het koninkrijk van de ondergang heeft gered.

Ze sloeg haar hand voor haar mond.

'Dus,' ging hij met een stem vol triomf verder, 'de verkoop van zo'n beeldje brengt geld op. Grof geld. En zo'n meesterwerkje verkopen doe ik alleen omdat ik weet dat ik daardoor de tijd krijg om De Beemden te ontwikkelen en tot een succes te maken. En als één beeldje niet volstaat, verkoop ik een tweede en een derde. Ik zei het al meer dan eens, De Beemden moet er komen. Die groene fundi's zullen in het stof bijten!'

Ze keek hem aan met ogen waarin de bewondering zachtjesaan opnieuw alle andere emoties verdrong. 'Dat is heel goed nieuws. Ik wist wel dat jij niet zou capituleren. Dat je zou terugvechten...' Bij zichzelf voelde ze een immense opluchting. De hypotheekaflossingen waren niet in gevaar. Als GT bereid was om zijn kunstvoorwerpen te verkopen om op die manier de zaak gedurende de komende jaren drijvende te houden, dan was er niets aan de hand. Binnen een paar jaar, na zijn harttransplantatie en na de succesvolle verkoop van De Beemden, zou ze aan deze tijd allicht met een glimlach terugdenken. Ze bestudeerde de stukken in de vitrinekast met hernieuwde belangstelling. Eén miljoen euro, had hij gezegd. Eén miljoen euro... Ze kon het niet geloven. Dat zulke stomme, lelijke, kinderachtige beeldjes zoveel geld konden opbrengen, dat ging haar verstand te boven.

'Ik begin er morgen aan.' Hij bestudeerde de vitrinekast en vroeg zich af welk beeldje hij als eerste van de hand zou doen. Toch misschien dat zittende figuurtje. Het was tenslotte niet per toeval dat zijn blik daarnet precies op dat stuk was blijven rusten.

'Dat is goed. Onze bankrekening staat al zwaar in het rood. En met die ingebrekestelling van Karen Derijck...'

'Ja. We mogen geen tijd verliezen.' Bij zichzelf vroeg Tavernier zich af hoeveel die handelaar op de Frankrijklei voor zijn vijfduizend jaar oude voorwerp zou geven. Hij hoopte dat het minstens evenveel was als de 100.000 dollar die hij er een jaar of vier geleden voor had betaald. Die antiquair zou natuurlijk piepen als een varken omdat hij het moest terugkopen en hem eerst een belachelijk voorstel doen. Maar aan de andere kant was er intussen ook een aantal jaren voorbij. Jaren die de prijs van een dergelijk prachtstuk alleen maar konden opdrijven. Minder dan honderdduizend zou hij in geen geval aanvaarden.

Karen Derijck was opgetogen over de ontwikkelingen die ze in gang had gezet. De partij had niet lang geaarzeld om haar de nodige juridische en financiële steun te geven voor het verhinderen van dat monsterachtige project. Bovendien had ze in Loverbeek eindelijk een aantal mensen de gegrondheid van haar actie doen inzien. Het buurtcomité dat in slaap was gedommeld omdat Maria Lepoutre eerst niet wilde verkopen, was weer in een hogere versnelling gegaan. Om fondsen te werven, hadden ze in de parochiezaal een feestmaaltijd georganiseerd. Ze was er natuurlijk naartoe gegaan en had enkele nieuwe partijleden gemaakt. Alleen spijtig dat de spaghettisaus niet om te vreten was. Maar dat was minder dan een detail. Het verzet van Groen! – haar verzet – tegen De Beemden, nu gesteund door het buurtcomité en vanuit de partij in Brussel, dat was wat telde. Dat zette Groen! in Loverbeek eindelijk op de kaart. De timing van haar actie was verkeerd – de volgende gemeenteraadsverkiezingen waren pas over vijf jaar – maar de kans die De Beemden haar bood, kon ze niet laten liggen. Het was een godsgeschenk dat haar partij naar voor zou stuwen. Wie weet, bij de volgende verkiezingen, kwam Groen! op de wip te zitten en zou ze voor zichzelf een schepenzetel uit de brand slepen. Nee, meneer Tavernier, u bent nog niet van mij af, glunderde ze bij zichzelf. Hoe langer ze in die pot kon blijven roeren en stoken, hoe beter voor Groen! en voor zichzelf.

10

Het was donker en het regende toen Rachid Faoust thuiskwam. Hij had zijn Toyota in de ondergrondse garage geparkeerd op de plaats die voor hem was gereserveerd. Hij had een drukke dag in de winkel achter de rug. Zijn nieuw geïmporteerde prullaria verkochten als zoete broodjes. Bovendien had hij enkele afnemers gebeld om te melden dat hij een paar nieuwe beeldjes te koop had. Had hij maar niet zo'n succesvolle zaak moeten opzetten, gromde hij nors. Een dekmantel is nodig, daar niet van, maar toestanden zoals vandaag, wanneer hij om de haverklap klanten moest helpen, dat was te veel van het goede, dat leidde hem alleen maar af van zijn missie. Op de koop toe werd hij er verdomme moe van... Terwijl hij op de lift wachtte die hem rechtstreeks naar zijn penthouse bracht, dacht hij er opnieuw aan dat hij straks Aboe Jahl moest bellen. Een slapende cel activeren, ging het door hem heen. Een bijna seksuele opwinding maakte zich van hem meester. Vandaag was de dag dat hij op de rode knop ging drukken. Niet dat er daarna geen terugkeer meer mogelijk was. Maar het was de eerste stap in een keten van gebeurtenissen die binnen enkele maanden de westerse financiële wereld op zijn grondvesten zou doen daveren. En hij, Rachid Faoust, had daar de hand in. Hij glunderde toen hij naar de sleutel van de voordeur van het penthouse zocht. De vermoeidheid van die dag was plots weg.

Drie kwartier later, na een hete douche, zocht hij in zijn portefeuille naar het kattebelletje waarop hij bij zijn laatste bezoek aan Beiroet het gsm-nummer van Aboe Jahl had neergepend. Hij had toen vragend naar sjeik El Jahmin opgekeken toen hij '20', het landennummer van Egypte, had herkend. Maar die had hem meteen gerustgesteld. Aboe Jahl was officieel afkomstig uit Soedan, maar was via Egypte naar Europa gevlucht. In Aswan had hij van een hulporganisatie het overjaarse mobieltje zogezegd cadeau gekregen. Niets om zich zorgen over te maken. Maar dat deed Faoust dus wel. Zouden de Belgische immigratiediensten zich geen vragen stellen bij een asielzoeker uit een hopeloos arm land als Soedan die rondliep met een gsm-toestelletje met een Egyptische simkaart? Anderzijds, het mobieltje zou maar één keer worden gebruikt, om contact te leggen. Daarna zou hij Aboe Jahl een nieuw bezorgen, met een Belgische simkaart. Faoust vond het maar niks. Hier in West-Europa stond men erg ver met het traceren van mobiele telefoongesprekken. Hij wist weliswaar niet precies wat allemaal mogelijk was en wat niet. Tenslotte was hij geen telecommunicatiespecialist. Maar onder die omstandigheden was het nemen van niet het minste risico de enige juiste weg. Hij stopte het kattebelletje in zijn linkerbroekzak en trok een dikke trui en een regenjas aan. Buiten ging hij op zoek naar een telefooncel, niet te dicht bij zijn penthouse.

'Ja?' Aboe Jahl wist dat de oproep op ieder ogenblik kon komen, maar schrok toch van de schelle ringtoon. Hij had het toestelletje nog nooit horen bellen. Het enige wat hij tot nog toe had gedaan, was regelmatig de batterij opladen. Ze hadden hem keer op keer duidelijk gemaakt dat het mobieltje maar één doel had: één enkele keer opgebeld worden. Niets meer, niets minder.

'Dit is de oproep waarop je zat te wachten', klonk het overbodig. Faoust sprak Engels. Vanuit de telefooncel speurde hij zorgvuldig de omgeving af, beducht voor een late wandelaar of een patrouillewagen van de politie. Het was bijna halftien. Niemand scheen veel zin te hebben om in de druilerige regen te gaan flaneren. Niettemin schermde hij zijn gezicht af voor het harde, witte neonlicht in de telefooncel.

'Ik begrijp het. Waar zien we elkaar?' Wel honderd keer hadden ze hem uitgelegd wat er stond te gebeuren wanneer hij zou worden gebeld. De bedoeling was eenvoudig genoeg. Afspreken op de plaats die de andere hem opgaf.

Rachid Faoust grinnikte. Die had zijn les goed geleerd. Goed zo! 'We spreken af in Brussel. In het Zuidstation. Het Gare du Midi, voegde hij er in het Frans aan toe. Dat is het hoofdstation. Waar alle internationale treinen vertrekken. Thalys, Eurostar...

'Duidelijk.'

'Tegenover de terminal van Eurostar is een cafeetje met tafels en stoelen die tot in de grote vertrekhal staan. Het heet Terminus. Ik zie je daar volgende dinsdag. Om 17 uur precies.'

'Hoe herken ik u?'

'Jij hoeft mij niet te herkennen. Ik vind jou wel. Jij draagt een zonnebril. Kan mij niet schelen welk model. En je doet alsof je een krant leest. Een Engelse. Koop maar de *Financial Times*. Die is op roze papier gedrukt.'

'Begrepen.'

'Je hebt toch geld om daar te komen? Om die dingetjes te kopen?'

'Ja. Geen probleem.'

'Nog iets. Om 17 uur zal het in het station behoorlijk druk zijn. Als alle tafels bezet zijn, leun je maar tegen een pilaar of tegen de gevel van dat etablissement. Maar je blijft daar in de buurt. En je bent stipt op tijd.'

'Maakt u zich geen zorgen. Ik weet wat mij te doen staat.'

Aboe Jahl vond de man aan de andere kant van de lijn zeurderig. Hij was geen kind. Hij was een moslimstrijder die zich door niets of niemand van zijn doel liet afbrengen.

'Ik zie je dan.' Faoust haakte in en speurde de omgeving af voor hij de telefooncel verliet. Hij mocht voor die eerste ontmoeting niet het minste risico nemen. Hij twijfelde niet aan Aboe Jahl – als sjeik El Jahmin zei dat die een levende precisiebom was, dan geloofde hij dat zonder meer – maar je kon niet weten hoe die man zich in België gedroeg. Hij moest hier toch al enkele maanden zijn. Misschien hielden de veiligheidsdiensten hem om een of andere reden in het oog. Mogelijk waren er problemen met zijn asielaanvraag. Het Zuidstation was wat dat betreft een van de minst risicovolle ontmoetingsplaatsen.

Faoust voelde de verantwoordelijkheid zwaar op zijn schouders drukken, maar dat deerde hem niet. Hij was de spin in het web. Als hij een fout maakte, zelfs maar de geringste, zou de hele opzet als een luchtbel uit elkaar spatten. Alleen hij was het verbindingsstuk tussen de twee cellen die hij voor de aanval op SWIFT ging gebruiken. Alleen hij trok aan de touwtjes. Een zware verantwoordelijkheid, maar op de eerste plaats een grote eer. Dat hij aan deze nieuwe overwinning van het ware geloof kon bijdragen, was een geluk dat hem overspoelde, dat hem tot in het diepst van zijn ziel raakte. Hij zou zich niet laten verleiden tot enige slordigheid. Hij zou handelen met een voorzichtigheid en precisie zoals Allah die van hem verwachtte.

Later op de avond, terwijl de regen in vlagen tegen de brede ruiten van de living roffelde en hij met een glas vers sinaasappelsap in de hand naar de opzwepende muziek van Abdul Wahab luisterde, liep hij in gedachten de stand van zaken af. Het doelwit van de actie lag al een tijdje vast. De eerste ontmoeting met Aboe Jahl stond geprogrammeerd. Dat deel van het plan liep. Het zou alleen nog wat tijd vergen om die man goed voor te bereiden, hem een auto te bezorgen en ten slotte natuurlijk de springstof, maar dat waren dingen die hij na het eerste gesprek verder kon invullen. Het tweede deel van het plan – de aanval van binnenuit - dat was iets waar hij dringend werk van moest maken.

Rachid Faoust dronk het laatste restje sap op en plaatste het glas op het lage salontafeltje op een tijdschrift zodat het geen randen maakte. Hier stond hij nog nergens. Enkele keren was hij uitermate voorzichtig de brede omgeving rond SWIFT gaan verkennen. De omheining stelde niet veel voor. Maar op regelmatige afstand had hij camera's opgemerkt, al stonden die ver van elkaar. Bovendien was er een privébewakingsdienst die met honden patrouilleerde. Alleen de hoofdingang, waar ook al een groepje veiligheidsmensen was gelegerd, bood zich op het eerste gezicht aan als toegang van buitenaf. En dat was dus ook de weg die Aboe Jahl met zijn bomauto zou volgen. Maar die actie was als afleidingsmanoeuvre bedoeld. Die levende bom zou misschien een aantal bewakingsagenten om het hoekje helpen, hun wachthuisje en een stuk van de omheining wegblazen, maar het zou een wonder heten als zijn soldaat tot bij het hoofdgebouw zou geraken. Nee, de aanslag, de échte aanslag, moest van binnenuit gebeuren. Hij moest springstof in de computerkamer zien te krijgen, of in de onmiddellijke nabijheid ervan. Hun informaticawinkel de lucht in blazen. Pas dan zou het doel bereikt zijn, het grondig saboteren van het internationale betalingsverkeer.

Hij sloot de ogen en probeerde te focussen. Hij had Allah verschillende keren om inspiratie gebeden. Maar het leek of die had beslist dat hij die klus helemaal alleen moest klaren. Intussen wist hij, dankzij wat eenvoudig speur- en observatiewerk, heel wat over SWIFT. Wie de boel daar schoonmaakte, van welk merk hun computers waren, dat hun telefooncentrale op de benedenverdieping was gevestigd, links van de ingang. Hij had ook een goed beeld van wie er over de vloer kwam. Van het wekelijkse bezoek van de Coca Cola-man die de automaten kwam bijvullen tot het cateringbedrijf dat bij belangrijke vergaderingen zorgde voor de fijnere kost. Dat alles bood niet veel perspectieven. De leveranciers werden streng gecontroleerd. Het was hem ook opgevallen dat niet-aangekondigde bezoekers door een veiligheidsbeambte mee naar binnen werden geëscorteerd. Het schoonmaakbedrijf leek nog een van de minst onaantrekkelijke alternatieven. Met dank aan Erdal, glimlachte hij. Niettemin, een echte oplossing was dat evenmin. Hij had discreet zijn voelhorens uitgestoken en was tot de bevinding gekomen dat mensen die op risicovolle plaatsen kwamen schoonmaken, streng werden gescreend.

Ik moet iemand van binnenuit hebben, kwam hij bij zichzelf steeds weer tot dezelfde conclusie. Iemand die bij voorkeur al verschillende jaren bij SWIFT werkt, maar die om een of andere reden een vat vol frustraties is en dus openstaat voor enige onwettige, geldelijke compensaties. Omkoperij, dus. Dat was de enige oplossing. Hij wreef over zijn stoppelbaard. Hij had zich vanmorgen zorgvuldig geschoren, maar hij was iemand bij wie die haartjes snel weer groeiden. Het kwam erop aan meer over de werknemers van SWIFT in Terhulpen te weten te komen. Hij had de officiële website van de organisatie uitgevlooid, maar buiten de absolute top stonden daar geen namen van medewerkers op. Faoust lachte wrang. Hij kon weliswaar proberen een of andere directeur te benaderen, maar dat was natuurlijk onzin. Die vetzakken zwommen zo al in het geld. Plots voelde Rachid Faoust zich als een tijger in een veel te kleine kooi. Hij moest iemand vinden die op z'n minst zijn SWIFT-identificatiebadge uitleende, zodat de toegang was verzekerd. Hoe kon hij, bij Allah, zo iemand te pakken krijgen? Hoe kon hij weten of er überhaupt iemand bij SWIFT werkte die in aanmerking kwam? Ze hadden daar misschien uitsluitend supertevreden medewerkers die van hun baan hielden, gelukkig getrouwd waren en niet in het minst afgunstig op een net gepromoveerde collega... De moed zonk hem in de schoenen.

Hij stond op van het designbankstel en beende rusteloos de kamer rond. Nee, zo was het natuurlijk niet. Bij SWIFT in Terhulpen werkten honderden mensen van verschillende nationaliteiten. Toen hij buiten verdekt op wacht stond, had hij bijvoorbeeld een sikh herkend met zijn typische hoofddoek. Het kon niet anders of tussen die werknemers waren er die zich niet gelukkig voelden. Om welke reden dan ook. Die openstonden voor zijn benadering, die van het geld. Handje contantje. En uiteraard hoefde die persoon niet te weten waarom hij absoluut zijn pasje voor een paar dagen moest hebben. Een drogreden was gemakkelijk genoeg te vinden. Faoust ging weer zitten. Hij staarde naar zijn B&O-flatscreen, terwijl het toestel niet aanstond. Hij kwam tot het besef dat, indien hij vooruitgang wilde boeken, hij zelf in actie zou moeten komen. Zelf initiatief nemen, zelf iemand van SWIFT aanspreken. Met andere woorden, zijn kop uitsteken. Persoonlijke risico's nemen. En dat beviel hem allerminst. Een vergissing was zo gebeurd. Zijn dekmantel kon door een paar verkeerde woorden zo worden opgeblazen. Maar hij besefte dat hij geen keus had. Hij kon hiervoor geen van zijn soldaten inschakelen. Die horen thuis onder het hoofdstuk 'zelfmoordcommando', dacht hij schamper. Nee. Het was nodig dat hij het deed, dat hijzelf er iemand uitpikte. Iemand die verblind door geldelijk gewin, zou meespelen in zijn draaiboek. Hij zuchtte diep. Goed, als dat de weg was die Allah voor hem had uitgestippeld, dan moest het maar. Hij liep weg van het bankstel, draaide het licht van de schemerlamp uit en ging met een nadenkend gezicht de trap naar boven op, naar zijn slaapkamer.

11

'Ik ga even bij die Soedanees langs', deelde Arlette opgewekt aan haar dienstchef mee. 'Kan even duren. Veel papierwerk...' 'Doe maar, doe maar. Ik zie je straks wel.' Hij wist dat die uitstapjes hoorden bij haar werk. Hij was het al lang gewoon. Omdat er een koude wind blies – het voelde alsof de winter met stevige vrieskou iedere dag zijn intrede kon doen – had ze zich stevig ingeduffeld. Ze droeg lage, witte laarsjes, een karmijnrode, kamgaren overjas en fijne, witleren handschoenen. Van de OCMW-kantoren naar het studiootje van Aboe Jahl was het een wandeling van misschien een kwartier. Eerst een paar honderd meter voor ze de Dorpsstraat bereikte. Dan linksaf naar de kerk toe, langs De Beemden, waar sinds kort een groot bord stond met een afbeelding van het te bouwen project. Ten slotte het dorpscentrum voorbij en net achter het Axa-bankkantoor de Lindestraat in waar haar asielzoeker op de tweede verdieping van nummer vier voorlopig onderdak had.

Naarmate ze dichter bij haar bestemming kwam, voelde ze een plezierige opwinding zich van haar meester maken. Ze liet het graag gebeuren. Ze wist niet precies wat ze zou doen – ze zou wel zien – maar het avontuur, dat met een Soedanees alleen maar mysterieus en verrassend kon zijn, lonkte. Ze begon sneller te lopen. Toen ze aanbelde, lag er een lichte blos op haar wangen. Arlette leefde voor het nu. Morgen was iets diffuus, iets dat ze moeilijk kon inschatten. Waar ze zich daarom geen zorgen over maakte. En gisteren... Gisteravond was om te vergeten. Met Roger naar de Decascoop in Gent. Naar een romantische komedie van dertien in een dozijn, met Jennifer Lopez. Nadat hij een hele tijd haar hand had vastgehouden, was hij als een puber onder haar jurk naar haar slipje op zoek gegaan. Ze had zijn hand weggeduwd en verveeld terug op zijn knie gelegd. Later, op weg naar huis toen ze bijna in Loverbeek waren, was hij met zijn auto de verlaten Kasteeldreef in gedraaid met de bedoeling een potje te vrijen. Ze kon zoiets natuurlijk niet beletten als ze wilde dat de relatie bleef duren. En dat wilde ze. Haar moeder zei haar telkens weer wat een uitstekende partij Roger wel was voor een meisje als zij. En dat het toch tijd werd om aan later te denken, aan een huwelijk, aan kinderen. De verwijzing naar kinderen beviel haar niet, maar ze moest inderdaad aan haar toekomst denken. En intussen was het wel handig iemand te hebben om naar de film of het restaurant te gaan. Dus waren ze al enkele maanden een paar en bleef hij af en toe slapen. Maar gisteravond wilde hij absoluut met haar in de auto vrijen. Terwijl ze op nog geen vijf minuten van haar flatje waren. Zijn manier om haar te pesten omdat ze hem in de bioscoop zijn zin niet gaf? Ze had hem er lief aan herinnerd hoe zacht haar bed thuis was, hoe haar rug pijn zou doen als gevolg van de harde, te smalle autostoelen. Hij had haar geringschattend aangekeken, geen woord gesproken en de auto met gierende banden de grote weg op gedraaid om haar even later, nog steeds zonder een woord te zeggen, aan haar flatje af te zetten. Ze had hem met een kus bij haar boven in bed willen uitnodigen, maar hij had zijn gezicht afgewend. Zo had ze hem nog nooit meegemaakt.

Maar dat was gisteravond. Roger zou wel bijdraaien. En vandaag was vandaag. Haar hart sprong op toen ze op de trap gestommel hoorde. Ze had niet gewaarschuwd dat ze langskwam. Erkende asielzoekers waren niet verplicht de hele dag op het hun toegewezen adres te blijven. Ze had geluk dat hij thuis was. De deur opende op een kier.

'Ja?'

'Meneer Jahl? Ik ben het, Arlette Lepoutre, van het OCMW. We hebben elkaar al gesproken.' De wit geschilderde deur opende zich verder.

'Ja. Ik u herkennen. Wat u willen?'

Arlette keek beteuterd. Ze had gerekend op wat meer enthousiasme. Ze zag dat hij alleen in een jeans en een vaalbruin T-shirt gekleed ging. Hoe hij rilde. Maar ze was niet naar hier gekomen om zich aan de voordeur te laten afschepen. 'In het kader van uw asielaanvraag kom ik uw verblijfplaats controleren. En ook wat papieren afwerken.' Ze zwaaide met de dossiermap die ze in haar linkerhand hield.

Hij keek haar schattend aan. Daar was die verzoeking weer. Die blonde vrouw die hem de paar keer dat hij haar had gezien, er een uitdaging in scheen te vinden om hem op zondige gedachten te brengen. Gelukkig droeg ze vandaag een hoog rond de kin sluitende wintermantel. Alleen haar overvloedige blonde haren moest hij trotseren. Aboe Jahl overwoog wat hij kon doen, moest doen. In geen geval mocht hij achterdocht wekken. Hij was een asielzoeker uit Soedan in dit koude land op zoek naar een nieuwe toekomst. Die dankbaarheid moest tonen omdat hij niet meteen op een vliegtuig terug naar huis was gezet. Hij mocht zijn missie niet in gevaar brengen. Hij diende de rol te spelen die van hem werd verwacht. In aandoenlijk verhakkeld Engels nodigde hij Arlette daarom uit binnen te komen. 'Alstublieft, u niet in de kou staan blijven...'

Eindelijk, dacht ze. Veel beleefdheid heeft hij van thuis niet meegekregen. Achter Aboe Jahl strompelde ze de smalle, donkerbruin geverfde trap op helemaal naar de tweede verdieping. De verf was door het veelvuldige gebruik weggesleten. De deur van zijn flatje stond wijd open. Hij wees naar een metalen keukenstoel. 'U gaan zitten, alstublieft.'

'Dank u.' Ze knoopte haar warme jas los en merkte dat hij het enige raam bijna helemaal met krantenpapier had afgeplakt. Er hingen nochtans zware gordijnen die je kon sluiten. Niet de mooiste, noch in prima staat, maar toch beter om de kamer te verduisteren dan dat krantenpapier. 'Is er iets niet in orde met de gordijnen?' vroeg ze daarom.

'Eh... nee.' Hij vond niet zo gauw een uitleg. Hij wilde haar niet zeggen dat hij dat had gedaan om niet de hele dag naar dat kruisteken op de kerktoren te moeten kijken. 'Het is tegen de zon', bracht hij ten slotte uit. 'Die gordijnen zijn zo zwaar dat ik anders aan moet maken het licht.'

Arlette schokschouderde en stond op om zich van haar zware wintermantel te ontdoen. De map had ze op de vloer gelegd. Het was niet echt warm in het kamertje, maar de fikse wandeling deed zich voelen. Aboe Jahl stond voor de spoelbak en het aanrecht dat netjes was opgeruimd. Hij hield een waterkoker vragend in de hand. Die man had een aura over zich dat haar iedere keer dat zij hem ontmoette, opnieuw in de ban hield. De combinatie van zijn vriendelijke, lachende ogen en een onhandige, bijna stuntelige houding, vertederde haar. Terwijl ze haar wintermantel zorgvuldig over de enige andere stoel drapeerde, maakte ze ongemerkt het derde knoopje van haar hemd los.

'U thee willen? Muntthee?' Hij zag hoe ze zich naar hem keerde. Haar aanblik trof hem als een vuistslag. Met de waterkoker nog steeds in de hand keek hij in haar diepe decolleté, vanwaaruit haar blanke vlees hem uitnodigend toelachte.

'Muntthee. Heerlijk!' Arlette genoot van het effect dat ze op hem had. Ze glimlachte hem aanmoedigend toe. Jon had niet veel meer nodig gehad om haar vast te grijpen en haar wild beginnen te kussen. Ze voelde het kriebelen in haar onderbuik. Ze zag zich al op het smalle bed liggen, na een heerlijke vrijpartij nagenietend in de armen van Aboe... Aan Roger dacht ze geen ogenblik.

Maar zo had Jahl dat niet begrepen. Weg waren zijn goede bedoelingen om de sukkelaar te spelen. Een asielzoeker die na vele omzwervingen hoopt in België een nieuw leven te beginnen. Vergeten de reden waarom hij naar dit grijze, druilerige land was gekomen. Zelfs de afspraak volgende week met zijn contactpersoon was uit zijn geheugen gewist door de woede die plots in hem ontbrandde.

'Jij vuile, gemene hoer!' Hij smeet haar de woorden in het gezicht. 'Al sinds de eerste keer dat ik jou zag, wist ik dat Allah jou maar met één doel op mijn weg heeft gezet. Om mij op de proef te stellen! Opdat ik ook in dit koude land bevolkt door ongelovigen zou bewijzen dat ik een échte moslim ben!' Hij had zijn gemaakt, slecht Engels laten varen en sprak nu het gepolijste taaltje bedoeld voor toeristen, dat je in Caïro aan de universiteit leert als je archeologie studeert.

Arlette wist niet waar ze het had. Het eerste wat traag tot haar doordrong, was dat ze de man compleet verkeerd had ingeschat. Toen ze haar wintermantel had uitgedaan en zich met een diep openvallend decolleté aan hem aanbood, had ze gedacht dat ze zijn verbazing moest uitleggen door de buitenkans die zij zo onverwacht voor hem was. Zo had Jon ook gereageerd. Een normale, mannelijke respons van iemand die wellicht al een hele tijd geen vrouw meer had gehad. Maar Aboe Jahl reageerde helemaal anders. Net of ze op de verkeerde knop had gedrukt. Hij zou toch geen homo zijn, speelde het ineens door haar hoofd. Toen daagde het haar dat de man die nu dreigend voor haar stond, plots zo vloeiend Engels sprak. Met een veel beter accent en een ruimere woordenschat dan die van haar. Hoe kon dat nou? Iemand die uit Darfoer kwam, uit Soedan? Een van de armste streken ter wereld. Ze dacht aan de vragenlijst die ze samen hadden ingevuld. Waarin hij beweerde alleen maar basisonderwijs te hebben genoten. Lezen en schrijven. Niets meer.

'Jij bent een slechte vrouw!' braakte hij de woorden hees uit. 'Het is om de man tegen sletten als jij te beschermen dat de profeet heeft voorgeschreven dat iedere rechtgeaarde vrouw haar lichaam moet bedekken! Haar armen, haar gezicht, haar haren!' Aboe Jahl greep met zijn linkerhand naar haar pols en draaide die tot Arlette met tranende ogen voor hem op de knieën zat.

'Au! Je doet mij pijn!' Ze keek angstig naar hem op. De vriendelijke, bijna kinderlijke blik in zijn ogen was weg. Nu zag ze een door woede vertekend gelaat dat haar met onverholen afkeer en minachting aanstaarde.

Aboe Jahl leek door de aanblik van de vrouw aan zijn voeten helemaal door het dolle heen. In Caïro en ook in Damascus, had hij dikwijls lichtekooien bezocht. Met vrienden, vaak ook alleen. Wanneer de behoefte aan een vrouw te groot werd, moest je als man aan je trekken komen. Maar dat was niet iets wat Allah afkeurde. Die vrouwen waren er om strijders zoals hijzelf volledig ten dienste te zijn. Met hun lichamen te eren voor zij tegen de Israëli's of gelijk welke andere vijanden van de islam optrokken. Maar die hoer aan zijn voeten, dat was anders. Die had Allah op hem afgestuurd om zijn geloof te testen, zijn standvastigheid onder de moeilijkste omstandigheden. Hoewel hij bij haar aanblik de lust in zijn aderen voelde koken, zou hij niet toegeven. Hij zou sterk zijn. En straks in het namiddaggebed vergeving vragen voor zijn zondige gedachten. Plots hief hij zijn rechterhand en liet een harde klap op Arlettes linkerwang neerkomen. 'Schaam je! Schaam je voor je oneerbaar gedrag!' Tegelijkertijd liet hij haar los, zodat ze door de gemene slag met haar hoofd tegen een poot van het keukentafeltje schampte.

Verdwaasd kroop ze overeind en begon vol angst naar de deur te schuifelen. Wat was haar overkomen? Waarom deed hij dat? Wat had zij hem misdaan? Haar gedachten sprongen van de hak op de tak. Ze mocht haar winterjas niet vergeten. En haar map die ze van kantoor had meegenomen. Ze grabbelde ze bij elkaar. Allerlei vragen welden in haar op, maar ze kreeg er geen enkele over de lippen. Het enige wat ze wilde, was hier zo snel mogelijk vandaan. Weg van die man die haar aanstaarde als was ze een geestesverschijning.

'Maak dat je wegkomt!' beet hij haar sissend toe. 'Weg! Weg!' Maar terwijl hij zag hoe ze houterig naar de deurknop tastte, hervond Aboe Jahl wat van zijn kalmte. Plots daagde het hem wat hij had aangericht. Hij had geweld gepleegd tegenover een medewerkster van de Belgische overheid. Hij had haar een harde klap in het gezicht gegeven. Die slet zou natuurlijk naar de politie hollen om een klacht neer te leggen. Hij was compleet uit zijn rol gevallen. Hij had haar afgesnauwd in zijn beste Engels, haar op die manier laten weten dat hij een heel ander iemand was dan de persoon die hij voorgaf te zijn. Een onvergeeflijke fout. 'Mevrouw', begon hij daarom, nu weer in een stuntelig taaltje. Net alsof wat zich zonet had afgespeeld nooit was gebeurd. 'Ik mij excuseren. U mij vergeven. Ik niet weten wat mij overkwam. Maar u zo'n mooie dame zijn...'

Arlette Lepoutre wist niet waar ze het had. Enkele seconden geleden hield die barbaar haar in een ijzeren greep – ze keek naar haar rechterpols en zag de striemen die zijn vingers hadden achtergelaten – en nu probeerde hij zoete broodjes te bakken. Ze stond met trillende benen bijna op het portaal. 'Ik moet dringend naar kantoor, meneer Jahl.' Haar stem haperde. Opnieuw kreeg ze tranen in de ogen. 'Ik moet natuurlijk verslag uitbrengen van wat hier is gebeurd.' Ze zag hem schrikken.

'U naar politie gaan?'

Arlette wist niet wat te antwoorden. Ze kende de richtlijnen. Als asielzoekers agressief werden, moest er altijd een verslag worden opgesteld. En het incident van daarnet kwam zeker in aanmerking voor een klacht bij de politie. Maar ze aarzelde. Ze was hiernaartoe gekomen met bedoelingen die niet van de zuiverste waren. Strikt genomen had ze zelfs geen gegronde reden om hier vandaag te zijn. De papieren die ze bij zich had, konden ook op kantoor worden ingevuld. Ze tastte naar haar hemd om het derde knoopje dicht te maken. Politie leek haar geen goed idee. Wie weet of die fundamentalist haar dan niet zou beschuldigen van uitlokking. Ook dat stond in de richtlijnen die ze hoorde te kennen. Respect voor ieders overtuiging, voor ieders religie. De mensen niet bruuskeren met een al te westerse aanpak. Hen de tijd geven om aan België te wennen. Niet exact de bedoelingen waarmee zij vandaag Aboe Jahl was komen opzoeken.

'Ik zal niet naar de politie gaan, meneer Jahl. Maar ik kan niet anders dan een verslag maken over wat vandaag is voorgevallen.' Ze trok de deur van het studiootje met een harde klap achter zich dicht.

Buiten in de Lindestraat haalde Arlette een paar keek diep adem. Het beven over heel haar lichaam hield eindelijk op. Toen keek ze eerst naar links en toen naar rechts voor ze uit haar handtas een rond spiegeltje opdiepte. Haar wang gloeide pijnlijk. Ze wilde zich er rekenschap van geven hoe groot de schade was. Toen ze duidelijk drie vingerafdrukken herkende, wist ze dat ze niet naar kantoor terug kon. Daar zou ze alleen maar vragen krijgen. Lastige vragen waarop ze geen antwoord kon geven. Er zat niks anders op dan voor de rest van de dag vrijaf te nemen. Ze begon naar haar appartementje te lopen. Als ze heel de middag koude kompressen op die striemen legde, of beter nog ijs, kon ze morgenvroeg misschien toch naar kantoor. En anders maar de rest van de week vakantie nemen. Bij het OCMW deden ze daar niet moeilijk over.

Terwijl ze verder liep, dacht ze na over het incident. In andere omstandigheden zou ze meteen de politie inlichten. Maar dat kon nu niet. Daarvoor was haar eigen rol te twijfelachtig. Ze vroeg zich af of ze bij Aboe Jahls dossier een memo moest voegen dat wees op zijn opvliegende, agressieve kant. Ook dat wees ze af. Zo'n nota zou alleen maar vragen over haarzelf oproepen. Het hele incident dus maar vergeten? Maar dan stond haar plots de Aboe Jahl voor de geest die ze niet kende. De man zonder de vriendelijke ogen, met een versteende blik en een grijns vol verachting en weerzin op zijn gezicht. En die als bij toverslag vlekkeloos Engels sprak. Terwijl Arlette naar haar huissleutel zocht, wist ze het zeker. Die man was niet wie hij zei te zijn. Die man was geen asielzoeker.

12

De winkel van prullaria en snuisterijen op de Frankrijklei zag er nog precies hetzelfde uit als de laatste keer dat hij er was binnengewandeld, nu meer dan twee jaar geleden. Aan de buitenkant kon niemand vermoeden dat hier ook échte antiquiteiten werden verkocht. Maar dat was natuurlijk de bedoeling. De brede etalage liet een bonte verzameling hebbedingetjes zien. Van kleinere koperen sierketels via nep-Afrikaanse maskers tot dozen vol zogezegd oud-Egyptische juwelen: hangers, ringen en armbanden in lichte, felle kleuren. Als achtergrond hingen er grofgeweven tapijten die geometrische motieven toonden. Met een plastic zak van Carrefour in zijn linkerhand duwde GT de deur open en werd begroet door een carillon van vluchtige, klingelende muzieknoten. Hij glimlachte zuinig. Alles was precies zoals vroeger, zoals in de tijd toen hij nog schepen was. Toen zijn zaken floreerden en zijn hart hem nog niet in de steek had gelaten.

Faoust, die in de achterkamer in zijn gemakkelijke stoel net *Le Soir* ter hand had genomen, liet een moedeloze zucht. Het zou wel weer een van die jonge dellen zijn die om redenen waar hij niet goed bij kon, het steeds weer op zijn winkel hadden gemunt. Net of er geen andere zaken in 't Stad waren die verkochten wat bij hem te vinden was. Maar aan de andere kant, dacht hij afwezig terwijl hij traag overeind kwam, een goedlopende zaak is de best mogelijke dekmantel die ik mij kan wensen.' Hij liep al in zijn gebruikelijke pose – handenwrijvend, brede glimlach, het hoofd wat gebogen – de winkel in toen hij zijn klant herkende. Alleen kon hij zich zijn naam niet meteen herinneren.

'Aah! Meneer....'

'Tavernier', kwam GT hem te hulp. 'Ik was hier al eerder.'

'Natuurlijk. Meneer Tavernier. Komt u alstublieft verder. Hierlangs, meneer Tavernier.' Faoust ging hem voor naar de achterkamer waar ze altijd al zaken hadden gedaan. Hij vouwde snel de krant dicht, maakte wat plaats op de kleine bureautafel en gebaarde naar GT dat hij in de enige bezoekersstoel kon plaatsnemen. 'Excuus dat ik niet meteen op uw naam kwam, maar intussen is het weer een tijdje geleden dat u hier was, niet?'

'Zo is dat, zo is dat...' Voorzichtig plaatste GT het plastic zakje tegen de rechterpoot van zijn stoel, maar liet het verder onaangeroerd.

Rachid Faoust, die zich best herinnerde dat Tavernier in het verleden een gretige afnemer van oud-Sumerische beeldjes was, kon zijn bezoek van vandaag niet plaatsen. De voorbije dagen had hij enkele mensen gebeld om te melden dat er nieuwe voorraad beschikbaar was. Maar daar was Tavernier niet bij. Dat was niet nodig. Hij had voor beide beeldjes bijna onmiddellijk een afnemer gevonden. Hoe was het dan mogelijk dat Tavernier hier vandaag voor hem zat? Hij hield niet van dat soort onverwachte ontwikkelingen.

GT stelde hem meteen gerust. 'Vandaag ben ik niet gekomen om te kopen, maar om te verkopen. Ziet u, ik heb enkele tegenslagen gekend. Zakelijke. En ook de gezondheid is niet meer wat ze was.'

'Ach. Het spijt mij dat te horen. Toch niet te ernstig?'

'Nu gaat het.' GT voelde zich inderdaad niet slecht, maar

voordat hij aan de autorit naar Antwerpen begon, had hij een extra tablet Seloken geslikt. Zowat om de vijftien minuten mat hij zijn polsslag. Bovendien had hij – helemaal tegen zijn natuur in – bijzonder defensief gestuurd. Niettemin, als de hartspecialist zou weten dat hij in zijn eentje met de auto op excursie naar Antwerpen was getrokken...

'U wilt mij iets verkópen?' Faoust liet het klinken als was het een misplaatste grap. Bakken vol geld pakken van die westerse slappelingen in ruil voor smerige afgodenbeeldjes die zijn broeders in Irak hadden bemachtigd, dat was onderdeel van de Strijd. Geen haar op zijn hoofd dacht eraan om de omgekeerde weg te bewandelen.

Als antwoord reikte GT naar de plastic zak aan zijn voeten en legde een in krantenpapier gewikkeld voorwerp op de werktafel. 'Dit is wat ik te koop heb...' Voorzichtig begon hij het met tape vastgeplakte papier los te maken tot het beeldje van de knielende vrouw die een of andere god aanriep tussen hen in stond.

Faoust keek er gebiologeerd naar. Hij probeerde zich te herinneren wanneer hij het aan Tavernier had verkocht en vooral voor hoeveel. Maar zijn geheugen liet hem compleet in de steek.

GT interpreteerde zijn zwijgen anders. 'Mooi, hé. Daar word je helemaal stil van. Het is met enorm veel tegenzin dat ik het te koop aanbied. Zo'n uniek stuk... Maar ik heb de centen dringend nodig.'

'Oud-Sumerisch...' begon Faoust, die met die uitspraak niets verkeerds kon doen. Want hij mocht in zijn achterkamertje wel echt antiek verkopen, hij wist niets meer over die voorwerpen dan de summiere uitleg die sjeik El Jahmin hem bezorgde. Soms ging het zo ver dat die hem slechts de pancarte gaf met het logo erop van het Museum van Oudheden van Bagdad, met daarop de vindplaats en de datering van het stuk in kwestie.

'Gevonden in Uruk, gedateerd circa 2700 voor Christus. Stel je voor, bijna 5000 jaar oud! Op internet kun je zo de geschiedenis van dit meesterwerkje terugvinden. Tenminste, tot april 2003...' Beide mannen keken elkaar veelbetekenend aan.

Faoust haalde de schouders op. 'Ik lever topwaar tegen aantrekkelijke prijzen en zonder factuur. De rest...' Hij maakte een wegwerpgebaar.

'Ik dacht aan 125.000 dollar', veranderde GT gepast van onderwerp. 'Uiteraard cash.'

De Libanees fronste de wenkbrauwen. Niet alleen voelde hij niet de minste behoefte om dat beeldje terug te nemen, maar bovendien had hij geen flauw idee of de prijs die Tavernier noemde, correct was. 'Ik ben geen koper.' Het klonk kortaf. Als om zijn beslissing te onderstrepen, vouwde Faoust in een gebaar van afwijzing zijn armen voor de borst.

Dacht ik het niet, sprak GT bij zichzelf. Die tapijtenverkoper gaat zijn hele trukendoos bovenhalen om de prijs zwaar te doen zakken. Hij voelde niet voor een lange onderhandeling. Zoiets was niet goed voor zijn hart. 'Doe mij dan een tegenvoorstel', zei hij daarom. 'En geen belachelijke prijs alstublieft, maar iets waarover ik kan nadenken.'

'Ik meen wat ik zei. Ik ben geen koper. Ik verkoop weliswaar die beeldjes, maar mijn winkel is geen antiekhandel.'

'Ik heb het geld nodig. Anders was ik hier niet.' Die vent moest met zijn gladde trucjes niet overdrijven.

Faoust leunde achterover in zijn stoel en keek de ander indringend aan. Hij voelde hoe de sfeer in het achterkamertje veranderde, grimmiger werd. Maar hij zag niet in waarom hij die man tegemoet zou komen. Iemand die geld genoeg had – zwart geld – om een collectie oud-Sumerische beeldjes te verwerven, kon onmogelijk zulke grote financiële zorgen hebben dat één enkel beeldje het verschil maakte. Bovendien, hij bracht die beeldjes mee uit Libanon om ze hier te verkopen. Om de centen die hij op die manier van die ongelovige honden lospeuterde, later tegen hen te gebruiken. 'Ik herhaal dat ik geen koper ben, meneer Tavernier. Ik kan moeilijk duidelijker zijn. Wilt u uw beeldje alstublieft weer inpakken?'

GT, die discreet zijn polsslag mat, merkte dat die iets was opgelopen. Het normale ritme van zo'n tachtig slagen per minuut was duidelijk versneld. De fout van die gladjanus, die op een onbegrijpelijke, bijna onbeschofte manier het been stijf hield. Ondanks de medicatie voelde GT iets van zijn oude zelf, van de goede onderhandelaar die hij was, weer naar boven komen. 'U vindt ongetwijfeld andere liefhebbers voor een dergelijk prachtstuk. Kijk, geeft u mij 100.000 dollar, dan kunt u het met een leuke winst doorverkopen.' Hij aarzelde even, maar besloot vrijwel onmiddellijk dat het geen kwaad kon duidelijk te zijn. Hij had geen zin bij een andere antiquair in Antwerpen of waar dan ook met de statuette te gaan leuren. 'En mocht u twijfelen om dit meesterwerkje terug te nemen, niet vergeten dat wat u doet illegaal is. De politie, laat staan de fiscus, heeft ongetwijfeld veel interesse in wat ik hun allemaal over u kan vertellen. En denk vooral niet, omdat ik betrokken partij ben, dat ik dat niet doe. Ik heb nu dat geld nodig. Nú. Als u niet meewerkt, verlies ik er niets mee door naar de politie te gaan.' GT liet zich wat buiten adem op de bezoekersstoel vallen. Hij zocht naar zijn pols om zijn hartslag te controleren. Hij mocht zich niet laten meeslepen. Niet overdrijven was de boodschap.

Faoust keek hem emotieloos aan. Geen spiertje vertrok in zijn gezicht. Zijn handen rustten bewegingloos op de werktafel. Wat moest hij doen? Het leek erop dat hij die Tavernier verkeerd had ingeschat. De man moest inderdaad grote financiële problemen kennen. En hij zag er niet goed uit. Er lag een grauw waas over zijn ingezakte gezicht. Faoust kwam snel tot een besluit. Het risico dat Tavernier zou gaan uithuilen bij de politie was er een dat hij in geen geval kon nemen. Bovendien had de man gelijk. Hij had zo meteen een koper voor dat idiote beeldje. 'Goed. Ik geef u 90.000 dollar. Maar geen cent meer. De verhandeling van dit eh... soort kunst is er niet gemakkelijker op geworden. Dat zult u wel begrijpen.'

GT schokschouderde. '90.000. Oké. Wanneer heb ik mijn geld?' Hij had geen zin om over 10.000 dollar meer of minder te palaveren.

'U begrijpt dat ik zo'n som niet hier in de winkel heb liggen. Ik stel voor dat u naar huis gaat, rustig luncht en dan tegen drie uur hier terug bent. Dan ligt het geld op u te wachten.' Faoust kon het niet laten bij zichzelf voldaan te glimlachen. Had de ander voet bij stuk gehouden met die 100.000 dollar, hij zou hebben toegegeven. Maar dat had die dus niet gedaan.

Tavernier haalde opgelucht adem. Nog twee, drie uur wachten en hij had weer wat cash. 'Ik woon in Loverbeek. Dat is niet echt om de hoek. Ik vind wel een restaurantje hier in de buurt.' Hij begon het beeldje opnieuw in het krantenpapier in te pakken.

'U kunt dat gerust hier laten. Dan hoeft u daar niet mee rond te zeulen.'

GT grijnslachte en stak het pakketje in de plastic zak van Carrefour. Hij vertrouwde die vent, die zo glad was als een aal, voor geen cent. 'Dat is geen moeite. Ik ben tegen drie uur terug.'

Het eerste wat Tavernier deed nadat hij een tafeltje had gevonden aan het venster in een Italiaans restaurant, was twee tabletten Seloken slikken. Zijn tikker deed veel te veel zijn best en sloeg de hele tijd bijna honderdtien slagen per minuut. Niettemin, nu die vertoning bij die rot-Libanees achter de rug was, voelde hij op de eerste plaats opluchting dat hij straks met een bundeltje bankjes naar huis kon. Daarmee kon hij tenminste de komende maanden doorkomen. Maar die sjoemelaar was een harde noot om te kraken. GT huiverde bij de gedachte dat hij bij die man één, en misschien nog meer, van zijn collectiestukken te koop zou moeten aanbieden. Maar iets anders zat er niet op.

13

De dagen voor eerste kerstdag, toen Loverbeek dankzij vakkundig geplaatste lichtbogen en een veelkleurige straatverlichting werd omgetoverd in een feeëriek sprookjesdecor, waren ook voor Ronald Van Steirteghem een periode waarvan hij volop genoot. Zeker sinds hij begin januari tot de nieuwe OCMW-voorzitter was benoemd. Hij was al 23 jaar raadslid voor de CVP, nu CD&V, en was in 1995 gedurende een klein jaar schepen van financiën toen hij een zwaar zieke partijgenoot verving. Nu hij in de nieuwe coalitie de verantwoordelijkheid droeg voor het OCMW, liep hij over straat als de plaatselijke keizer. Hij groette zijn onderdanen met een mild gebaar of wisselde een enkel woord. Hij was klein van postuur – hij wist dat zijn bijnaam 'de Boskabouter' was – maar hij probeerde zijn gebrek aan lengte te compenseren door schoenen met verhoogde hakken te dragen. Daarmee won hij een paar centimeter. Bovendien probeerde hij zijn 1,61 m nog op een andere manier goed te maken. Hij was opvliegend als geen ander. Zijn vrouw, zijn kinderen, de medewerkers van zijn bouwbedrijf: niemand was veilig. De minste aanleiding volstond om hem te doen ontploffen. Vlees op zijn bord dat niet naar zijn zin was gebakken, cementzakken die niet regenveilig waren gestapeld... Zijn gezicht liep eerst rood aan, zijn ogen spuwden vuur, maar hij zei nog niets. Hij was als een sprinter op de korte afstand die al zijn energie samenbalde om die in één geweldige uitbarsting op zijn ongelukkige slachtoffer af te vuren. Ook binnen de plaatselijke CD&V-afdeling was hij berucht om zijn scheldpartijen. Sommigen fluisterden dat hij zonder die furieuze tussenkomsten nooit zou zijn voorgedragen voor de functie van voorzitter van het OCMW. Maar zijn politieke vrienden vreesden hem evenzeer om zijn dossierkennis. Hij mocht aannemer zijn en meer in kou en wind op bouwterreinen doorbrengen dan achter zijn bureau, Van Steirteghem wist wat er in Loverbeek gebeurde. Hij beschikte over informatie – en niet altijd de meest onschuldige – over veel van zijn partijgenoten en medeburgers, waarvan hij dacht dat die vroeg of laat van pas kon komen.

Terwijl enkele sneeuwvlokken aarzelend neerdwarrelden, stak hij de Dorpsstraat over, recht op het vastgoedkantoor van Tavernier af. Het werd tijd om die vaudeville rond De Beemden op te doeken. Hij grijnsde. Hij wist van de gerechtelijke actie van Groen! Die hopeloze trut Karen Derijck, had tegen iedereen die het horen wilde in groot detail uitgelegd hoe zij ervoor ging zorgen dat die serviceflats er nooit kwamen. Het was voor Ronald Van Steirteghem het startsein om zich met meer interesse dan ooit over De Beemden te buigen. In de aanloop naar de laatste gemeenteraadsverkiezingen had hij Tavernier twee keer bij zijn piemeltje. Eerst door de buurtbewoners – waaronder uiteraard enkele partijgenoten – tegen hem in het harnas te jagen. Later door Maria Lepoutre te verbieden haar grond aan die speculant te verkopen. Hij dacht met grote voldoening terug aan het toeval dat wilde dat hij het verhaal van Arlettes verboden abortus kende. Later had de kwezel van de pastoor toch aan Tavernier verkocht, maar dat was na de verkiezingen. Toen had hij al een aantal Open VLD-kiezers die in de buurt van De Beemden woonden voor zich gewonnen. Dat Maria Lepoutre uiteindelijk met Tavernier toch zaken deed, had hem eerst verbaasd. Eerder had ze onder zijn druk immers het been stijf gehouden. Het moet pastoor Moens zijn geweest, had hij besloten. Ze zou bij hem zijn gaan uithuilen. Omdat die afvallige pastoor geen dommerik was – die zou meteen begrepen hebben dat de vroedvrouw het hoogste risico liep – had ze ten slotte toch verkocht. De ironie was dat dit Van Steirteghem achteraf goed uitkwam. Het was leuk om te intrigeren in het kader van de verkiezingen. Maar die waren nu voorbij. Nu was het tijd om opnieuw puur zakelijk te denken. En hoe je het ook bekeek, De Beemden was een mooie lap grond op een prima locatie. Uiterst geschikt voor een bedrijf als het zijne om het om te toveren in een project met standing. Maar natuurlijk niet om er zestig vulgaire serviceflats op neer te poten.

Het was bijna halfvijf en de avond viel. De sprookjesachtige straatverlichting – grote sterren afgewisseld met dennenbomen – weerkaatste in de etalage van het immokantoor. Hij zag rood-groene lampjes aan- en uitfloepen, terwijl de foto's en omschrijvingen van vastgoed dat te huur of te koop stond, bestrooid waren met kunstsneeuw. Het leek poedersuiker. In het midden was een grote, lege plek waar tot voor kort de reclame voor de plasma-tv's ieders aandacht had getrokken. Hoe luidde de slagzin ook alweer? *Van u voor 250 euro!* Hij trok geringschattend de neus op. GT's actie had in de wijde omtrek voor consternatie gezorgd. De reguliere elektrohandelaars waren woedend. Het was een koud kunstje om een van hen, een partijgetrouwe, voor zijn kar te spannen. Een aangetekend schrijven, dreigen met monsterachtige schadevergoedingen en klaar was Kees. Van Steirteghem grinnikte. Zijn grootste politieke tegenstander een loer draaien deed altijd deugd.

'Dag Lutgart!'

'Meneer Van Steirteghem...' Ze keek op van haar pc-scherm. Hij stond voor haar nog voor de deur terug in het slot viel.

'Ik kom voor je baas. Hoe is het trouwens met hem? Al helemaal beter?' Hij wipte op en neer op de tippen van zijn schoenen. De opbouw die brochures en allerlei documenten aan het zicht onttrok, was ongemakkelijk hoog. Gemaakt om kleinere mensen als hijzelf nog kleiner te doen lijken.

'Het gaat beter...' Ze keek hem onderzoekend aan. Van Steirteghem die onverwachts op bezoek kwam, dat kon alleen hommeles betekenen. 'Hij is net terug van zijn fitness-sessie...'

'Goed. Dan is hij dus beschikbaar.' Lutgart Vernimmen verroerde zich niet. 'Ga je hem nu roepen of hoe zit dat?'

Ze zag hoe hij zenuwachtig begon te ijsberen en keer op keer over zijn neus streek. Ze wilde vermijden dat hij een van zijn beruchte woedeaanvallen kreeg. 'Ik ga kijken of hij u kan ontvangen. Een ogenblik, alstublieft.' De drie andere bedienden deden of ze vlijtig aan het werk waren, maar ze hadden geen woord gemist. Materiaal om straks thuis in geuren en kleuren na te vertellen.

'Van Steirteghem! Waaraan heb ik die eer te danken? En dat in de week voor Kerstmis...' GT had het donkerblauwe Adidas-joggingpak nog aan waarin hij daarstraks was thuisgekomen. Hij stond op het punt te gaan douchen toen Lutje hem was komen roepen. Die oefeningen bij de fysiotherapeut gingen almaar vlotter. Olympische prestaties waren het niet, toch voelde hij dat zijn conditie er langzaamaan op vooruit ging. Hij kon al bijna tien minuten fietsen, weliswaar in een heel rustig tempo, maar zonder dat zijn tikker protesteerde. Met zijn overgewicht ging het ook de goede kant op. Hij volgde nog steeds het strenge dieet en was sinds de zomer zeventien kilo kwijt. Hij was een methodologisch mens. Hij woog zich iedere dag en had zijn gewicht in een grafiek afgezet. De trend was nog steeds dalend, al ging het niet meer zo snel als tijdens de eerste paar weken. Maar het belangrijkste was dat de hartspecialist zijn medicatie nog wat verder kon verminderen. Hij slikte nu alleen nog bètablokkers en een anti-coagulant, en dan nog maar van elk twee pilletjes per dag. Hij was op de goede weg. Zelfs zijn Antwerps uitstapje was zonder schadelijke gevolgen gebleven.

'Wij moeten elkaar dringend spreken', begon Van Steirteghem, daarbij de uitgestoken hand van GT negerend. 'Het gaat over De Beemden.'

'Ach zo. De Beemden?' Tavernier kon zich niet voorstellen wat de Boskabouter daarmee te maken had.

'Kunnen we ergens rustig praten?' Hij keek veelzeggend naar Lut, die nog steeds beschermend naast haar baas stond.

GT schokschouderde. 'In mijn kantoortje dan maar. Maar mevrouw Vernimmen komt mee. Zij vervangt mij tijdens mijn herstelperiode.'

Ze gingen zitten. Hij achter zijn bureau, waarbij hij hoog boven Van Steirteghem uittorende. Tavernier had het altijd een voordeel gevonden zijn stoel hoger in te stellen. Op die manier had hij vanaf het begin een psychologisch voordeel op zijn gesprekspartner. Lut was in de tweede bezoekersstoel gaan zitten.

'Ik val maar meteen met de deur in huis. Ik wil De Beemden kopen.'

Het voorstel was zo ridicuul dat GT niet de minste reactie voelde. Net of zijn hart die lilliputter uitlachte. 'Jij wilt De Beemden kopen...' Hij liet het zo denigrerend mogelijk klinken.

Van Steirteghem voelde hoe hij begon te koken. Maar hij moest en zou zich beheersen. Eerst en vooral diende hij Tavernier duidelijk te maken waar het op stond. 'Je hebt geen keus. En als je eerlijk bent, geef je dat toe. Groen! heeft je goed te pakken.' Hij haalde diep adem. 'Pas op. Ik zeg niet dat je jouw gelijk niet haalt. Binnen een jaar of vijf of zo...' Een venijnig lachje. 'Maar dan is het veel te laat. Zo'n periode kan zelfs jij niet overbruggen. En heb je al eens uitgerekend wat jouw advocaten je gaan kosten? Daar bouw je een huis mee!'

'Speel je nu al onder één hoedje met Groen! Is de CD&V zo laag gevallen!' Het klonk honend en tegelijkertijd uitdagend. GT trommelde ongeduldig op het bureaublad. De eerste schermutselingen tussen zijn advocaten en die van Groen! waren in remise geëindigd. Uitwisseling van wederzijdse ingebrekestellingen, dreigen met torenhoge schadevergoedingen... Half februari werd de zaak ingeleid. Het begin van een lange lijdensweg. Maar dat had hij geweten zodra Lut met dat eerste aangetekende schrijven was komen aandraven. Bovendien was hij dankzij de verkoop van een van zijn beeldjes intussen aan wat vers geld gekomen. De grootste nood was geledigd.

'Groen! heeft hiermee niets te maken. Hoewel...'

'Wat bedoel je...?' GT voelde nattigheid. Hij wist niet wat er ging komen, maar de zelfverzekerdheid die van Van Steirteghems woorden droop, voorspelde niets goeds. Plots vreesde hij dat de Boskabouter hem opnieuw te vlug af was. Hij zou het godverdomme toch niet op een akkoordje met die groene extremisten hebben gegooid? Hij voelde zijn tikker een versnelling hoger schakelen.

Van Steirteghem legde met een brede grijns zijn hoogste troefkaart op tafel. Het had geen zin Tavernier in twijfel te laten. 'Als ik De Beemden koop, is het niet om er zestig serviceflats op te bouwen. Zo'n megaproject is niet geschikt voor Loverbeek. Veel te grootschalig. Wij van de CD&V hebben nog respect voor de gevoelens van de mensen.' Hij keek GT geringschattend aan. 'Zodra De Beemden van mij is, dien ik de aanvraag in om er een woonerf te bouwen... Je bent natuurlijk goed geplaatst om te weten hoe snel die dingen gaan als je partij in de meerderheid zit...' Hij kon het niet laten het mes wat dieper in de wond te duwen. 'Twaalf eengezinswoningen, te midden van een mooi aangelegd park. Met alleen wandelwegen. Met een ondergrondse garage, precies bij de ingang.' Hij glunderde. 'Je kunt je voorstellen hoe onze groene jongens en madammen met zo'n milieuvriendelijk project in de wolken zullen zijn. Daartegen dienen ze natuurlijk geen klacht in.'

GT zocht in de zakken van zijn trainingsbroek en -jasje. Hij was zijn hartpilletjes boven in zijn appartement vergeten. Hij voelde zich ongemakkelijk worden. Niet op dezelfde manier als toen in zijn BMW, maar er was duidelijk iets mis. Zijn hart klopte almaar sneller. Ondanks pogingen om die te onderdrukken, voelde hij hoe een onbestemde angst hem overmeesterde. 'Lutje. Snel. Mijn pillen. Die twee doosjes op het lage kastje in de hal. Boven.' Ze keek hem enkele tellen met ogen vol onrust aan en stormde toen zonder iets te zeggen de kamer uit. GT begon almaar harder te zweten. Plots leek het of binnen in hem een kraan werd opengedraaid. Van zijn kin bengelden enkele druppels. Zijn handen waren nat. Hij zocht naar een zakdoek, maar realiseerde zich dat hij nog in trainingspak was. Waar bleef Lut nu? Intussen zat Van Steirteghem als versteend naar hem te kijken. Hij verroerde geen vin, maar bestudeerde hem als was hij een curiosum.

'Hier, je pillen!' Ze hield een wit en een lichtroze exemplaar in haar handpalm. Een glas water had ze in haar andere hand.

Gulzig stak hij de beide pillen in zijn mond en reikte wild naar het glas zodat enkele waterspatten op het bureaublad terechtkwamen. Toen gebeurde waarvoor hij al heel de tijd bevreesd was. Zijn hartslag werd onregelmatig, zwol eerst aan, viel toen helemaal weg. Een wilde paniek overviel hem. Met de rechtermouw van zijn trainingsjasje veegde hij houterig het zweet van zijn gezicht. Maar dat ging nauwelijks. Zijn arm voelde aan als lood. Intussen ging zijn hart almaar ongelijkmatiger kloppen. Als hij nog een kans wilde maken, kwam het erop aan snel te zijn. Maar een duivels stemmetje herinnerde hem aan wat die cardioloog nog geen zes maanden geleden zo duidelijk had gezegd. 'Lut. Bel 101. Zeg dat ik een hartpatiënt ben. Snel! Snel!' Hortend vielen de woorden uit zijn mond. Zenuwachtig greep ze naar de hoorn van het telefoontoestel. De andere kantoormedewerkers stonden intussen ook om hem heen.

'Volhouden, GT. Ze hebben gezegd dat ze hier binnen vijf minuten staan.' Lut hield zijn hand vast. Hij knikte moeizaam. Zijn hart klopte weer in dat helse tempo. Niet weer! Niet weer! zinderde het in hem. Opnieuw flitste het door zijn hoofd dat de cardioloog had gezegd dat een tweede hartaanval wellicht fataal was. Met beide handen op zijn hart, alsof hij het op die manier tot rust kon brengen, begon GT stil te wenen. Dikke tranen rolden traag over zijn wangen. Vera, de jongste medewerkster die met haar bebloemde, kanten zakdoekje ook al zijn zweet had afgeveegd, depte ze droog. Waar bleef die verdomde ambulance?

'Eh... Ik denk dat ik maar eens opstap.' Als uit een trance kwam Van Steirteghem overeind uit zijn stoel. Hij voelde niet de minste behoefte aanwezig te zijn als straks een ziekenwagen met loeiende sirene en gierende banden voor de vastgoedwinkel tot stilstand kwam. 'Tavernier, houd je goed. We spreken elkaar nog.' Hij begon traag naar de deur te schuifelen, maar dat was buiten Lut gerekend. 'Hé, jij daar. Staan blijven! Je denkt toch niet dat je zomaar kunt verdwijnen! Het is jouw schuld dat GT een nieuwe hartaanval heeft!' Haar trillende vinger wees beschuldigend in zijn richting. Van Steirteghem deed een poging om de deurknop naar beneden te duwen, maar Lut hing aan zijn mouw. Ze was niet van plan los te laten tot de ziekenbroeders en de politie arriveerden.

14

Aboe Jahl, ruim voor het afgesproken uur aangekomen, had in café Terminus geen plaats gevonden. Daarom leunde hij nonchalant tegen een pilaar met dienstmededelingen van de Spoorwegen op enkele meters van de druk bezette tafeltjes. Hij hield de *Financial Times* dubbelgevouwen in beide handen en deed of hij las, wat niet gemakkelijk was met die belachelijke zonnebril op die hij daarnet voor 99 cent had gekocht. Om het paar seconden scande hij de omgeving af op zoek naar zijn contactpersoon.

Plots voelde hij een hand op zijn schouder.

'Hé?'

'Ik ben het, broeder.' Rachid Faoust was hem van achteren genaderd, nadat hij eerst twee keer heen en weer voorbij de ander was gelopen, maar helemaal aan de overkant van de stationshal. Zorgvuldig had hij gedurende enkele tellen personen in de gaten gehouden die hem op dat uur in het station niet op hun plaats leken. Maar ten slotte besloot hij dat de kust veilig was.

'Blijven we hier?' Aboe Jahl keek de ander onderzoekend aan. Hij had iemand verwacht gekleed zoals hijzelf in een versleten jeans en een trui en jas van onduidelijk model. In plaats daarvan zag hij een dandyachtige heer in een fijngesneden grijs pak met hagelwit hemd en rood-groen gestreepte stropdas. Hij droeg geen wintermantel. Dus zou hij zijn auto in de nabijgelegen ondergrondse garage hebben geparkeerd. De man zag er helemaal niet uit als een Arabier, een moslim, een vrijheidsstrijder. Zijn huidskleur was veel te licht. Eerder een Zuid-Europeaan. Hoe kon hij weten dat hij niet verraden was? Maar hij had de stem van het eerste telefonische contact herkend.

'We blijven hier en mijn naam hoef je niet te kennen', was Faoust de ander te vlug af. Hij reikte in het pochetzakje van zijn jasje en diepte er een mobieltje uit op. 'Dit is een Motorola Rzr.' Het toestelletje lag plat op zijn handpalm, niet veel dikker dan een bankkaart. 'Je gebruikt vanaf nu alleen dit exemplaar. Het andere gooi je weg nadat je de simkaart hebt vernietigd. Duidelijk?'

'Ja.'

Nu greep Faoust naar een dikke, met plakband dichtgemaakte envelop in zijn broekzak. 'Hier heb je 10.000 euro. In coupures van 100. De bedoeling is dat je er een bestelwagentje mee koopt. Tweedehands. Vier of vijf jaar oud. In Antwerpen vind je handelaars genoeg waar je zonder veel vragen in baar geld kunt betalen. Hier in Brussel trouwens ook', voegde hij er met een scheve grijns aan toe.

'En dan? Ik heb geen rijbewijs. Ik ben asielzoeker, als je dat zou zijn vergeten.' Aboe Jahl twijfelde eraan of die man in het nette pak wel zijn achtergrond kende.

'Je kunt toch autorijden...?'

'Tuurlijk. Maar wat als ze mij aanhouden?'

'Dat zie ik niet meteen gebeuren. Trek je daar maar niets van aan...' Faoust keek hem indringend aan. 'Ik weet wie je bent en waar je vandaan komt. Dat je zogezegd zit te wachten op het resultaat van je asielaanvraag. Onze broeders hebben mij dat in detail gemeld.' Hij bleef de ander bestuderen. 'Zonder dat iemand je opmerkt, parkeer je die auto op een plaats die geen argwaan oproept. Ver genoeg van waar je woont, maar ook niet *in the middle of nowhere*. En af en toe verplaats je hem, zodat niemand argwaan krijgt... Overigens, waar verblijf je?'

Jahl keek hem ongemakkelijk aan. 'In een dorp. In Loverbeek. Tussen Gent en Antwerpen.'

'Loverbeek...' Waar had hij die naam eerder gehoord? Hij kon het zich niet herinneren. Hij schokschouderde. Plots toverde hij een minzame glimlach op zijn gezicht. Hij mocht niet vergeten dat die soldaat van Allah een moeilijke tijd achter de rug had. Enkele opmonterende woorden konden geen kwaad. Hij legde zijn beide handen op de schouders van de man. 'Aboe, de wraak is aan ons! Jouw actie zal de wereld met stomheid slaan! Iedereen speelt daarbij een even belangrijke rol. Al wordt die natuurlijk niet op dezelfde manier ingevuld.' Hij trok zijn handen terug, wat Jahl toeliet de envelop en het mobieltje in een broekzak te laten glijden. 'Jij bent een belangrijke schakel in onze plannen. Broeder, luister goed! Sjeik El Jahmin heeft groen licht gegeven. Het doel ligt vast. Binnenkort slaat ons uur van glorie!'

Aboe Jahl keek hem met vochtige ogen aan. De laatste maanden waren een hel. Eerst die geënsceneerde vlucht uit Soedan. Om zich ten slotte als een rat in een hol te moeten verstoppen op dat kamertje in Loverbeek. Weerstand bieden aan de verleidingen die Allah op zijn weg toverde om zijn standvastigheid te testen. Maar uiteindelijk was het verlossende telefoontje gekomen. Het rad van gebeurtenissen had zich in beweging gezet. Zijn weg naar het Paradijs zou moeilijk zijn. Hij wist dat er nog vele hindernissen dienden opgeruimd. Gevaren getrotseerd. Maar de beloning was navenant. Hij zou een martelaar worden, de *shahadat* verwerven. Een hoger doel, meer zin, kon je aan je leven niet geven. Hij gloeide, hij voelde zijn innerlijke kracht zwellen. Hij kon de wereld aan.

Rachid Faoust glimlachte breed. Zijn soldaat zou doen wat van hem werd verwacht.

Het was een merkwaardig beeld. In de drukke, rumoerige stationshal stonden de twee mannen dicht bij elkaar tegen een pilaar geleund. Niemand besteedde aandacht aan hen. Sommigen dachten, op weg naar het perron, dat het twee flikkers waren. Een rijke zak die met een jonge Marokkaan aan het onderhandelen was over wat kortstondig plezier. Als men dat ook al in een station op het spitsuur toeliet... Maar het waren niet meer dan terloopse gedachteflarden. Niemand zou zich later die twee herinneren, laat staan hun gezichten herkennen.

'Je hebt dus dat bestelwagentje veilig geparkeerd. Niet te ver weg. Zeg maar, op tien minuten wandelen van waar je woont.'

'Ja.'

'Dan wacht je op mijn telefoontje. Dat doet mij eraan denken. Ik moet je nog de oplader voor die Motorola geven.' Faoust ging verveeld in zijn linkerjaszak en overhandigde hem de transformator met de elektriciteitskabel eromheen gewikkeld. Het stoorde hem dat hij daar niet meteen aan had gedacht.

'U zei dat het nog een paar maanden kon duren...?'

'Zo is dat. Jouw actie loopt samen met een andere, die allebei gelijktijdig hun vervulling kennen. Ik coördineer beide. Ik moet nog een aantal voorbereidende maatregelen treffen.'

'Ik begrijp het. Ik wacht op uw berichten.' Aboe Jahl dacht dat het ogenblik gekomen was om afscheid te nemen. Alles wat gezegd moest worden, was gezegd. Hoewel... 'Er is iets dat u misschien moet weten', begon hij aarzelend.

'Wat?' Faoust hield niet van de onverwachte wending die Jahl aan het gesprek gaf. Ze hadden hier lang genoeg staan kletsen. Bovendien was hij nog steeds boos op zichzelf omdat hij de oplader bijna had vergeten te overhandigen.

Aboe Jahl wist niet meteen hoe zijn bezorgdheid onder woorden te brengen. Hij was niet trots op wat hij had gedaan. Maar het was beter zijn misstap te bekennen. Beter dat dan door te zwijgen het hele plan, waarvoor zovele broeders zo lang hadden gezwoegd, in gevaar te brengen. 'Ik heb vorige week op mijn kamertje bezoek gekregen van iemand van het OCMW', begon hij voorzichtig.

'En toen?' Faoust wilde weg. Misschien patrouilleerde hier wel politie in burger. Het was weliswaar nog steeds bijzonder druk, maar risico's waren er niet om te nemen, maar om te vermijden.

'Die blonde vrouw is een hoer', flapte Jahl er in een zucht uit. 'Ze kwam bij mij zogezegd om papieren in te vullen voor mijn asielaanvraag, maar...' Hij aarzelde. De woorden kwamen niet.

'Maar wat?' Faoust kreeg het op de heupen. De bocht die Jahls verhaal nam, beviel hem allerminst.

'Ze wilde mij verleiden. Een beproeving die Allah mij heeft gestuurd om mijn geloof te testen. Ik heb natuurlijk niet toegegeven.'

'Wil jij mij doen geloven dat een gemeentebediende meer dan ambtelijke interesse heeft in een asielzoeker?' Hij lachte schamper.

'Ze stond bijna naakt voor mij. Ze had haar wintermantel uitgedaan en ze droeg een diep decolleté. Haar borsten...'

'Zwijg! Je hebt haar toch niet aangeraakt? Haar genomen?'

'Nee. Ik was verblind door haat. Die vrouwen hier hebben geen zelfrespect, geen schaamte. Zij zijn lustobjecten, speeltjes die wij maar hoeven te pakken. In ons dorp, bijna op de grens met Soedan, lopen alle vrouwen van top tot teen gesluierd. Zelfs in Caïro, toch een megapolis, dragen alle meisjes op zijn minst een hoofddoek. Maar hier!' Hij spuwde verachtelijk net naast de schoenen van Faoust.

'Als je haar niet hebt aangeraakt, is alles in orde. Wat probeer je mij te zeggen, Aboe?'

'Ik heb haar niet aangeraakt... Maar ik heb haar uit verontwaardiging een stevige klets gegeven. Het verdiende loon voor die slet.'

'Je hebt een Belgische ambtenaar geslagen! Hoe dom kun je zijn!' Ontsteld gromde hij de woorden in staccato naar Jahl. 'Je missie was je natuurlijk helemaal vergeten.' Faoust draaide zenuwachtig met zijn handen. Dit was een uiterst ongewenste ontwikkeling. Wie weet wat die del intussen had uitgespookt. Hij keek verontrust om zich heen. Het viel eigenlijk niet uit te maken of ze al of niet in het oog werden gehouden. Veel te veel volk, veel te veel mensen. 'Wat is er daarna gebeurd?'

'Niets. Ik heb van die duivelin niets meer gehoord.'

'Niemand is langs geweest? Geen politie? Een collega misschien?'

'Nee. Niets of niemand.'

'Hm.' Faousts hersenen draaiden op topsnelheid. 'Probeerde ze werkelijk jou te verleiden?' Het klonk hoogst ongeloofwaardig. Maar je wist nooit. In het land van de christenhonden kon je alles meemaken.

'Dat zei ik al. Ja, dus.'

'Misschien daarom dat je van wie dan ook verder niets hebt gehoord.' Plots moest hij lachen. 'Zelfs in dit gedegenereerde land horen OCMW-werkers hun klanten niet op die manier te bedienen.'

Aboe Jahl lachte uit sympathie mee, maar wist dat zijn bekentenis nog niet helemaal voorbij was. 'Er is nog iets... Mijn grootste stommiteit was niet die klap... Ik heb mijn dekmantel verbrand.'

Faousts ogen bliksemden. 'Bij Allah, wat is er in jou gevaren? Waarom doe je mij dit aan? Hoe is dat kunnen gebeuren?'

'Als asielzoeker uit Soedan kon ik natuurlijk niet het gepolijste Engels spreken dat ze op de universiteit van Caïro onderwijzen. Dus sprak ik de hele tijd een brabbeltaaltje, het Engels van een kind van drie jaar. Maar toen die hoer mij belaagde, mij uitdaagde... Toen mijn verontwaardiging zo groot werd, ben ik op normaal Engels overgeschakeld. Het kan niet anders of ze heeft dat gehoord...'

'Dus ze weet dat je geen asielzoeker bent.' De conclusie lag voor de hand.

'Inderdaad.' Hij pauzeerde even. 'Maar zoals ik al zei, sinds haar bezoek vorige week donderdag heb ik nog van niemand iets gehoord. Complete windstilte.'

Stomme zak, dacht Rachid Faoust bij zichzelf. Misschien worden we op ditzelfde moment met hypergevoelige microfoons afgeluisterd. Moet je daarvoor hogere studies hebben gedaan? Maar hij verbeet zijn ergernis. Wat gebeurd was, kon hij niet meer keren. Het had geen zin stil te blijven staan bij 'indien' en 'als'. Zijn besluit was vlug genomen. 'Wij gaan gewoon door. Jij wacht op mijn berichten. Eén belangrijke wijziging aan jouw instructies: je belt mij met je nieuwe mobieltje als er zich een onverwachte ontwikkeling zou voordoen. Ik geef je mijn nummer. En nu verdwijn je. Je doet wat ik je heb gezegd en verder wacht je af.'

Toen hij Brussel uit reed, was Rachid Faoust uiterst voorzichtig. Verschillende keren was hij in steeds grotere cirkels rond het Zuidstation gereden, beducht voor een auto die hem misschien volgde. Hij kon nauwelijks geloven dat die OCMW-ambtenaar geen melding zou maken van het incident. Misschien had ze een schriftelijk verslag opgesteld. Een document dat door de geadresseerde nog niet was gelezen. Zou kunnen, zou kunnen... Eenmaal op de E19 was hij er zeker van dat hij niet werd gevolgd. Voor alle zekerheid was hij plots harder gaan rijden, tegen de 160, dan sterk afremmend tot net boven de minimumsnelheid. Maar buiten enkele boze blikken vol onbegrip van medeautomobilisten, had dat niets opgeleverd. Ze heeft gewoon haar mond gehouden, besloot hij tevreden. Ze is niet gaan kletsen. Die vrouw is haar boekje te buiten gegaan. Die heeft misbruik willen maken van haar bevoorrechte positie om een vluchteling, iemand die op haar rekende, die van haar afhankelijk was, proberen te versieren. Hij lachte besmuikt. Dat moest het zijn. Niks, geen achtervolging. Ze waren even veilig, even onbekend als voorheen. Hij had bijna de Kennedytunnel bereikt. In het Zuidstation hadden verschrikkelijke gedachten door zijn hoofd gespookt. Als ze hem via Jahl te pakken kregen, dan was alles voorbij. *Over and out.* Even vroeg hij zich af of hij zijn gsm-nummer wel aan Jahl had moeten geven. Misschien had hij te impulsief gehandeld. Maar dan zag hij het bestelwagentje van zijn soldaat in een enorme vlammenzee tot ontploffing komen. Van het mobieltje zou niets dan gesmolten metaal en plastic overblijven. Hij ontspande zich en ging gemakkelijker in de autostoel zitten. Het was waarschijnlijk dat die OCMW-beambte haar klep had gehouden. Maar dat deed niets af aan het feit dat ze wist dat Aboe Jahl niet was wie hij voorgaf te zijn. Jahl had gelijk. Zijn dekmantel was weg. Maar alleen die gevallen vrouw was daarvan op de hoogte. Rachid Faoust wreef zich nadenkend en langzaam over de kin. Risico's waren er om te worden uitgeschakeld.

15

De vergadering had langer geduurd dan hij had verwacht. De begroting voor volgend jaar kwam maar niet rond. In de vorige coalitie had de partij die zich nu – godbetert! – Open VLD noemde er werkelijk een zootje van gemaakt. Met de bedoeling luid te kunnen verkondigen dat er geen deficit was, hadden ze verschillende inkomsten zwaar overschat en de uitgaven zoveel mogelijk naar het volgende jaar verschoven. Ze wisten natuurlijk dat ze de verkiezingen gingen verliezen, vloekte Van Steirteghem bij zichzelf. En nu kwam al die stront op zijn bord terecht. De OCMW-voorzitter zat voor een stapel dossiers in de vergaderzaal op de tweede verdieping van het gebouw vanwaaruit hij een mooi zicht had op de laan met de lage platanen. De bomen waren kaal, het vroor en de oranje natriumverlichting wierp een kil licht op de lege straat. Hij zuchtte en keek op zijn polshorloge. Veertien voor negen. Meer dan drie lange uren palaveren, oeverloos redetwisten over zaken die ze binnen een kwartier hadden kunnen regelen. Hij keek naar de lege stoelen. Alle raadsleden waren minuten geleden al vertrokken. Die van de oppositie met de staart tussen de benen. De cijfers van de vorige begroting bleken niet meer dan gebakken lucht. Hij snoof. Nieuwe borstels vegen beter. Onder zijn bewind zou er geen tekort zijn.

Van Steirteghem scharrelde zijn papieren bij elkaar en kwam overeind. Hij moest zich niet laten meeslepen door dat geëmmer van mensen die voor het overige niet wisten ze wat met hun vrije tijd moesten doen. Maar al bij al mocht hij niet klagen. Hij was OCMW-voorzitter, een droom die hij al lang koesterde, want een manier om zich te laten gelden. En zijn bouwfirma draaide niet slecht. Hij nam zijn trenchcoat van de kapstok en begon naar de deur te lopen met een tevreden grijns om de lippen. Hij dacht aan De Beemden. Het zou niet lang meer duren of die grond was van hem. Dat Tavernier na hun laatste ontmoeting in een ziekenwagen was afgevoerd, was slechts een tijdelijke tegenslag. Die was gewoon te ziek om te werken. Die had na zijn eerste hartaanval het ziekenhuis sowieso nooit mogen verlaten. Hij voelde niet de minste schuld. Dat had hij ook aan de agent van de plaatselijke politie verteld die even later een kijkje was komen nemen. Was het niet tijdens een discussie met hem, Tavernier zou zich vroeg of laat zo opgewonden hebben dat zijn hart het begaf. GT was altijd al zijn rechtstreekse politieke tegenstrever geweest. Hij herinnerde zich niet zonder plezier het bitsige woordenspel toen hij als raadslid de schepen van ruimtelijke ordening het vuur aan de schenen had gelegd over weer een bouwvergunning die zo gemakkelijk aan het vastgoedkantoor van GT was verleend. Minder prettig was de herinnering aan de openbare opdrachten die hij steevast misgelopen was omdat Tavernier daar systematisch een stokje voor stak. Dat waren dingen die Van Steirteghem niet vergat.

Het was stil in de OCMW-kantoren. Op de overloop brandde licht, maar zelfs de schoonmaakster was al vertrokken. De Beemden... Dat hij die grond van Tavernier ging kopen, dat was een overwinning die nog lang in Loverbeek zou nazinderen. Wat een vernedering voor GT! Trots welde in hem op. Dat de man opnieuw in het ziekenhuis lag, maakte absoluut niets uit. Ofwel haalde hij het, ofwel niet. In het eerste geval had hij geen andere keus dan aan hem te verkopen. En als hij zou overlijden, dan stond hij als eerste in de rij om uit het waarschijnlijke faillissement van het immokantoor die grond in te pikken. *Mooi, 't leven is mooi*, een melodietje van Will Tura dat ooit op een CVP-partijcongres had geklonken, speelde ineens door zijn hoofd. Maar zijn opperbeste stemming werd plots verstoord toen hij hoorde hoe een wc werd doorgetrokken. Hé... Was er toch nog iemand in het gebouw? Hij liep de brede trap van glas en staal af en zag dat beneden in een van de kantoren licht brandde. Wie was er zo ijverig om nog zo laat op kantoor te zijn? Of waren het inbrekers? Ronald Van Steirteghem schuifelde behoedzaam naar de verlichte plek, maar liet zijn voorzichtigheid meteen varen. Inbrekers zouden geen gebruik maken van het toilet. Maar wie was hier dan nog?

'Arlette?' Verbaasd zag hij hoe ze terug naar haar werkplek liep. 'Wat doe jij hier nog zo laat?'
   'Mijnheer de voorzitter...' Betrapt keek ze hem aan. Koortsachtig zocht ze naar een uitleg. 'Ik moest nog een dossier afwerken. Van die Kosovaar. Het lijkt erop dat zijn aanvraag wordt goedgekeurd. Brussel heeft dringend het voltooide dossier nodig.'
   'Zo...' Waarom keek ze dan zo verveeld? Was er iets dat ze te verbergen had? Zo dringend kon dat papierwerk toch niet zijn? Ze had de reputatie zich het lot van haar asielzoekers persoonlijk aan te trekken, maar om daarom nog rond negen uur 's avonds op kantoor te zijn... 'Kan dat niet tot morgen wachten?'
   Ze keek hem met haar grote, blauwe ogen onrustig aan.

Ze was langer gebleven omdat ze het dossier van Aboe Jahl van a tot z wilde uitpluizen. Die man was geen asielzoeker. Die had andere bedoelingen. Dat stond zo vast als een paal boven water. Zelf kon ze aan haar bureauchef natuurlijk niet uitleggen hoe ze dat wist, maar dat wilde niet zeggen dat ze misschien geen gegevens kon vinden die haar sterkten in haar overtuiging. Objectieve elementen die niet naar haar verwezen, maar die voldoende zouden zijn om die Aboe Jahl te ontmaskeren en het land uit te zetten. Het waren dergelijke perfide mensen die de reputatie van asielzoekers die te goeder trouw waren kapotmaakten. Maar dat kon ze onmogelijk allemaal tegen Van Steirteghem zeggen. Ze bleef zwijgen.

'Nou? Ik luister!' Een ondergeschikte die zich van den domme hield, die duidelijk iets in het schild voerde, dat deed zijn temperament meteen overkoken. En dan nog door die Arlette Lepoutre, dat losbandige meisje dat zich door god weet wie zwanger had laten maken en ten slotte naar abortus had gegrepen. Op een vrucht van zes maanden! Was zijn nicht er niet bij betrokken, hij zou niet geaarzeld hebben om dat schandaal aan de grote klok te hangen. Niet dat het hem geen voordeel had opgeleverd. De herinnering temperde zijn opkomende woedeaanval. Hij had er haar moeder mee onder druk gezet. Lang genoeg om Tavernier tot wanhoop te drijven. In het manipuleren van mensen was hij goed. Misschien was dat wel de oorzaak van die eerste hartaanval, dacht hij koelweg en niet gehinderd door enig schuldbesef.

'Ik wist van de vergadering. Dus dacht ik dat het oké was om langer te werken...' Arlette, die duidelijk groter was dan de ocmw-voorzitter, stond met gebogen hoofd voor hem. Een kind dat een uitbrander verwacht en weet dat het die heeft verdiend. Ze was gekleed in een wollen truitje en een rok die net tot onder haar knieën viel. In de combinatie lichtbeige op donkerbruin.

Ronald Van Steirteghem bekeek haar met welgevallen. Hij was al een eeuwigheid getrouwd met Francine, een vrouw die goed voor hem en zijn kinderen zorgde en die er in bed voor hem was als hij zich niet te moe voelde. Met andere woorden, dat was ongeveer één keer om de twee maanden. Maar dat wilde niet zeggen dat hij geen oog had voor vrouwelijk schoon. Was het niet daarom dat hij Arlette een goed jaar geleden had geholpen aan die baan bij het OCMW? Hij was toen nog geen voorzitter, maar zijn invloed had ongetwijfeld de doorslag gegeven. Hij voelde zijn woedeaanval langzaamaan wegtrekken. Een ander soort opwinding kwam in de plaats. 'Je moet je werk niet té serieus nemen', begon hij terwijl hij de rondingen van haar borsten met een almaar geilere blik inspecteerde. 'Wat niet wil zeggen dat ik als voorzitter niet apprecieer wat je voor het OCMW doet.'

'Dank u wel.' Ze verbaasde zich over zijn plots veranderde stemming.

'We praten eigenlijk te weinig met elkaar. Dat is een van de grote fouten van deze tijd. De mensen leven langs elkaar heen, niet met elkaar.' Terwijl hij zijn trenchcoat op een stoel drapeerde, vroeg hij zich af wat hij nu zou doen of zeggen. Hij was ervan overtuigd dat het gebouw buiten henzelf leeg was. Vanaf de straat kon je het licht in deze kamer niet eens zien. En dan nog. Vaak vergat de schoonmaakster de lichten uit te doen. Hij had haar daarvoor al meerdere keren op het matje geroepen. 'Hoe gaat het met jou? Ik heb gehoord dat je nu een vaste vriend hebt?' Het klonk zo vals als de wolf tegen Roodkapje.

Arlette wist niet wat ze met die plotse belangstelling aan moest. Maar ze kon moeilijk anders dan op zijn vraag antwoorden. 'Ja. Roger, de zoon van de slager.'

'Mm. Een goede partij. Enige zoon. Veel geld in de familie... Mag je niet loslaten.'

Ze reageerde niet. Ze dacht aan de harde klap die Aboe Jahl haar had verkocht en streek onbewust over haar kaak. Maar intussen waren alle sporen daarvan verdwenen. Na dat incident was ze noodgedwongen uit de buurt van Roger moeten blijven. Ze kon hem onmogelijk die drie mannenvingers op haar wang uitleggen. Hij had dat zo niet begrepen en was haar twee keer bij haar thuis komen opzoeken. Ze had hem niet binnengelaten. Ze had gelogen dat ze met een zware griep in bed lag. Hij wilde haar verzorgen, maar ook dat had ze afgewezen. Te onhandig, te bot. Hij voelde zich zwaar in zijn eer gekrenkt en had aan de telefoon gezegd dat ze helemaal niet ziek klonk en dat hij vermoedde dat zij van hem af wilde. Ze had haar mobieltje zonder verder iets te zeggen uitgeschakeld. Ze haatte ruzie maken. Sindsdien had ze hem niet meer gezien en niets meer van hem gehoord.

'Het is goed dat jij je nu beter gedraagt', vervolgde Van Steirteghem vals. Zijn stem klonk hees en hij kon zijn ogen niet van haar lichaam houden. Met spijt stelde hij vast hoe lang haar rok was. In de zomer droeg ze van die lichte dingetjes, ruim boven de knie.

'Ik weet niet wat u bedoelt.' Ze begon rottigheid te voelen. 'Ik moet nu echt naar huis. Zoals u zei, te veel overwerk is niet goed...'

Hij deed of hij haar niet hoorde. 'Hoeveel mannen heb jij in je jonge leven al gehad? Hier in het dorp weet ik er minstens vijf...' Hij deed een stap in haar richting zodat zijn gezicht nog slechts tien centimeter van dat van haar was verwijderd. 'En daarbuiten? Je gaat vaak uit, hé? Is het dan altijd prijs? Duik je dan altijd met een vent de koffer in?'

Ze rook zijn adem die een weeë geur had die ze niet kon

thuisbrengen. Van de alcohol? Ze kokhalsde. 'Ik moet absoluut naar huis. Laat mij door!'

Opnieuw was hij doof voor haar woorden. 'Je moet niet denken dat omdat ik kleiner ben dan jij, dat ik overal klein ben geschapen.' Hij hijgde en had haar pols stevig vastgepakt, dezelfde als Aboe Jahl. 'Voel maar hoe sterk ik ben! Ik sta nog dagelijks op het bouwterrein, tussen mijn arbeiders.' Hij draaide zodat ze bijna door de knieën ging. 'Waarom geef je mij niet wat je zo gul aan al die andere mannen schenkt? Aan die neger? Bovendien ben ik je baas. Als je meewerkt, vergeet ik dat niet. Dan zorg ik ervoor dat je snel promotie maakt.' Hij siste de woorden in haar oor.

De houdgreep rond haar pols toverde tranen van pijn in haar ogen. Ze wilde schreeuwen, maar kon het niet. Intussen zat Van Steirteghem met zijn vrije hand, die eeltig aanvoelde, onder haar truitje en haar bh. 'Laat me toch gaan', smeekte ze stil. 'Nooit zeg ik tegen iemand wat hier vanavond is gebeurd. Ik zweer het.'

'Jij hebt niks te zweren. Jij doet wat ik wil!' Plots liet hij haar pols los en veegde in één breed gebaar het bureaublad achter haar leeg. Het lawaai van de bureaulamp die samen met ander gerief kletterend op de vloer terechtkwam, liet hem koud. 'Is het hier goed? Of verkies je de vloer? En durf niet te schreeuwen of het verhaal van jouw rijkelijk late abortus ligt morgen bij de politie. Smerige moordenares!' Nu greep hij haar bij de lange, blonde haren en trok haar achterover. Ronald Van Steirteghem wist verduiveld goed wat hij deed. Arlette was een buitenkans. Een gratis verzetje dat hem op een presenteerblad werd aangeboden. Ze had de naam niet op een man meer of minder te kijken. Bovendien was hij haar hoogste baas. En kende hij alle details over haar te late abortus. Hij zou dat dossier natuurlijk nooit echt gebruiken. Maar ermee zwaaien was al voldoende. Ze zou zwijgen. Haar mooie mondje houden. Een machtsspel van de zuiverste soort. Hij voelde hoe ze spartelde om van onder hem vandaan te komen. Hij genoot. Hij verstevigde zijn greep en trok haar truitje naar boven zodat hij haar gezicht niet meer zag. Haar bh trok hij wild van haar af en hij staarde met gretigheid naar haar stevige borsten. Dat was wat anders dan die afhangende, leeggelopen ballonnetjes van zijn vrouw. Hij voelde hoe haar vuisten op zijn rug trommelden, maar met afnemende kracht. Hij grijnsde geil en ritste zijn broek open.

Arlettes verweer spoelde helemaal weg. Die man was niet groot, maar sterk als een beer. Met haar truitje over het hoofd vond ze het verschrikkelijk dat ze niets meer zag. Ze gaf een gesmoorde kreet toen hij haar linkertepel ruw begon te kneden, maar verbeet de pijn. Ze mocht hem geen aanleiding geven om haar te slaan of nog erger met haar te doen. Ze gaf ieder verder verzet op en liet hem met bang, afgewend gezicht en vol afschuw zijn ding doen. Haar truitje, dat door zijn wild, hijgerig pompen half in haar mond was terechtgekomen, bemoeilijkte haar ademhaling aanzienlijk. Tranen van onmacht en vernedering trokken een nat spoor op haar wangen.

In het donker van de deuropening keek Roger met ogen groot van ontzetting toe. Hij was enkele minuten geleden de OCMW-kantoren binnengelopen op zoek naar Arlette. Bij haar thuis was er geen reactie toen hij had aangebeld en hij had ook geen licht gezien. Dus had hij verondersteld dat ze op kantoor was. Toen hij net de voordeur voorbij was, hoorde hij kletterend lawaai en gestommel in haar werkkamer. Hij haastte zich naar voor, maar werd bruusk geremd door wat hij zag. Zijn verloofde liet zich op haar bureau gewillig naaien door die smeerlap van een Van Steirteghem. Zijn wereld stortte in. Arlette wilde hem niet meer zien, lag zo-gezegd met een zware griep in bed. Bijna had hij haar ge-loofd. Bijna. En nu... dit! De verhalen die over haar de ron-de deden, die hij nooit voor waar had genomen, waren dus toch waar. Zijn lief was manziek, een nymfomane... Hij voelde zich ongemakkelijk worden, net of hij moest bra-ken. Maar tegelijkertijd overviel hem een grote woede. Terwijl Van Steirteghem piepend als een blaasbalg klaar-kwam, zwoer hij bij zichzelf dat ze zouden boeten voor hun verwerpelijke, achterbakse gedrag. Wie dachten ze wel dat hij was? Zonder het minste geluid maakte hij dat hij weg-kwam.

16

'Hoe gaat het met hem?'

'Hij is er erg aan toe. Maar buiten zijn hart heeft hij een sterk gestel. Misschien haalt hij het.' Dokter Stevens keek bezorgd naar Lut. Achter het glas van een kamer op de afdeling Intensieve Zorgen lag GT met meer slangetjes en elektroden in en op zijn lijf dan ooit tevoren. Van waar ze stonden, konden ze de groene stip op de ECG-monitor volgen die na iedere biep een oplossend spoor op het ronde schermpje achterliet.

'Na zijn eerste hartaanval heeft hij nochtans heel gewetensvol gedaan wat hem opgedragen was. Een streng dieet gevolgd, gerevalideerd, stress zoveel mogelijk vermeden. Het is gewoon niet eerlijk.' Lut keek recht voor zich uit. De woorden waren voor de dokter bedoeld, maar ook voor zichzelf. Ze begreep het niet. Tot gisteren, laat op de middag, tot de Boskabouter zijn kop liet zien, leek haar baas op de goede weg. En nu dit. Terug naar af. Meer dan dat. Misschien was het voor hem straks gedaan. En dus ook voor haar en haar collega's.

'U zei me dat u een kennis bent van meneer Tavernier. Geen familie dus...?'

'Nee. Ik leid zijn immobiliënkantoor tot hij weer beter is. Tenminste, dat was de bedoeling na zijn eerste hartaanval. Naar ik weet, heeft hij geen nabije familie.'

'Ik begrijp het.' Dokter Stevens keek haar rustig aan. 'Er is niet veel dat u hier kunt doen. Wij hebben alles in de mate van het mogelijke onder controle. Als u bij de verpleegpost een telefoonnummer achterlaat waarop wij u kunnen bereiken...'

'Dokter. Hoe schat u zijn kansen in?' Voorlopig zou ze verder gaan zoals ze bezig was – intussen was ze haar nieuwe rol op kantoor gewoon – maar ze wilde weten wat de toekomst zou brengen. 'De cardioloog sprak de vorige keer over een harttransplantatie...'

Stevens beantwoordde haar vraag niet. 'U zei me dat meneer Tavernier iedere spanning vermeed, het rustig aan deed. Dat is niet wat in het opnamerapport staat.' Hij bladerde naar de eerste bladzijde van de rode map die hij in zijn linkerhand hield. 'Hier staat dat het hartincident zich heeft voorgedaan terwijl hij in een zware discussie was gewikkeld...'

'Dat is juist.' Lut stuurde bij. 'Daarnet bedoelde ik dat hij weliswaar iedere stress vermeed...' Ze herinnerde zich het gesprek van gisteren maar al te goed. 'Het is de fout van Van Steirteghem. Die heeft hem op stang gejaagd, hem...' Ze raakte even niet uit haar woorden. 'De opwinding werd hem gewoon te veel. Weet u, ik ben nog snel zijn geneesmiddelen gaan halen, maar ik was te laat.'

'Misschien heeft dat hem net het leven gered. Maar u was dus bij het gesprek aanwezig?'

'Ja. Zoals ik zei, ik leid het kantoor. Tot meneer Tavernier weer beter is.'

'Het is een zware beschuldiging aan het adres van die Van Steirteghem.'

Lut keek niet-begrijpend naar de arts. 'Zo is het gegaan. Geen Van Steirteghem, geen hartaanval. Dan stonden wij hier niet. Overigens, dat is wat ik gisteren ook tegen die politieman heb gezegd.'

'Zijn uw baas en die man rivalen? Zakelijke tegenstrevers misschien?'

'Dat mag u wel zeggen. Van Steirteghem wil een stuk grond van ons kopen en dat wil meneer Tavernier niet.'

'Tja... Als meneer Tavernier zou overlijden, dan zal die tegenstrever van hem enkele moeilijke vragen te beantwoorden krijgen.'

Lutgart hoorde alleen het woord 'overlijden'. 'Geeft u hem zo weinig kans...?' Ze had zich van GT afgewend en keek de dokter recht in de ogen. Ze had gedacht, gehoopt, dat alles zich zou herhalen zoals na zijn eerste hartaanval. Drie, vier dagen op Intensieve Zorgen, dan naar de cardiologieafdeling, dan naar huis om verder te herstellen. Die arts klonk niet zo.

'Mevrouw, wij hebben alle moeite van de wereld om meneer Taverniers hartritme te stabiliseren. Eerlijk gezegd, ik weet niet of ons dat lukt. Zijn hartspier was al zwaar beschadigd. De tweede hartaanval heeft die kwetsuren alleen maar verergerd.'

'Zou een transplantatie geen oplossing zijn?'

'Ik ben geen hartspecialist. Misschien kan dat. Maar niet in de toestand waarin hij zich nu bevindt. Een operatie – gelijk welke – is op dit ogenblik totaal uitgesloten.'

Lutgart Vernimmen keek weer door het glas naar haar baas. Ze zag zijn borst op en neer gaan, in een rustig tempo. Zijn gezicht was uitdrukkingsloos. Hoewel zijn ogen wijdopen stonden, leek hij te slapen. Ze keek van hem weg. 'Goed. Doet u alstublieft alles wat in uw macht ligt om hem weer beter te maken.' Ze gaf de dokter een hand en wilde weggaan.

'Als ik u een raad mag geven...' Hij had haar hand nog steeds vast. '...indien meneer Tavernier een gelovig iemand is, zou ik zijn priester waarschuwen. Begrijpt u?'

'Ja...' Het klonk haar onwerkelijk in de oren. Ze keek naar de grond en zag dat de dokter zijn schoenen die morgen niet had gepoetst. GT gelovig? Ze moest erom glimlachen. Maar ze wist dat buiten haarzelf en haar collega's niemand hem zou komen opzoeken. En dat terwijl voor hem iedere dag misschien de laatste was.

'Kan ik bij hem?' Vier dagen later stond pastoor Moens in het ziekenhuis te praten met dezelfde arts.
'Ja. U kunt zo naar binnen. Maar blijft u alstublieft niet langer dan tien minuten. Meneer Tavernier is bijzonder zwak. Eh... De vooruitzichten zijn niet gunstig.'
Moens knikte vol begrip. Een paar dagen geleden had hij tot zijn niet geringe verbazing een telefoontje gekregen van Lutgart Vernimmen. Hij wist dat Tavernier opnieuw het slachtoffer was geworden van een zware hartaanval – dat wist heel Loverbeek – en de geruchtenmolen draaide op volle toeren wat betreft de rol van Van Steirteghem. Lut had hem gevraagd of hij Tavernier niet in het ziekenhuis wilde opzoeken. Hij wist dat GT niet gelovig was, maar daarover ging het niet. Tavernier was een man in nood. In grote nood. Voor GT zag het er niet goed uit. Dat was voor Moens meer dan voldoende om in actie te komen.

'Meneer Tavernier?' Hij had de bezoekersstoel dicht bij het bed getrokken zodat hij zowat in het oor van de man fluisterde.
GT knipperde met zijn oogleden. Tijdens zijn eerste verblijf in het ziekenhuis had hij zijn rechterhand opgeheven iedere keer dat er iemand binnenkwam. Als teken dat hij wakker was. Nu slaagde hij daar niet in. 'Pastoor Moens...?' Hij klonk zwak, aarzelend. Veraf.
'Lutgart heeft me gevraagd om langs te komen. Ze vertel-

de me dat u weinig bezoek krijgt.' Hij keek de priester dankbaar aan. 'Ik zie alleen dokters', probeerde hij stilletjes, maar die woorden kostten hem de grootste moeite. De geneesmiddelen maakten hem emotieloos, deden zijn hersenen in vertraagd tempo werken. De pijn in zijn borst en linkerschouder was minder, maar immer aanwezig.

'Het gaat de goede kant op, meneer Tavernier. Gisteren mocht ik niet bij u. Vandaag zit ik naast uw bed.'

'Gaat het de goede kant op...?' De canules in zijn neus hinderden hem bij het spreken. Zijn stem was hees van de vele slangetjes en tubetjes die ze door zijn strot hadden geramd. 'Dat voelt niet zo, meneer pastoor.' Hij sprak traag, slepend.

Moens keek medelijdend in het grijsvale gezicht van de ex-Open VLD-schepen van ruimtelijke ordening. 'Uw gezondheidstoestand gaat er hoe dan ook op vooruit. U moet geduld hebben. De geneeskunde doet wonderen.'

'Zei de pastoor die niet meer in God gelooft...' GT trachtte te glimlachen; het lukte hem niet. Hij produceerde slechts een grimas.

Hendrik Moens had zijn donkerbruine parka over zijn knieën gelegd. Hij droeg een zwartfluwelen broek, een warme wollen trui en stevige winterschoenen met zware rubberen zool. Hij kon de bittere vrieskou van de laatste dagen probleemloos aan. Voor oudejaarsavond voorspelde de weerman -8 °C. 'U moet vertrouwen hebben in de toekomst. De geneeskunde van vandaag doet routineus dingen die twintig jaar geleden nog onmogelijk leken.'

GT wendde zijn gezicht af. Hij fluisterde moeizaam. 'Wat vertelt u eigenlijk aan parochianen die op sterven liggen? Zegt u hen ook dat alles goed komt? Liegt u ook tegen hen?'

Moens kon hem bijna niet verstaan. De regelmatige biep van de ECG-monitor boven het bed klonk luider dan Taverniers stem. Hij besefte dat de man zich vragen stelde over de dood, zijn dood. 'Ik vertel hen wat ze graag willen horen', sprak hij eerlijk. 'Als hun uur is geslagen en als ze bij bewustzijn zijn, kunnen de mensen van het leven geen afscheid nemen. Ook de gelovigen niet...'

'Denkt u...' het klonk nog stiller dan daarnet, 'dat er zoiets als een hiernamaals bestaat?'

Pastoor Moens legde zijn magere, door ouderdomsvlekken getekende hand op die van Tavernier. Hij probeerde hem in de ogen te kijken, maar GT vermeed zijn blik. 'Iedereen verlangt daar op de een of andere manier naar. Bewust of onbewust.' Hij twijfelde. Moest hij op dit onderwerp doorgaan? Bovendien was de hem toegemeten tijd bijna om. Hij mocht de zieke niet vermoeien. Maar aan de andere kant, Tavernier was er zelf over begonnen. Hij mocht hem niet in de steek laten door zijn vraag niet te beantwoorden. 'De idee dat er na de dood iets anders is – noem het maar het hiernamaals – geeft de mensen rust. Dat heb ik al vele keren kunnen vaststellen...' Hij herinnerde zich het gesprek in de tuin van de pastorie afgelopen zomer. Ook toen ging het over religie. Maar hoe verschillend waren de omstandigheden vandaag niet.

'Gelooft u dat zelf?' GT had zijn gezicht weer naar de priester gedraaid en keek hem nu met brandende ogen aan.

'Ik ben ervan overtuigd dat de wereld zoals wij die hier en nu kennen de enige is die bestaat. Geen paradijs, geen hemel, geen hel. Niets. Ik dacht daar vroeger anders over, maar...' Waarom had hij dat nu gezegd? Het klonk zo hard. Zo hielp hij de man niet.

Maar zijn ontkenning leek Tavernier juist gerust te stellen. 'Dan heb ik het als vrijzinnige toch al heel de tijd bij het rechte eind...' Het storende, gorgelende geluid uit de buisjes die in zijn neus staken, maakte het laatste deel van zijn zin bijna onverstaanbaar. Hij probeerde de pastoor de hand te drukken. 'U bent een fijn mens, Hendrik Moens. Bedankt voor uw bezoek.' Zijn stem stierf weg.

'Dat is graag gedaan. Ik wens u snel beterschap.' De eerwaarde stond langzaam op en begon naar de deur te schuifelen.

'Meneer pastoor...'

'Ja?'

GT kuchte, wat hem overal pijn deed. Hij vermande zich. 'Van Steirteghem is de oorzaak van mijn nieuwe hartaanval...' Hij onderdrukte de kriebelhoest in zijn keel. 'Als hij die dag niet op kantoor was verschenen... Om De Beemden van mij proberen over te kopen... Als hij mij toen niet had uitgedaagd...'

Moens schudde nauwelijks merkbaar het hoofd. De man lag op sterven en nog kon hij het zakendoen niet laten. 'U moet daar allemaal niet aan denken.'

'Hij heeft mij vermoord. Met woorden!' Met een laatste krachtsinspanning wierp hij die beschuldiging eruit.

'Alstublieft meneer Tavernier! U mag zich niet opwinden. Als Van Steirteghem iets met uw hartaanval te maken heeft, dan zal de politie dat wel uitspitten. Ik herhaal het, u mag daar niet aan denken. Rusten, snel beter worden, dat is alles wat voor u nu van belang is.'

'Meneer pastoor, alstublieft...' Hij was opnieuw nauwelijks hoorbaar, zodat Moens enkele stappen naar het bed terug deed en zich naar hem toeboog. 'Belooft u mij erop toe te zien dat die moordenaar achter de tralies verdwijnt? Als ik er niet meer ben, wie zal zich daarom bekommeren? Wat als de politie de zaak laat aanmodderen?'

Het was een ware smeekbede. Moens ging weer recht staan en keek het zielige hoopje mens op het ziekenhuisbed vol erbarmen aan. Waar was de bon vivant gebleven die hem vorige zomer was komen opzoeken? Toen één brok joviale energie. Vol grootse plannen. Twee hartaanvallen later bleef daar niets van over. Een eenzame man met een gezicht als een dodenmasker. Die gelukkig was omdat een priester even was langsgekomen omdat een van zijn werknemers dat terloops had gevraagd. Hij vond Tavernier niet sympathiek. Hij was nog altijd van mening dat de man het zelf had gezocht. Wie met zijn gezondheid speelt, wie vreet en drinkt als een tempelier en veel te hard werkt, krijgt vroeg of laat de rekening gepresenteerd. Maar hij kon onmogelijk wat wellicht Taverniers laatste wens was niet honoreren. 'Ik beloof u dat ik het onderzoek zal volgen. Van zo nabij als maar mogelijk is. En als er nieuws is, kom ik meteen naar u toe.'

GT, die zwaar onder de geneesmiddelen zat, hoorde het nauwelijks. Met een koortsachtige blik trok hij aan Moens' mouw. 'Er is nog iets...' murmelde hij. De priester boog zich dieper naar hem toe. 'Ik wil mijn mensen niet in de steek laten. Op kantoor...' Hij ademde hijgend met korte stoten in en uit. 'Als er geen geld meer is, dan moet Lut nog een beeldje verkopen. Alstublieft, zeg haar dat...'

Moens fronste de wenkbrauwen. Hij begreep er niets van. 'Een beeldje verkopen? Wat bedoelt u?'

GT streek met de punt van zijn tong over zijn lippen waarop koortsblaasjes stonden. 'Ja. Nog een beeldje verkopen. In Antwerpen. In die winkel op de Frankrijklei.'

Moens knikte aarzelend, zonder overtuiging.

Maar dat zag GT niet meer. Hij zonk weg in een onrustige, droomloze slaap. De pastoor stond op en liep zachtjes naar de deur. Binnen was er alleen de regelmatige biep van de ECG-monitor en het rochelende geluid dat de twee buisjes in GT's neus produceerden, iedere keer als hij kort inademde.

17

Rachid Faoust stond op zijn gebruikelijke plaats geparkeerd op bijna tweehonderd meter van de hoofdingang van de SWIFT-terreinen, grotendeels aan het zicht onttrokken door enkele beuken met laaghangende takken. Hoewel ze bladerloos waren, boden ze toch enige bescherming tegen al te nieuwsgierige blikken. Nu, na drie weken zorgvuldige observatie met zijn Leica Trinovid-verrekijker, had hij een shortlist opgesteld van de SWIFT-medewerkers die in aanmerking kwamen voor nader onderzoek. Hij greep naar het ringschrift waarin hij zorgvuldig alle gegevens had vermeld over het komen en gaan van het personeel. Sommigen werden 's morgens afgezet en 's avonds door hun partner weer opgehaald. Die kwamen per definitie niet in aanmerking. De meesten gebruikten hun eigen auto. Het lag voor de hand dat daartussen geschikte kandidaten zaten, maar hij vond het veel te omslachtig iedereen te volgen om dan bijvoorbeeld bij hen thuis te moeten vaststellen, dat ze het ideale 'huisje-boompje-beestjegezin' vormden. Niet efficiënt. Veel te tijdrovend. Hij had zich daarom toegelegd op vrouwelijke werknemers die gebruik maakten van het openbaar vervoer. Eerst de bus tot het station van Terhulpen, daarna de trein – veelal richting Brussel.

Faoust had niet lang hoeven na te denken over zijn aanpak. De enige doeltreffende manier om te infiltreren, om een toegangsticket tot SWIFT te versieren, was door aan te pappen met een van de vrouwelijke medewerkers. Het kon niet anders dan dat tussen die vele dames die zich iedere avond naar huis haastten, er verschillende waren zonder vriend, zonder vaste relatie. Van zichzelf wist hij dat hij er mocht zijn. Eind dertig, slank, altijd goed gekleed. De ideale leeftijd om een vrouw van ongeveer dezelfde leeftijd in te pakken. Na zijn observatieperiode bleven in zijn schriftje nog vier mogelijke targets over. Hij kon ze natuurlijk niet allen op hetzelfde ogenblik benaderen. Dat was vragen om moeilijkheden. Daarom had hij gekozen voor een medewerkster die regelmatig later dan de drie anderen de SWIFT-kantoren verliet. Hij vermoedde dat ze een hogere functie bekleedde en dus wellicht interessantere mogelijkheden bood om diep in de beveiligde SWIFT-omgeving door te dringen. Maar het mocht anderzijds ook geen te hoge functie zijn. Misschien een administratieve hoofdmedewerkster met onder zich drie, vier mensen. Met voldoende verantwoordelijkheidsbesef om af en toe een dringende klus af te maken, maar die niet tot het kaderpersoneel behoorde. Zijn doelwit was bovendien niet het meest onaangename om naar te kijken. Ze was van het Europese type, van een gemiddelde lengte en kleedde zich verzorgd. Hij schatte haar rond de veertig. Door zijn verrekijker had hij haar verschillende keren van top tot teen gemonsterd. Haar winterkleren verhulden grotendeels haar lichaam, maar wat hij zag, beviel hem. Ze had kanstanjebruine haren, een lang, bleek gezicht met zachte trekken en groene, eerder trieste ogen. Ze was alleen wat te zwaar, overwoog hij, maar dat kon ook te wijten zijn aan haar dikke wintermantel. En hij dacht dat haar benen niet helemaal recht waren. Hoewel, ook daarvan was hij niet helemaal zeker, want iedere keer dat hij haar zag, droeg ze laarsjes. Ofwel zwarte, ofwel roodbruine, afhankelijk van de kleur van haar mantel. Als ze later werkte – wat zo om de twee, drie dagen gebeurde – nam ze steevast in het station van Terhulpen de trein van 19u33 naar Brussel. Dat was prima. Op dat latere tijdstip was het spitsuur voorbij, maar waren er toch nog voldoende treinreizigers om niet op te vallen als hij dicht bij haar zou gaan zitten. Rachid Faoust was van plan een paar keer met haar in dezelfde trein te stappen, maar zonder meteen contact te leggen. Hij zou ervoor zorgen dat ze hem zag, bijvoorbeeld door verstrooid tegen een andere reiziger aan te lopen, zodat – als hij haar ten slotte zou aanspreken – zij niet verbaasd zou zijn hem te zien. Hij moest de indruk wekken dat hij regelmatig op dat uur in dat treinstel zat. Dat hij net als zij na een lange werkdag op weg was naar huis.

Nadat hij enkele keren op het laatste ogenblik zijn plannen had moeten wijzigen omdat iemand op de plaats die hij voor zichzelf had uitgekozen was gaan zitten, was het ten slotte zover. De trein was nog aan het optrekken – je zag het station van Terhulpen in een steeds sneller tempo verdwijnen – toen hij een gesprek begon.

'U reist ook regelmatig op dit latere uur, is het niet?' Vandaag zou hij zijn eerste pion voorzichtig naar voor schuiven.

Ze keek hem niet verbaasd aan. Ze had haar mantel opengeknoopt. Rachid Faoust zag dat ze een lange sepia rok droeg die ruim over haar roodbruine laarsjes viel. Ze droeg een beige pullover met daaronder een witte blouse. Ze was inderdaad iets te zwaar gebouwd, mijmerde hij. Maar ach, liever een vrouw die goed in het vlees zat dan die magere dellen die niet meer waren dan vel over been. Poppetjes waar je zo doorheen kneep.

'Ik heb u ook al eerder in de trein gezien', reageerde ze vlot.

'Ja. Sinds kort werk ik in Terhulpen. Vandaar...' Haar stem viel hem tegen. Te hoog, veel te schriel. Maar ze droeg geen trouwring. Dat had hij tot nog toe niet goed kunnen zien. Hoewel dat niet per definitie wilde zeggen dat ze niet was gehuwd of geen vaste vriend had.

'Dat vermoedde ik al. Waar ergens?' Ze keek hem vriendelijk onderzoekend aan. Blij dat de routine in de trein werd doorbroken.

'Bij een klein softwarebedrijf. Ik zit in de marketing. En u?'

'Ik werk bij SWIFT. Kent u die instelling?'

'Ja... Ik denk dat ik de naam al eens heb gehoord. Hebben jullie niet iets met verzekeringen te maken?' Met opzet hield hij zich op de vlakte.

'Wij verzorgen communicatie tussen financiële instellingen. Wereldwijd.'

In hetzelfde compartiment zaten nog enkele mensen. Iemand loste schijnbaar tegen zijn zin een kruiswoordraadsel op. Een ander zat aandachtig *La Libre* te lezen. Faoust vond het allemaal best. Maar hij zou bij dit eerste contact niet te ver gaan. Vooral niet persoonlijk worden. Haar naam niet vragen. Dat gebeurde beter over enkele dagen. Bij een volgend gesprek. Het best was om nu niet meer over de werkomgeving te praten.

'Het blijft maar winteren, hé...'

'Ik verkies sneeuw boven die ijskeldertoestanden die wij al enkele weken meemaken.'

'Kan niet blijven duren. Vroeg of laat krijgen we dat klassieke Belgische winterweertje. Veel regen, veel wind en niet te koud.'

'Ik wou dat het sneeuwde. Zoals die paar dagen rond Kerstmis.'

Faoust moest zijn best doen om de inhoudsloze conversatie voort te zetten. Hij wist intussen dat ze in Brussel-Centraal uitstapte. Zo lang reizen was dat niet. Maar die hoge, schriele stem van haar! Geen wonder dat ze tot nog toe geen vent had weten te strikken.

Met opzet liet hij drie dagen voorbij gaan voor hij weer dezelfde trein nam. De eerste dag was hoe dan ook uitgesloten, omdat ze dan samen met de meeste van haar collega's rond 17 uur de SWIFT-kantoren had verlaten. Dan was de drukte op de trein veel te groot om een min of meer normaal gesprek te voeren. De volgende dag zat ze wel op de latere trein, maar hij had die kans laten passeren. Hij hoopte dat ze naar hem zou zoeken en dat ze ontgoocheld zou zijn hem niet te zien. Hij moest haar wat laten sudderen. Tijdens dat eerste gesprek had hij enkele keren net iets te lang in haar ogen gekeken. Natuurlijk zonder te overdrijven. Juist voldoende om de boodschap te doen overkomen dat hij interesse had. Vandaag zou hij, voorzichtig, zijn tweede zet doen.

'Nog altijd even koud als enkele dagen geleden, nietwaar?' Toen hij haar op het latere uur van kantoor zag komen, had hij zijn wagen meteen richting station gedraaid. Hij stond haar al op het perron op te wachten, toen hij haar met haar wintermantel en bruinrode laarsjes en een attaché-case in haar gehandschoende rechterhand aarzelend naar hem toe zag komen.

'Het blijft maar koud. En het wil maar niet sneeuwen!' Ze lachte hem vriendelijk toe.

'Nee, hé. Het klimaat ligt helemaal overhoop.' Maar hij was niet van plan opnieuw een gesprek over koetjes en kalfjes te voeren. 'Ik realiseer mij dat ik mij nog niet heb voorgesteld. Mijn naam is Faoust, Rachid Faoust.' Hij maakte een elegante buiging.

Ze bloosde. 'Helena Nyegaard.' Ze stak hem haar gehandschoende hand toe. 'Ik ben Deense.'

'Aangenaam.' Hij twijfelde maar even of hij zijn nationaliteit ook zou prijsgeven. Maar als hij de relatie wilde uitdiepen – wat absoluut nodig was om zijn doel te bereiken – dan kon hij maar beter meteen de koe bij de horens vatten. 'Ik ben Libanees. Uit Beiroet. Maar ik woon in Antwerpen.'

'Dan moet u iedere dag lang reizen om in Terhulpen te komen.'

'Dat valt best mee. Ik stap straks over in Brussel-Noord. In totaal ben ik nog geen anderhalf uur onderweg', loog hij. 'Maar ik werk hier nog niet lang. Misschien zoek ik een stek hier in de buurt. Dan wandel ik naar kantoor...' Intussen was de trein in aantocht. 'Stoort het als ik naast u plaatsneem?' Hij lachte haar vriendelijk toe. Zoals altijd had hij zich piekfijn uitgedost, inclusief extra papyrusolie op zijn wangen.

'Helemaal niet. Alleen reizen, iedere dag opnieuw, is zo... dom, vindt u niet?'

'Daar ben ik het helemaal mee eens.' Figuurlijk wreef hij zich in de handen. Helena beet in het aas op een manier die op z'n minst veelbelovend was. Haar reactie op zijn voorzichtige avances, maakte hem duidelijk dat er geen man in haar leven was. Het zag er goed uit. Maar hij moest uiterst behoedzaam blijven. Niets forceren.

'U bent dus Libanees', begon ze toen ze in een treincoupé zonder veel moeite een plaats naast elkaar hadden gevonden.

'Ja. Zoals ik zei, ik ben geboren en getogen in Beiroet. Maar ik woon al tien jaar in België. Ik heb de dubbele nationaliteit. Belgisch en Libanees.'

'Uw land heeft verschrikkelijk geleden onder die Israelische inval in de zomer van 2006.' Ze had haar winterjas uitgetrokken net als haar lederen handschoenen.

154

'Dat is waar. Maar weet u, met politiek houd ik mij niet bezig. Je weet toch nooit hoe de vork precies in de steel zit. Wie wat heeft gedaan. Hezbollah zijn ook geen engeltjes.'

Hij moest de boot van een politiek getinte discussie afhouden.

'Gelijk hebt u. De gewone burger wordt meestal slechts een rad voor ogen gedraaid. Maar – als u het mij niet kwalijk neemt dat ik dat vraag – bent u christen of moslim?'

Hij aarzelde geen ogenblik. 'Ik ben moslim. De meeste Libanezen zijn dat. Maar wij hebben de reputatie ruimdenkend te zijn', voegde hij er wat lacherig en met een uitgestreken gezicht aan toe.

Ze keek verschrikt op, alsof ze een slapende hond op de staart had getrapt. 'Ik wilde niet onbescheiden zijn. Maar toestanden in het Midden-Oosten zijn zo eh... religieus getint. Ik was gewoon nieuwsgierig. Té nieuwsgierig.'

'Helemaal niet. Ik loop niet te koop met mijn geloof. Ik kijk neer op die islamfundamentalisten die keer op keer de wereld schokken met hun terroristische daden. Maar ik ben wie ik ben...' Hij keek haar gemaakt onthutst aan. 'Ik hoop dat mijn geloofsovertuiging u niet stoort?'

Ze haastte zich om te antwoorden. 'In het geheel niet. Zelf ben ik niet religieus aangelegd,' ze keek naar de punten van haar laarsjes, 'maar iedereen staat het natuurlijk vrij om te geloven waarin hij wil. Het is een kwestie van respect. Daarom vond ik, die toch Deense ben, de publicatie enkele jaren geleden van die Mohammed-cartoons zo ongelukkig.'

'Zo denk ik er ook over.' Het had oprecht geklonken. Bij zichzelf dacht hij wat een prima doelwit hij had geselecteerd. Hij had verwacht dat ze, als Deense, protestants zou zijn. Dat ze het christelijke geloof zou aanhangen. Maar nu gaf ze meteen te kennen dat ze een ongelovige teef was, iemand die in de Koran stond beschreven als een van de laagste schepsels op aarde. De joden of de christenen hebben tenminste nog het geloof in de ene god, mijmerde hij. Dit goddeloze creatuur binnen zes of zeven weken ombrengen zou hem heel wat minder moeite kosten. Want dat ze moest sterven, dat stond vanaf het begin vast.

'Zeg Helena... Je neemt het mij toch niet kwalijk dat ik jou bij de voornaam noem?' Hij wachtte tot ze met een brede glimlach nee had geschud. 'Wat zou je ervan denken om samen een glas te gaan drinken. Niet vandaag, dat past me niet,' loog hij vlotjes, 'maar ergens volgende week? Ik vind het zo leuk babbelen met jou.'

Ze keek hem dankbaar in zijn donkerbruine ogen. Ze was een eenzame vrouw die werkte in een instelling waar de mannen zwaar in de minderheid waren. Met andere woorden, de concurrentie was groot. En van de jongsten kon je haar niet noemen. Rachid was als een malse regenbui na lange, droge dagen. Bovendien was hij knap. Ze keek naar zijn scherpe kin. Die wees op een man met een sterke persoonlijkheid. Dat hij haar had uitgekozen... 'Volgende week is prima. Wat dacht je van woensdagavond? Niet ver van het station in Terhulpen is een gezellig cafeetje...'

Maar Faoust wilde niet met haar gezien worden zo dicht bij de SWIFT-kantoren. 'Weet je wat? In plaats van voor een glas, nodig ik je uit voor een etentje. In de buurt van de Grote Markt in Brussel. We stappen uit in Brussel-Centraal. Vijf minuten later zitten we aan tafel in een leuk restaurantje met open haard.'

'Een etentje...?' Ze wist niet meteen wat te zeggen. Ze aarzelde. Een kop koffie, dat kon nooit kwaad. Dat was de aangewezen manier om elkaar beter te leren kennen. Om uit te vissen of hun toevallige gesprekken tot meer konden leiden. Maar meteen een romantisch etentje? Een tête-à-tête bij de open haard? Tenslotte kende ze hem nauwelijks. Hij liep wel erg snel van stapel... Zij herinnerde zich een veiligheidsinstructie die waarschuwde voor onbekenden die het met een SWIFT-medewerker probeerden aan te leggen. Bovendien was Rachid een moslim. De dag van vandaag was dat alleen al voldoende om knipperlichtjes te doen branden. Maar had hij oneerlijke bedoelingen, hij zou niet meteen zijn afkomst of geloofsovertuiging hebben genoemd. Ze keek hem in de bruine ogen. Plots stond haar besluit vast. Wat voor kwaad school er eigenlijk in een etentje? Ze was verduiveld oud genoeg om te weten wat hoorde en wat niet. Om te weten wat gevaarlijk was. 'Nou goed. Ik accepteer je uitnodiging.' Plotseling draaide ze haar hoofd naar het raam. Ze wilde niet dat hij zag hoe een bijna kinderlijke opwinding zich van haar meester maakte. Hoe een blos haar wangen kleurde. Het was jaren geleden dat ze nog een afspraakje had gemaakt. De pot op met die veiligheidsvoorschriften!

Wat heeft dat mens een verschrikkelijke stem, stelde Faoust voor de zoveelste keer vast. Net een slijpschijf die ergens niet doorheen komt. Maar hij bleef naar haar glimlachen. De vis aan de lijn spartelde al niet meer. Nog even en ze was van hem.

18

26 januari. Het was niet echt winter. De bittere kou die eerst schijnbaar niet wilde wijken, was plots voorbij. Maar het was rotweer. Harde regenvlagen opgejaagd door een stevige noordwester geselden de bomen. Hun naakte takken bogen diep door. Hier en daar brak er een af. De zeldzame mensen op straat liepen met het hoofd diep in de kraag en de paraplu dicht tegen zich aan gedrukt. De wind was te wild en te sterk om hem te gebruiken.

Sander Verhelst vervloekte zijn vader. Kon hij niet zelf zijn krant gaan halen? Waarom moest hij daarvoor worden opgetrommeld? Bovendien las hij zelf Het Laatste Nieuws bijna nooit. Alleen af en toe voor de sport. Om te zien hoe goed of hoe slecht Club Brugge had gespeeld. En moest het abonnement nu juist op deze verschrikkelijke zaterdagmorgen niet in de bus vallen? Hij veegde met een papieren zakdoekje dat al doorweekt was en daarom nog nauwelijks aan elkaar hing zijn brillenglazen schoon. Tenminste, dat probeerde hij. Want het haalde niet veel uit. Ze bleven nat en hij zag slechts vervormde beelden. Sander haatte dat. Met zijn twaalf jaar droeg hij pas sinds kort een bril. Zolang als mogelijk had hij gezwegen over zijn slechte zicht. Maar ten slotte kon hij niet meer verbergen dat hij een probleem had. Als hij in de klas niet op de eerste of tweede rij zat, kon hij het schoolbord niet meer lezen. Nu zag hij weer scherp, maar zijn bril was voor hem een persoonlijke nederlaag. Hij woog te zwaar op zijn neus en op een dag als vandaag, met die striemende regenvlagen, herinnerden die stomme glazen hem constant aan zijn gebrekkige ogen. Niemand van zijn Playstation-helden sleepte zo'n belachelijk ding met zich mee. Gelukkig was het niet ver meer. De krantenwinkel was nog slechts een paar minuten lopen hiervandaan. De Beemden voorbij, de zijstraat over en hij kon in die zaak enkele minuten voor dit rotweer schuilen. En niet vergeten om een plastic zak te vragen, had zijn vader hem nog nageroepen. Dat mijn krant niet nat wordt! Maar hij mocht ook een strip kopen. Dat maakte toch iets goed.

Door de harde wind was het linkerdeel van het grote bord waarop Taverniers immokantoor trots de komst van serviceflats op De Beemden aankondigde, losgekomen. Het klepperde in de wind en boog vervaarlijk naar voor. Plots begaven de laatste spijkers het en scheurde het met een vervaarlijk geluid los. Het knalde tegen een geparkeerde auto. Sander schrok op van zijn gemijmer en bleef abrupt staan. Hij zag hoe het paneel op de maat van de stormwind verder de straat in stuiterde. Gelukkig was die leeg, op enkele geparkeerde auto's na. Niemand op straat, geen auto die kwam aanrijden. Maar *so what?* Wat kon hem dat stuk bordkarton verder verdommen? Ze moesten het maar steviger vasttimmeren. De krantenzaak kwam in zicht. Eindelijk beschutting tegen dat rotweer, al was het maar voor even. En een strip uitzoeken. Spiderman misschien. Hij trok zijn hoofd weer tussen zijn schouders en liep verder. Maar door het gat in het grote bord en ondanks zijn natte brillenglazen had hij nu een beter zicht op de wildernis van De Beemden.

Hé, wat was dat? Iedere keer dat een windvlaag de takken van enkele struiken wild opzij duwde, zag hij iets zwarts blinken. Sander hield zijn pas in. Het regende, het waaide, maar hij kon het niet over zijn hart krijgen om die uitnodiging aan zich voorbij te laten gaan. Wie weet wat dat was. Misschien had iemand daar iets verstopt. Misschien had iemand erop gegokt dat het reclamebord voldoende groot was om nieuwsgierige blikken op afstand te houden. Nou, dat was dus niet gelukt. Verduiveld! Het was misschien de buit van een of andere overval... Voorzichtig waadde hij door het hoge, natte gras, oplettend om niet in een kuiltje te trappen. Zijn broek bleef haken aan een doornige struik, maar hij trok zich met een ruk los. Nog tien meter en hij wist wat daar lag. Toen een harde windvlaag de struik helemaal platdrukte, zag hij waar hij naartoe op weg was. Hij bleef als verlamd staan. Hij draaide zijn hoofd naar de straatkant, maar zag niets of niemand. Door een gordijn van regen keek hij op de achterkant van het geamputeerde reclamebord. Het bewoog duidelijk met iedere windvlaag. Zou de rest straks ook afscheuren? Dan keek hij weer naar de struik voor zich. Hij wist nu dat het een zwart kledingstuk was. Sander overwoog wat hem te doen stond. Snel kwam hij tot een besluit. In geen enkel tv-feuilleton ging de held op de loop. En hij was twaalf jaar, geen kind meer. Manmoedig stapte hij naar voor. Zijn broek was door en door nat, zijn zogezegd waterdichte jekker één nat vod. Maar hij merkte dat niet. Toen liep hij om de struik heen. En staarde gebiologeerd naar wat hij zag. Hij hield zijn adem in en onderdrukte de neiging om zo snel als hij kon weg te rennen. Zijn ogen gingen van de zwartlederen broek die – nat en blinkend van de regen – zijn aandacht had getrokken, over het witte, in flarden gescheurde truitje, naar het versteende gezicht van de dode vrouw. Een paar meter verder haakte een vuilroze regenjas met afgerukte linkermouw vast in een struik. Sander was pas twaalf, maar hij kon zijn ogen niet losmaken van haar blote rechterborst waarop de regen snelle lijnen trok. De kleur was helemaal uit de grote tepel weggetrokken. Het verbaasde hem dat ze geen bh droeg. Zijn moeder kon niet zonder. Haar andere tiet zat grotendeels verstopt onder de doorweekte stof, maar hij zag hoe het truitje op drie plaatsen net onder haar linkerborst was doorboord. Sander kwam aarzelend in beweging. Hij vond het een akelige ontdekking, maar aan de andere kant was het superspannend. Een verhaal uit duizenden om bij zijn vrienden mee uit te pakken. Zouden die jaloers zijn! Hij knielde bij een struik en scheurde niet zonder moeite een tak af. Voorzichtig naderde hij het lijk en lichtte met de punt van de tak de natte stof op. Nu zag hij ze duidelijk. Die drie steken zagen er zo netjes uit... De ene wat hoger, de twee andere mooi naast elkaar. Geen bloed. Een snee van een paar centimeter breed waaromheen de huid naar buiten krulde. Het leken wel drie mondjes die hem hongerig aanstaarden. Sander schuifelde verschrikt achteruit. Zo zag een lijk er dus uit. Vaag herinnerde hij zich de begrafenis van tante José. Hij moest toen nog tien worden en was met zijn ouders de overledene gaan groeten. Hij keek opnieuw om zich heen. De sterke wind en de regenvlagen bleven maar op hem hameren. Hij besefte dat dit de reden was waarom er geen bloed was. De regen had alles weggewassen. Hij hurkte dicht bij het gezicht van de dode. Haar ogen waren open, maar het was duidelijk dat ze niets meer zagen. Gebroken staarden ze naar een onbestemd punt in de verte. Sander dacht aan de vele spannende films die hij had gezien waarin iemand de oogleden van een overledene met een snel gebaar sloot. Dat durfde hij niet. Gefascineerd bleef hij naar het wasbleke gezicht staren. Het leek in een schreeuw te zijn bevroren. Dat is te verwachten, concludeerde hij als een volleerde detective, met die messteken...

Hij had die vrouw eerder gezien, maar kon haar niet thuisbrengen. Misschien op straat tegengekomen. Of in een of andere winkel wanneer hij met zijn moeder mee moest. Wellicht woonde ze in het dorp. Haar lange, blonde haren hingen in pieken rond haar gezicht. Net een kroon van doorweekte bladeren. Ze had mooie, blauwe ogen. En ze had geen rimpels. Haar gelaat was glad. Haar huid gaaf. Ze was jong. Veel te jong om te sterven. Zo jong mocht je niet gaan. Je moest op z'n minst de leeftijd hebben van tante José. Plots draaide Sander zich om. Langzaamaan drong het besef door van wat hij had ontdekt. Bovendien mocht hij niet te veel tijd verliezen. Zijn vader zou hem een uitbrander van jewelste geven als hij te lang op zijn dikke zaterdagkrant moest wachten. Eerst lopend, dan rennend liep hij weg van De Beemden. In de krantenzaak zou hij ze wel vertellen over het lijk dat hij op het terrein had ontdekt.

19

Het smalle eenpersoonsbed kraakte vervaarlijk toen Rachid van haar afrolde. 'Je moet echt iets aan die lattenbodem doen. Straks breekt dat boeltje als een lucifer middendoor.' 'Moet je maar niet zo vurig zijn.' Helena lachte hem speels, uitdagend toe. 'En denk maar niet dat je al kunt verdwijnen. De nacht is nog lang...' Ze was heerlijk klaargekomen, maar wilde meer. Veel meer. Ze reikte wellustig naar zijn besneden piemel en begon die voorzichtig te masseren. Ze had nog nooit gevrijd met een man die zijn voorhuid had verloren. Ze wilde hem geen pijn doen.

Faoust liet het niet onwillig gebeuren. Het was allemaal veel gemakkelijker gegaan dan hij had verwacht. Daarstraks in het restaurant had hij zich op z'n charmantst getoond. Onzin verkocht, haar de hele tijd complimentjes gemaakt. Haar voet zogezegd per ongeluk aangeraakt, dan haar hand of haar arm. Hij was goed in die dingen. En het moest gezegd, het kostte hem niet veel moeite. Ze was niet onaantrekkelijk. Een rijpere vrouw, maar nog niet te oud. Zware borsten, een Rubensachtige kont. Het soort lichaam waarvan hij wist dat het hem maximaal genot zou schenken. Zelfs haar schriele stem was hij intussen enigszins gewoon.

Hij had gedacht – toen ze rond elf uur weer buiten op de stoep van het restaurant stonden – dat ze afscheid zou willen nemen. Tenslotte was het de eerste keer dat ze samen waren, buiten die paar gesprekken in de trein. Hij wilde niets overhaast doen. Een te snelle zet en ze zou onraad ruiken. Bovendien wist hij nog niet welke baan zij bij SWIFT had. Ze kon wel voor de veiligheidsdienst werken... Voor hem was de avond zo al een succes. Maar toen hij haar uitnodigde om enkele dagen later af te spreken voor een bioscoopje, had ze verbaasd gekeken.

'Ik dacht aan nog een glaasje. Op de Grote Markt. Buiten onder een van die infrarode warmtestralers. Zou dat niet leuk zijn?' Haar adem stonk naar alcohol. Ze had op haar eentje een halve fles witte en een halve fles rode wijn soldaat gemaakt – als moslim had hij uitsluitend water gedronken – en was duidelijk in de wind. Dat bleek uit de rode blos op haar wangen en uit haar wat onzekere pas. Dat ze graag meer dan een paar glazen dronk, dat was een verrassing. Dat paste niet in het beeld dat ze opriep. Maar misschien was dat de tol van de eenzaamheid. Hij verachtte vrouwen die alcohol dronken, laat staan er te veel van op hadden. Maar tegelijkertijd bood dat kansen. Halfdronken kon hij haar gemakkelijker uithoren.

'Ik kom uit een warm land. Nu buiten zitten... brr....' Hij had haar lachend, wat schattend, aangekeken. Ze had de boodschap meteen door.

'Met een taxi zijn we binnen vijf minuten op mijn flatje. Ik weet wel dat je geen alcoholliefhebber bent, maar ik heb daar nog een lekker flesje liggen... Het zou me verbazen als je daar nee tegen zou zeggen.' Een kwartier later lagen ze bij haar in bed. Hij moest toegeven dat ze hem niet had teleurgesteld. Die teef had net voldoende op om het beste van zichzelf te geven. De chardonnay was ongeopend in de koelkast blijven staan.

Maar hij mocht zijn persoonlijke behoeften niet laten over-heersen. Hij mocht niet vergeten dat hij dat vrouwmens had versierd om bij SWIFT binnen te komen. Hij moest proberen uit te vissen op welke dienst zij werkte, hoe diep hij via haar in die organisatie kon doordringen. Helena Nyegaard had dat echter zo niet begrepen. 'Ik zie dat er nog leven in jou zit!' Ze hield zijn stijve lid in haar hand en trok hem op die manier naar zich toe. 'Kom, Rachid. Kom...' Ze fluisterde hees in zijn oor. De alcoholwalm deed hem bijna kotsen. Maar zijn opwinding kreeg probleemloos de over-hand. Hij stootte diep in haar en begroef zijn hoofd in haar haren, weg van de stank van haar adem. Hij probeerde zijn hoogtepunt uit te stellen tot hij merkte hoe haar vagina schokkend verkrampte en ze haar nagels in zijn rug plant-te. Toen kwam ook hij kreunend klaar. Hij bleef beweging-loos enkele tellen op haar liggen. Ten slotte schoof hij van haar af en probeerde in het smalle bed een min of meer ge-makkelijke houding te vinden. Hij wilde over SWIFT beginnen.

'Dat was heerlijk...'

Ze streelde zijn buik met de buitenkant van haar mid-delvinger. 'Je moet niet denken dat het mijn gewoonte is om meteen met een man naar bed te gaan.' Ze wist niet waar-om ze dat zei. 'Maar het klikt zo goed tussen ons. Je voelt mij zo goed aan...' Nu strekte ze lui haar armen. 'Blijf je van-nacht?'

Daar had hij niet de minste zin in. Hij was goed aan zijn trekken gekomen, daar niet van, maar om in dit flatje, in dat kleine bed, de lange nacht door te brengen met een god-deloze vrouw die draaide op alcohol, dat was andere koek. 'Ik moet morgen vroeg uit de veren. Een belangrijk verkoop-gesprek. Ik wil de laatste trein naar Antwerpen niet missen.'

'Je kunt toch nog wat blijven? Je hebt nog wat tijd?' Plots

vreesde Helena dat alles na nog geen uur voorbij was, dat ze Rachid nooit meer terug zou zien. Een onenightstand.

'Ik kan nog wat blijven', reageerde hij schouderophalend. 'Een kwartiertje, dat lukt wel.'

'We zien elkaar toch weer?' bleef ze koppig doorgaan. 'Morgenavond al op de trein?'

Faoust glimlachte vriendelijk naar haar. Bij zichzelf grapte hij dat ze daarop kon rekenen. Dat ze zich haar wens nog zou beklagen. Hardop liet hij daar niets van merken. 'Als jij dat wilt, graag.' Het klonk Helena als muziek in de oren.

'Wil je zo lief zijn mij een glaasje wijn in te schenken? En vergeet jezelf niet.'

Hij was blij dat hij uit het smalle bed kon. Terug met een glas in de linkerhand en de fles in de andere, ging hij naast haar zitten. 'Je weet dat ik geen alcohol drink. Ik ben moslim. Maar dat hoeft jou niet tegen te houden.' Het klonk sarcastisch. Ze merkte het niet. Hij reikte haar voorzichtig het overvolle glas aan en zag hoe ze gulzig van de koele chardonnay dronk.

'Ik krijg dorst van dat vrijen.'

'Ik heb zonet een glas water gedronken.'

'Zie je wel!'

Ze lachten. Hij schonk haar glas bij. 'Wordt er bij jullie op kantoor ook af en toe iets geschonken?'

'Nou... Een biertje, dat kan. Ter gelegenheid van een verjaardag, een promotie... Maar wijn of iets sterkers is uit den boze.'

'Ergens moet je een grens stellen. Iedereen weet welke stommiteiten er gebeuren onder invloed van te veel drank...' Hij zei het met een uitgestreken gezicht.

'Daar heb je gelijk in.' Helena lachte te luid. 'Ik heb een collega die altijd een fles gin in zijn onderste bureaula heeft liggen. Iedereen weet ervan. Maar gin ziet eruit als water en ruikt eerder neutraal. Dus zie je hem om de haverklap voorzichtig bijschenken in zo'n wit plastic bekertje. Mag natuurlijk niet.' Ze giechelde als een bakvis. 'Hoewel, zijn werk lijdt er niet onder. Tot nog toe niet, tenminste. Zeg, schenk je nog eens vol?'

'Jij kunt er anders ook aardig mee overweg.' Hij had de zin nog niet uitgesproken of hij wist dat hij het beter niet had gedaan.

Maar Helena had intussen te veel op om op de belediging te reageren. 'Ik drink graag een glas wijn, ja. Jaloers?' Plagerig duwde ze hem in zijn zij.

'Op welke afdeling werk jij eigenlijk?' Het werd tijd om op te schieten. Dat mens dronk wijn als water. Straks zou ze alleen nog lallen.

'Ik zit op de personeelsdienst.'

'Niet echt boeiend?'

'Dat valt mee. Mensen motiveren, helpen bij de uitbouw van hun loopbaan. Ik doe dat graag.'

Helena zat in kleermakerszit, wat voorovergebogen. Haar zware borsten met tepels als schoteltjes raakten net niet het onderlaken. Nu pas zag hij dat ze inderdaad kromme benen had. Maar ze waren wel zorgvuldig onthaard. 'SWIFT, dat is toch dat gebouw op de hoek van die straat, dat verscholen ligt in het groen?'

'Jaja, op de hoek van rue Adèle... Onze kantoren liggen in een heus park.' Ze begon moeilijker te praten. De alcohol deed zijn werk.

'Ik vermoed dat jullie zwaar beschermd worden. Tegenwoordig is veiligheid schijnbaar belangrijker dan gelijk wat. Bij ons op kantoor is dat niet anders. Voor je daar binnenkomt!'

'Pff...' Ze liet zich met het lege glas in de hand achterover vallen. 'Ze voeren vooral veel show op. Toegangscontroles, dat wel. Niemand komt de slagboom voorbij zonder badge. Maar ik kan je zo vijf plaatsen noemen waar je de omheining in een vingerknip door bent. En die camera's? Die stellen niets voor. Net vogelverschrikkers.' Ze draaide zich op haar zij. 'Kun je vannacht echt niet blijven? Toe...'

Hij lachte schaapachtig. 'Heel graag, maar je weet dat mij dat niet lukt.' Hij begon zijn kleren bij elkaar te zoeken. Hij dacht niet dat ze nog in staat was tot het verschaffen van meer informatie.

'Het echte probleem is in het gebouw binnen te komen.' Ze bleef maar kletsen. Dingen vertellen die zomaar in haar opkwamen. Nu streek ze nadenkend met haar wijsvinger over een puistje op haar dij. Ze hadden gevrijd zonder condoom. Ze hoopte dat er geen gevolgen van zouden komen. Maar door de alcoholwaas verdween die gedachte snel naar de achtergrond.

'Wat bedoel je?' Rachid Faoust was zijn overhemd aan het dichtknopen, maar hield daarmee op. Hij ging weer naast haar op het bed zitten.

'Wat bedoel je? Wat bedoel je?' deed ze hem plagerig na. Plots klonk ze alsof ze hem een groot geheim ging verklappen. 'Op de terreinen van SWIFT ben je zo. Maar binnen de gebouwen zijn er controles per zone.' Ze begon over haar woorden te struikelen. 'Daar moet je telkens je pasje in een lezer duwen voor de deur opengaat. Sesam open u!' Ze begon onbedaarlijk te lachen.

'En jij hebt natuurlijk zo'n pasje...'

'Natuurlijk dommie. Hoe zou ik anders in mijn werkkamer komen...' Hij had zijn broek nog niet aangetrokken. Ze legde in een bezitterig gebaar haar linkerhand op zijn harige dij. 'Ik zal je nog meer zeggen,' ging ze op een samenzweerderig toontje verder, 'omdat ik van hr ben...'

'Hr?'

'Human resources, de personeelsdienst.' Ze liet de r vreselijk hard rollen. 'Omdat ik van hr ben, kom ik overal.' Ze keek hem triomfantelijk aan. 'Zie je, die sukkelaars die op de boekhouding werken, of op informatica, die mogen alleen hun eigen afdeling in. Op andere plaatsen mogen die niet komen. Begrijp je?'

Rachid Faoust had het maar al te goed begrepen. Op de laatste trein naar Antwerpen, kon hij een gevoel van triomf niet onderdrukken. Had hij verduiveld gescoord! En hoe! Eén avondje uit en die aan de drank verslaafde del braakte zomaar de woorden uit waarop hij zat te wachten. Bovendien had hij die teef twee keer flink genomen. Haar doen kreunen van genot. Hij mocht trots zijn op zichzelf. Zijn eerste keus, zijn eerste target was een ongelooflijk schot in de roos. Iemand die op de personeelsafdeling werkte en een functie bekleedde die haar toestond in heel het SWIFT-kantorencomplex rond te dwalen. Zonder vragen, zonder toegangsproblemen. Het volstond haar pasje te ontvreemden en koelweg met een slenterende pas naar de computerzaal te wandelen, net of hij dat iedere dag deed. Faoust haalde zijn agenda uit de binnenzak van zijn jasje en begon vlijtig data te vergelijken. Wat hij moest doen, was haar overtuigen om enkele dagen vakantie te nemen. Om er samen op uit te trekken. Een citytrip. Barcelona of zo. Tijdens die paar dagen zou hij haar vermoorden en haar pasje stelen. Om enkele dagen later SWIFT aan te vallen. Op dezelfde dag dat Aboe Jahl zijn bestelwagentje zou doen ontploffen. Het vroeg wat planning, maar het zag er goed uit. Allah was met hem. Maar daaraan had hij nooit getwijfeld.

20

Het was lang geleden dat zijn kerk nog zo goed gevuld was. Hoewel, eigenlijk had hij nog meer volk verwacht. Hier en daar waren enkele lege stoelen. De moord op Arlette was voorpaginanieuws en hij had gedacht dat er meer verslaggevers zouden zijn. Maar dat viel tegen. Of juist niet, naargelang hoe je die dingen bekeek. Vooraan zat Maria Lepoutre. Ze kon haar dochter in de open kist bijna aanraken. Ze was gekleed in een lange, donkergrijze, kamgaren mantel. Hij vermoedde dat die dateerde van toen ze haar man had begraven. Ze droeg een zwarte voile. Tijdens de dienst snikte ze af en toe, waardoor ze telkens weer onder het netje moest tasten om haar ogen en neus droog te vegen. Veel familie was er niet. Slechts enkele ooms en tantes. Hij had ze de hand geschud en zijn medeleven betoond, maar ze ontweken zijn blik. Moens vroeg zich af hoe vaak ze de laatste jaren bij Maria en haar dochter op bezoek waren. Hij kon zich alleszins niet herinneren dat zijn huishoudster daar iets over had gezegd. De ouders van Sander Verhelst waren er wel. Hun zoon was thuisgebleven. Hij zuchtte. Het was niet anders dan bij de meeste begrafenissen. Enkele rijen verder vulde de kerk zich met wat de pastoor zijn habitués noemde: oudere mensen, vooral vrouwen, die systematisch iedere begrafenisdienst bijwoonden. Een bezigheidstherapie. Net of ze naar inspiratie zochten voor wanneer het hun beurt was. Maar wellicht was hij dit keer te cynisch. Hij wist dat ze uit eerlijke sympathie en respect voor Maria waren gekomen, die ze allemaal goed kenden als de meid van de pastoor. Het viel hem op dat er nauwelijks notabelen waren. Niemand van de gemeente. En van het OCMW – toch haar werkgever – alleen haar directe chef en enkele collega's. Van Steirteghem had zijn kat gestuurd. Zou wel te maken hebben met Arlettes reputatie. Ten slotte waren er de ramptoeristen. Zelf had hij er moeite mee om het te geloven, maar er bestonden mensen die als verstrooiing, als hobby, de uitvaart van iemand die hen volkomen vreemd was bijwoonden. Of zou het hen alleen te doen zijn om de bidprentjes? Die ze als sigarenbandjes of postzegels verzamelden? Zouden daar ook catalogi van bestaan? En ruilbeurzen? Moens vermande zich. Het ogenblik was aangebroken om zijn homilie te houden.

Een goed uur later was alles voorbij. Op het kerkhof had hij de kist gezegend en daarna had hij onder een grote zwarte paraplu gewacht tot iedereen ze had gegroet door er een geel winterroosje op te gooien. Het was vochtig koud. Gelukkig stond er niet veel wind. De regen trommelde zachtjes op de paraplu en plensde op het paadje, dat ongelijk was gelegd in grijze betonklinkers. De werkman van de begraafplaats stond zonder ongeduld te leunen op zijn brede spade, zijn zware schoenen onder de plakkerige, natte grond. Een kraai vloog krassend over. Hendrik Moens rilde. Hij keek naar Maria, die werd ondersteund door een van die verre familieleden die haar anders nooit kwamen opzoeken. Hoe zou het voelen om na haar man haar enig kind te verliezen? Hij dacht aan Arlette. Aan de tijd toen ze klein was en als een vlinder door de pastorie dwarrelde. Lachend, altijd klaar om iemand een poets te bakken. Aan later, toen ze een mooie, jonge vrouw was en met volle teugen van het leven genoot. Tot afgunst van sommigen, die haar achterbaks beschimpten. Pastoor Moens krulde enkele keren na elkaar zijn tenen en nam zijn paraplu in de andere hand. Ondanks zijn wollen kousen, zijn handschoenen en zijn gevoerde winterjas, begon hij het aardig koud te krijgen.

Hé, schoot het plots door hem heen, ik heb Roger niet gezien. Niet in de kerk en niet hier aan het graf. Dat is eigenaardig! Die is toch niet ziek? Maar zelfs dan zou hij toch naar de begrafenis van zijn verloofde komen. Wat betekende dat nu weer? Hij keek onzeker om zich heen naar de mensen rond het graf en naar anderen die wegslenterden, eerst met slepende tred, daarna almaar sneller. Weg van het open graf, weg van de dood. En weg van de kou, dacht hij bitter. Hij zou moeten wachten tot de laatste kerkhofganger was verdwenen voor hij samen met Maria naar de koffietafel in het parochiezaaltje achter de kerk kon gaan. Hij rekende erop dat hij kon meerijden met een van die verre ooms en tantes. Hij rilde opnieuw. Straks zat hij met een verkoudheid. Nog een tiental mensen, schatte hij. Het wachten naast het verse graf vond hij altijd het moeilijkste moment van een begrafenis. Maar dan nog liever in het putje van de winter, zoals nu, dan in het voorjaar. Als de bomen bloesemden, als er een lekker zonnetje scheen, was iemand naar zijn laatste rustplaats begeleiden nog zoveel zwaarder.

Hendrik Moens wiebelde van de ene voet op de andere. De moord op Arlette Lepoutre bleef een groot raadsel. Die was twee weken geleden gepleegd. Zestien dagen terug om precies te zijn. Eerst had de politie het lijk niet willen vrijgeven. Wat onderzochten ze vandaag al niet? DNA-sporen.

Misschien zat er iets vreemds onder haar nagels of waren er onverklaarbare pluisjes op een kledingstuk. Maar dat ze iets belangwekkends hadden gevonden, leek hem onwaarschijnlijk. Daarvoor had het lichaam te lang in de gutsende regen gelegen. Dat was die dag dat het zo zwaar had gestormd. Onwaarschijnlijk dat regen en wind niet alle sporen hadden gewist. Hoe is het toch mogelijk, mijmerde pastoor Moens, dat een jong meisje als Arlette in een situatie terechtkomt die tot moord leidt? De dagen na de ontdekking van het lijk publiceerden de kranten verhalen over een passionele misdaad. Eerst was Roger het doelwit, later werd een stille, anonieme aanbidder opgevoerd. Iemand die bij Arlette een blauwtje had gelopen en zijn frustratie in een afschuwelijke lustmoord had botgevierd. Maar bij gebrek aan bewijzen bleken beide sporen niet meer dan speculatie. Tenminste, niemand had er verder nog iets over vernomen. Hij schudde onbegrijpend het hoofd. Sommige families leken wel voor het ongeluk geboren. Eerst verloor Maria haar man in een dom verkeersongeluk. En nu haar enig kind.

Het was donker en de koffietafel was al lang voorbij toen zijn huishoudster aanbelde.

'Maria? Waarom gebruik je jouw huissleutel niet? Kom binnen!' Het was harder gaan waaien en regenen. Hij trok haar zowat de warme, droge vestibule in.

'Dank u, meneer pastoor. Ik wilde niet storen. Ik... eh...'

'Kom, ga zitten. Bij de kachel. Ik schenk je een jenevertje in.'

Ze schuifelde voorzichtig het huis in nadat ze haar schoenen zorgvuldig had afgeveegd. Ze droeg nog de kleren van vanmorgen. Alleen haar zwarte voile had ze afgelegd. 'Bedankt voor Arlette', mompelde ze toen ze zich op een keukenstoel had laten vallen. 'U hebt zo mooi gesproken. Ze was zo'n goed kind...'

Moens zag hoe haar al roodgeweende ogen weer volliepen. 'Het zijn moeilijke dagen...' begon hij. Maar als reactie op haar afwerend gebaar, liet hij zijn stem wegsterven.

'Ik heb mijn deel meer dan gehad, meneer pastoor. Onze-Lieve-Heer heeft mij geen cadeaus gegeven.' Het klonk emotieloos. Ze knoopte haar overjaarse winterjas open en reikte naar een lage binnenzak. 'Het is hiervoor dat ik kom.' Ze zwaaide met een witte, verkreukelde envelop, Amerikaans formaat. Hij zag dat er *Voor mama* op stond geschreven. 'Ik weet niet wat ik hiermee aan moet.' Ze reikte uitnodigend met de envelop naar hem. 'Lees maar, meneer pastoor. Lees maar.' Plots klonk ze oneindig vermoeid. 'Het is te verschrikkelijk voor woorden.' Ze keek hem hoopvol aan. 'Maar u zult er wel raad mee weten, nietwaar? U weet altijd raad.'

Hij nam de brief aan en merkte dat die niet was dichtgeplakt. Hij dacht aan een bijzonder testament of iets in die aard. De inhoud trof hem daarom als een mokerslag.

Liefste mama,

Eerst was ik van plan om geen brief te schrijven, maar om er met u over te praten. Ge weet wel, bij een lekkere kop koffie en een van uw zelfgebakken sablékes. Maar ik kan dat niet. Ik schaam mij te veel. Er is iets ergs gebeurd. Iets verschrikkelijks. Ik wilde niet dat gij ervan zou weten. Ik schaam mij zo. Ik wilde u die oneer besparen. Dus heb ik tegen niemand iets gezegd. Ook niet tegen de politie. Maar ik kan zo niet verder leven. Ge weet dat ik bij het OCMW *werk. Welnu, hij ook. 't Is te zeggen. Hij is daar niet de hele tijd, maar wel af en toe. En dan vraagt hij of ik later blijf. Zogezegd om iets dringends af te werken. En dan gebeurt het. Dan zit hij met zijn smerige poten aan mijn lijf en nog veel erger. Hij gebruikt zelfs*

*geen condoom. Dat hebt gij vroeger aan uw minnaars ook niet gevraagd,
zegt dat varken. Mama, ik voel mij zo vies. En ik durf er niet aan te denken dat ik weer zwanger wordt. Wat moet ik doen??? Wat moet ik doen???
Het is zijn woord tegen dat van mij! En wie denkt ge dat ze zullen geloven? Een onnozel meiske als ik, of de voorzitter van het OCMW? Mama,
please, HELP!!!!!!*

Arlette

Omdat Hendrik Moens niet meteen wist wat hij moest
zeggen, begon hij de brief te herlezen. Het kinderachtige
handschrift vertelde hem een verhaal dat hij onmogelijk
kon geloven. Van Steirteghem die zich te buiten ging aan
systematische verkrachtingen. Dat kon simpelweg niet
waar zijn. Hier was sprake van een misselijkmakende grap.
Iemand die beweerde Arlette te zijn, had dat epistel geschreven om Van Steirteghem een ongelooflijk lelijke, achterbakse trap te verkopen. Maar hij herkende haar handschrift. Hij herinnerde het zich maar al te goed van toen hij
haar nog hielp met haar huiswerk. Haar hanenpoten waren
nog even kinderlijk als in die dagen. Als het namaak betrof,
was het verduiveld goed gedaan.
'Je bent er zeker van dat die brief van haar is? Dat zijzelf
hem heeft geschreven?'
Maria Lepoutre keek hem enkele tellen met grote ogen
aan. 'Maar meneer pastoor, ze heeft hem mij persoonlijk afgegeven. Twee dagen voor ze is vermoord.' Haar stem brak.
'Natuurlijk heeft zij die geschreven...'
Beschermend sloeg hij zijn arm om haar schouders. 'Het
is al goed. Het is al goed.' Moens besefte dat de brief, die hij
nog steeds in zijn andere hand hield, een compleet nieuw
licht op het moordonderzoek wierp. Van Steirteghem, nondedju! Hij had nooit sympathie gekoesterd voor dat ventje.

Voor de Boskabouter, zoals iedereen hem noemde. Maar dat die zich zou verlagen tot dergelijke afschuwelijke, mensonterende feiten, dat ging zijn begrip te boven. En dit verschrikkelijke verhaal kwam boven op die niet mis te verstane beschuldigingen van Guido Tavernier. Wat gebeurde er allemaal in dat Loverbeek van hem? Met zachte dwang trok hij Maria terug op de keukenstoel en schonk haar nog een jenevertje in. Intussen dacht hij koortsachtig na. Het motief van de moord lag nu voor de hand. Misschien had Arlette tegen Van Steirteghem gezegd dat zij toch naar de politie zou stappen als hij niet ophield met zijn verachtelijke praktijken. Misschien had ze ermee gedreigd dat ze een brief zou schrijven waarin ze alles verklapte. Voldoende om bij Van Steirteghem de stoppen te doen doorslaan. Iedereen wist wat voor een opvliegend karakter die man had. En dan de timing! Twee dagen voor de moord had Arlette de brief bij haar moeder bezorgd. Persoonlijk afgegeven. Moest er nog zand zijn? Hij diende het stuk dat in zijn hand brandde zo spoedig mogelijk aan de politie te bezorgen. Maar een paar dingen zaten hem dwars.

'Maria... Hoe kon Arlette dat allemaal laten gebeuren? Waarom is zij niet onmiddellijk naar de politie gestapt? Waarom heeft ze geen klacht ingediend?'

Zijn huishoudster schokschouderde gelaten. 'Ze schrijft het toch zelf, meneer pastoor. Haar woord tegen dat van hem.'

'Ze kunnen zoiets controleren. Een gynaecoloog kan een uitstrijkje nemen. Kijken of er gemeenschap is geweest. Of het type zaadcellen overeenkomt met dat van de vermeende dader.'

Maria schokschouderde opnieuw. 'En als hij zegt dat het met haar goesting was? Dat hij haar helemaal niet heeft gedwongen?' Ze aarzelde en begon haar wintermantel dicht te knopen. 'Bovendien is er de abortus... Misschien hebt u gelijk dat dat een veel zwaarder feit is voor die nicht van Van Steirteghem dan voor Arlette. Maar...'

Hij keek haar indringend aan. 'Ze moet als de dood zijn geweest dat Van Steirteghem dat openbaar zou maken.' Moens beet zich op de lippen om zijn ongelukkig taalgebruik. Gelukkig had Maria het niet gemerkt. Bovendien was er Roger. Arlette zou niet gewild hebben dat die op dergelijke wijze op de hoogte kwam van haar misstap. Maar er was nog iets. 'Zeg, waarom heb je zolang gewacht om met die brief boven water te komen? Je had hem mij toch meteen na de ontdekking van eh... het lijk kunnen bezorgen? Waarom wachten?'

'Ik... Ik weet het niet.' Ze keek hem plompverloren aan. De donkergrijze wintermantel hing als een vod rond haar lichaam. 'Die eerste dagen nadat ze haar hadden gevonden was het net of ik was niet meer van deze wereld. U hebt mij toen nog gezegd dat ik thuis moest blijven... De dokter is toen langs geweest. Die heeft mij kalmeringspillen voorgeschreven. En dan was er de politie, de pers...' Ze draaide zenuwachtig met haar handen. 'Ik wilde niet aan die brief denken. Het was zo al verschrikkelijk genoeg...'

21

Het mobieltje had nog maar één keer gebeld op de manier van een oude wekker of Aboe Jahl klapte het al open.

'Ja?'

'Je hebt prima werk geleverd. Je bent een waardige strijder.' Het bleef even stil op enkele papierritsels na. 'De belangrijke zaken komen er nu aan.'

Jahl ging van spanning op het puntje van zijn stoel zitten. Eindelijk was zijn tijd van glorie aangebroken! Nog even en hij zou *shahadat*, de status van erkende martelaar, bereiken. Het Paradijs was binnen handbereik. 'Ik luister...' Zijn stem klonk gretig.

'Je moet naar Antwerpen, naar de dokken. De naam van het schip is *Sea Gladiator*. Het vaart onder Griekse vlag. Je moet de eerste stuurman hebben, Tawil Malki. Niemand anders. Het schip ligt in het tweede havendok, aan de zuidkant, aan de Vosseschijnstraat. Heb je dat? Tweede havendok, zuidkant, Vosseschijnstraat.' Faoust spelde geduldig de straatnaam.

'Wacht. Ik pak iets om te schrijven.'

'Je schrijft het op, maar je leert meteen alles uit je hoofd. En je gooit dat kattebelletje niet weg, maar je eet het op.'

'Broeder, maak je geen zorgen. Dat was ik al van plan. Maar als ik die straatnaam niet opschrijf, ben ik die zo vergeten. Je weet toch wat voor een verschrikkelijk taaltje ze hier brabbelen!'

Faoust moest stijf glimlachen. 'Het is al goed.' Opnieuw herhaalde hij alles nog een keer. 'Zo. Je vraagt dus naar Tawil. Die overhandigt jou een pakje. Daarin zitten twee dingen. Genoeg C4 om het doel twee keer op te blazen en een ontstekingsmechanisme. Je weet hoe je die dingen moet gebruiken?'

'Natuurlijk. Mijn opleiding was prima. En mijn praktijkervaring is ook niet mis.'

'Des te beter. Wij kunnen ons geen vergissingen of slordigheden veroorloven. Wij móéten slagen!'

Aboe Jahl vond die insinuaties laag-bij-de-gronds. Als je werkte in opdracht van Allah, sprak het toch vanzelf dat alles piekfijn moest kloppen. Waar maakte die man zich zorgen om? 'Wij strijden dezelfde strijd, broeder. Ik heb maar één doel in mijn leven en dat is deze heilige opdracht tot een goed einde brengen.'

Rachid Faoust trok in een grijns zijn wenkbrauwen op. Hij hield van het fanatisme van zijn soldaten. En deze Aboe Jahl was het neusje van de zalm. Hij herinnerde zich hoe zorgvuldig hij zijn taak had uitgevoerd om die blonde teef uit te schakelen. Zij was de enige die wist dat zijn mannetje niet was wie hij zegde te zijn. Die opdracht had hij op een uiterst professionele wijze uitgevoerd. Waarschijnlijk zelfs met plezier. De eerste dagen nadat het lijk was ontdekt, had hij alle kranten uitgevlooid op zoek naar de minste indicatie die zou wijzen naar een vreemdeling, misschien zelfs naar Aboe Jahl. Maar niets. Helemaal niets. Geen enkel spoor had de politie. En ze waren nog zo stom ook om dat aan de grote klok te hangen, dacht hij niet zonder leedvermaak. Maar daarvan liet hij niets merken. 'Je moet dat pakje overmorgen in de late avond afhalen, tussen tien en twaalf uur. Tawil wacht dan op jou. Alléén die dag, alléén tussen tien en twaalf.'

179

'Ik neem het bestelwagentje. Maar kan ik zomaar naar dat schip rijden? Moet ik geen slagboom voorbij? Is er geen controle?'

'Het spreekt voor zich dat jij met jouw autootje niet langs de kade precies bij het schip kunt parkeren. Maar het is niet zo moeilijk de dokken binnen te glippen. Bovendien is het donker. Je gaat het best morgen op onderzoek... Dat lukt toch?'

Jahl lachte zijn hagelwitte tanden bloot. 'Tuurlijk...'

'Mooi. Maar je neemt geen enkel risico. In het havengebied binnendringen is voor overmorgen.'

'Oké.'

'Op dat schip komen, Tawil opzoeken en dat pakje in ontvangst nemen... Die zaken moet je alleen aankunnen. Ik kan je daarbij verder niet helpen.'

'Ieder zijn deel van de last', mompelde Jahl nauwelijks verstaanbaar.

'Dat heb ik gehoord en dat is helemaal juist. Ik bel je binnen drie dagen rond dezelfde tijd. Dan bespreken we de volgende fase van het plan. Dát uitwerken, dát is mijn taak.'

Aboe Jahl ademde diep in. Hij voelde de spanning groeien. De adrenaline stroomde als tijdens die dagen in Libanon toen de kogels en granaatscherven hem rond de oren floten. 'Allahoe Akbar.'

'Allahoe Akbar.'

Drie dagen later, rond dezelfde tijd, nam Jahl opnieuw bijna onmiddellijk op. Hij wachtte niet tot Faoust iets zei. Alleen die kende immers zijn nummer. 'Het is allemaal feilloos verlopen. Gisteravond was ik al tegen elven terug op mijn kamer.'

'Het is geen slecht idee om te wachten tot je er zeker van bent dat ik het ben die belt. Je weet maar nooit wat er kan gebeuren.'

'Hé… Alleen jij hebt toch mijn nummer?' Waarom reageerde zijn contactpersoon zo gek? Was er iets aan die kant niet in orde?

'Kalm, kalm', stelde Rachid hem meteen gerust. Ik wilde je niet doen schrikken. Alles is oké. Maar uit veiligheidsoverwegingen vind ik dat je mij eerst moet laten spreken. Meer niet.' De ander gromde iets onverstaanbaars. 'Je bent niemand tegen het lijf gelopen? Geen last gehad met de politie of een of andere bewakingsdienst?'

Jahl bestudeerde verveeld de nagels van zijn linkerhand. Niemand hoefde hem te vertellen dat veiligheid superbelangrijk was, maar zijn contactpersoon kon daarover doorbomen op een manier die hij alleen als verwijfd kon omschrijven. 'Alles is in orde. Onze broeder stond mij op te wachten. Voor er een kwartier voorbij was, zat ik alweer in de auto op weg naar mijn kamertje.'

'Wat heb je met het pakket gedaan?'

'Verstopt natuurlijk. Eerst waterdicht verpakt en dan voorzichtig in de stortbak van de wc neergelaten.'

'Goed. En waar heb je het bestelwagentje achtergelaten?' Ieder detail was belangrijk. Elk mogelijk risico moest bij voorbaat worden uitgeschakeld.

Aboe Jahl zuchtte geïrriteerd. 'Het staat op 500 meter van hier in een zijstraat niet ver van de kerk. Om de twee dagen verplaats ik het. Om geen argwaan te wekken. Loverbeek is een boerengat. Iedereen houdt iedereen in het oog.'

Loverbeek, Loverbeek. Wie had nog niet zolang geleden ook die dorpsnaam genoemd? Faoust zocht koortsachtig in zijn geheugen. Plots wist hij het. De vent die hem in zijn winkel dat beeldje was komen aanbieden! Met een tranerig verhaal over tegenslag in zaken en over zijn gezondheid. Die met de politie had gedreigd, als hij het niet zou willen terugnemen. Wat moest hij daar achter zoeken? Kon zoiets toeval zijn? Zijn soldaat die in Loverbeek was geplaatst en een klant die daar woonde en die na twee jaar ineens weer in zijn winkel stond? Rachid Faoust geloofde niet in toeval. Hij moest heel die affaire zo spoedig mogelijk tot op het bot uitspitten. Maar dat was geen spek voor de bek van Jahl. Die moest hij gefocust houden op zijn opdracht. Hem niet in de war brengen door over iets anders te beginnen. Plots sprak Faoust stiller. 'De datum ligt vast. Het wordt dinsdag 6 mei.'

Aboe Jahl hield de adem in. Hij was diep onder de indruk van het belang van het moment. De datum lag vast. Die dag zou het gebeuren. Hij voelde vlinders in zijn buik. Net of zijn eerste lief uiteindelijk ja had gezegd voor een allereerste afspraak. Eindelijk zou hij in actie komen! 'Wat moet ik verder nog weten?' Hij fluisterde en sprak traag, zorgvuldig articulerend. 'Welk gebouw is het? Is het in de haven van Antwerpen?'

'Het is een gereputeerde internationale instelling. De hoofdingang, de enige waar je met de auto binnenkomt, ligt op de hoek van een straat... Ik noem over de telefoon liever geen namen', onderbrak Faoust zichzelf. 'Ik heb een plannetje getekend. We moeten elkaar nog een keer ontmoeten. Dan leg ik je alles in detail uit.'

'Dezelfde plaats?'

'Ja. Exact binnen één week. Vijf uur in de namiddag.'

'Goed. Tot dan.'

22

'Dokter Stevens komt zo. Wilt u hier even wachten?' De verpleegster wees met haar kin naar een stel van vier felrode plastic stoelen die in een hoek aan de grond waren vastgeschroefd. Op een bijhorend tafeltje lagen enkele tijdschriften. 'Waarom kan ik niet onmiddellijk naar meneer Taverniers kamer?' Maar terwijl Lut de vraag stelde, wist ze het antwoord. Die verpleegster, die ze hier al enkele keren had ontmoet, keek weg van haar. Het kon niet anders of er moest iets ergs met GT zijn gebeurd. Misschien een nieuwe hartaanval. Aan iets anders wilde ze niet denken.

'De dokter komt zo', herhaalde de verpleegster gelaten. 'Gaat u alstublieft zitten.'

Lut kreeg geen kans op een weerwoord, want dokter Stevens kwam de verpleegsterspost binnenwandelen. Toen hij haar zag, kwam hij met uitgestoken hand op haar toe.

'Mevrouw...' hij wist haar naam niet. Had ze die vroeger wel genoemd? Hij herinnerde zich alleen dat ze geen familie was, dat ze voor zijn patiënt werkte.

'Lutgart Vernimmen.' Ze stond op om hem de hand te drukken.

'Mevrouw Vernimmen, blijft u alstublieft zitten.' Hij nam haar bij de elleboog en duwde haar met zachte drang terug op een van de rode plastic stoelen. Toen nam hij naast haar plaats.

'Hij is dood, hé?'

'Ja.' Stevens keek haar recht in de ogen. Hij wist niet wat te verwachten. Bij familie, nabije familie, volgde soms een hysterische reactie. Vooral bij de vrouwen. Gehuil, geschreeuw. Het was zelfs gebeurd dat ze met hun vuisten op hem begonnen te hameren. Alsof hij – die niet meer dan de boodschapper was – rechtstreeks schuld had aan het overlijden. In dit geval kon hij de dame echter niet plaatsen. Ze werkte voor Tavernier – had gewerkt – verbeterde hij zichzelf. Maar evengoed kon ze sinds lange jaren zijn minnares zijn.

'Wanneer is het gebeurd?'

'Vroeg in de morgen. Net voor het licht werd...' Hij bekeek haar aandachtig. Diep leek Taverniers overlijden haar niet te raken.

'Heeft hij veel pijn gevoeld?' Lutgart Vernimmen stelde de obligate vraag op een toon waaruit nauwelijks interesse sprak. Nadat ze GT de laatste keer was komen opzoeken, had zij er zich bij neergelegd dat haar baas maar weinig kans maakte. De bon vivant van vroeger was nog slechts een schim van zichzelf. Sterk vermagerd, een lege blik in de ogen en verdwaasd door de zware medicatie die hij te slikken kreeg. Nu hij was overleden, voelde ze niet veel. Eigenlijk niets. Ze had vele jaren voor hem gewerkt, dat wel. Maar meer niet. Zelfs het begin van een oprecht vriendschappelijk gesprek kon ze zich niet herinneren. Ze was altijd zijn slaafje geweest. Doen wat hij decreteerde. Nooit betrokken bij het reilen en zeilen van het kantoor. Behalve natuurlijk na zijn eerste hartinfarct. Toen moest hij wel een beroep op haar doen. Toen had hij haar plots nodig.

'Veel pijn...?' Stevens streek door zijn haar. 'Het was zo voorbij. Een nieuwe hartaanval. Wij hebben natuurlijk geprobeerd om hem ook daar weer doorheen te halen. Binnen een minuut kreeg hij elektrische schokken.' Hij trok zijn wenkbrauwen op. 'Maar het heeft niet mogen baten...'

'In elk geval bedankt voor wat u voor hem hebt gedaan.'

'Zijn familie moet worden gewaarschuwd... Die heeft hij toch?' Stevens besefte dat geen enkel familielid ooit naar Tavernier had gevraagd, laat staan hem was komen opzoeken.

Lut hoorde het maar half. De dood van GT raakte haar niet. Angst over hoe het op kantoor verder moest, verdrong iedere andere overweging. Ze dacht aan De Beemden, aan de financiering die nog altijd niet rond was. Ze dacht aan de verkoop van dat ene beeldje, dat de geldproblemen op kantoor tijdelijk had opgelost. Maar het was slechts een kwestie van maanden voor die weer de kop opstaken. Nu GT was overleden, zou het project van de seniorenflats wellicht nooit gerealiseerd worden. Ze herinnerde zich maar al te goed hoe vaak hij had uitgelegd hoe belangrijk De Beemden was voor de toekomst van het immokantoor. Hoe de vette winsten die hij daarmee zou binnenrijven ruim voldoende waren om de financiële situatie van de zaak helemaal ten goede te keren. Lutgart Vernimmen voelde hoe de schrik voor de toekomst zich nestelde in haar maag en haar buik. Zonder GT kwamen al die dingen op haar af. Tenminste, dat zou zo zijn in de komende weken. Het vastgoedkantoor was georganiseerd in de vorm van een bvba met Tavernier als enige aandeelhouder. Nu GT dood was, zouden verre, onbekende erfgenamen opduiken. Wie weet wat die zouden beslissen. Dat bracht haar terug tot de werkelijkheid.

'Ik weet niet of hij familie heeft. Ik bedoel, ik ken niemand...'

'Tja...' Plots begon dokter Stevens' bieper geluid te maken. Geërgerd schakelde hij hem uit.

Intussen voelde Lut hoe de angst in haar zich vermengde met een oplaaiende woede.

'Van Steirteghem heeft hem vermoord...' Ze keek de arts met toegeknepen ogen aan. 'Dat vertelde ik u al. En dat heb ik die politieagent die avond ook met zoveel woorden gezegd.' Ze zat met de knieën stijf dichtgeknepen op de punt van het rode plastic stoeltje. De vrees voor wat de toekomst voor haar in petto hield, maakte dat ze dringend naar de wc moest.

'Tja... U blijft bij uw versie van het gebeurde?'

'Mijn versie?' Ze keek hem verontwaardigd aan. 'Er is maar één versie! Iedereen op kantoor heeft gezien hoe Van Steirteghem GT is komen uitdagen, komen jennen. Hij wilde nota bene De Beemden overkopen! Je moet maar durven. En dat terwijl Van Steirteghem toch ook wist hoe zwaar die eerste hartaanval was.'

Stevens wreef zich opnieuw door de haren. De achtergrond van de affaire kon hem gestolen worden. Dat dorpspolitieke gewriemel, gekruid met financiële overwegingen waarvan hij niets snapte, liet hem koud. Wat niet wilde zeggen dat hij zijn plicht als arts – nu de patiënt overleden was – niet diende na te komen. 'Ik meld de politie een verdacht overlijden. Daar kunt u van op aan. Wellicht doet u er goed aan zo spoedig mogelijk hetzelfde te doen. Nu meneer Tavernier niet meer is, verwacht het gerecht meer van u dan alleen maar wat losse verklaringen tegenover de wijkagent.'

Weer in de buitenlucht en nadat ze een bevrijdende pitsstop had gemaakt in het toilet links in de ontvangsthal van het ziekenhuis, wandelde Lut onzeker naar de halte van de bus die haar naar het station zou brengen. Het besef van GT's overlijden en wat dat voor haar betekende, brandde zich naar boven. Keer op keer probeerde ze die angst voor de toekomst van zich af te zetten, maar telkens wanneer ze dacht dat ze daarin was geslaagd, stak hij weer de kop op. Ten slotte ging ze zitten op een donkergroene bank waarvan de verf was afgebladderd en die was volgepoept met duivenstront. Het was de enige bank in een schriel plantsoentje, waar de kale takken van enkele laagstammige bomen het vele zwerfvuil niet konden verstoppen. Een koude wind maakte dat ze beide handen diep in haar wintermantel stopte. Plots voelde ze tranen. Niet dat ze ten prooi viel aan een late golf van verdriet om het overlijden van haar baas. Nee, het waren tranen van woede en onmacht om het grove onrecht dat haar was aangedaan. Zonder die achterbakse onderkruiper van een Van Steirteghem zou GT nog in leven zijn. Dat was voor haar zelfs niet het begin van een vraag. Dat was een absolute zekerheid. En GT in leven, dat betekende dat De Beemden werd ontwikkeld. De Beemden, dat was garantie op werk. Geen zorgen om de afbetalingen op de woonhypotheek. Geen lastige vragen vanwege die Antwerpenaren die al een hele tijd geleden voorschotten hadden overgemaakt. En nu! Nu zat ze zich hier op die verloederde bank in dit zielige plantsoentje zorgen te maken over van alles en nog wat. Ze realiseerde zich dat het gewicht van het kantoor helemaal op haar schouders rustte. Zij had de handtekening op de rekeningen, zij gaf zo goed en zo kwaad als mogelijk leiding aan de andere medewerkers. Bovendien, wat zouden de nieuwe aandeelhouders beslissen? Stel dat die er niet waren, dat Tavernier helemaal geen familie had, wat stond er dan te gebeuren? Nog iets om zich ongerust over te maken. Lutgart Vernimmen beet op haar onderlip. Dankzij de verkoop van dat onnozele antieke beeldje waren er op dit ogenblik geen financiële problemen. Maar ze wist goed genoeg hoe lang die 90.000

dollar zouden meegaan. Als ze rekening hield met de aflossingen op het geflopte project in Dendermonde en met de salarisbetalingen en de zware sociale lasten, dan was dat geld binnen twee maanden opgesoupeerd. Misschien dat tegen die tijd de nieuwe aandeelhouders – wie dat ook mochten zijn – van zich lieten horen. Maar bestonden die wel? GT had nooit, *never, jamais*, iets gezegd over familie. Zelfs verre neven of tantes leek hij niet te hebben.

Een kloppende hoofdpijn deed haar gedachten haperen. Vaag begon ze na te denken over de onafwendbaarheid van een faillissement, maar ze kon dat denkspoor niet lang vasthouden. Telkens opnieuw kwam ze bij haar uitgangspunt terecht. Was Van Steirteghem net voor eerste kerstdag niet komen opdagen om GT het bloed van onder de nagels te pesten, dan zou haar baas nog leven. Daarstraks had ze boudweg verklaard dat de Boskabouter Tavernier had vermoord. Zij en haar drie collega's waren daarvan getuige. Welnu, ze zou doen wat Stevens had gesuggereerd. Naar de politie stappen en de smerige rol van Van Steirteghem zwaar in de verf zetten. Dat ventje zou boeten voor wat hij had uitgespookt. Voor wat hij haar had aangedaan.

23

Met een afwezige blik op zijn flatscreen, waarop een RTBF-nieuwslezer te zien was en met een tot aan de rand gevuld glas vers sinaasappelsap in de rechterhand, dacht Faoust na over het onwaarschijnlijke toeval dat maakte dat zowel Jahl als de verkoper van dat ene Sumerische beeldje in Loverbeek woonden. De avond was een uur geleden gevallen en hij had alleen de lage schemerlamp aangestoken, waardoor de kamer in zachte, gouden kleuren baadde. Een ideale omgeving om over zulke dingen na te denken. Om tot besluiten te komen.

Hoe had hij eigenlijk die vent – Tavernier heette hij – ook weer ontmoet? Rachid Faoust liet de film van zijn eerste transport vanuit Libanon terugspelen. Hij herinnerde zich hoe hij met één enkel beeldje in zijn handbagage en met knikkende knieën in Zaventem door de douanecontrole was gewandeld. Later had hij in de weekendeditie van de grootste Belgische kranten een onopvallende advertentie geplaatst om te melden dat hij een uniek oud-Sumerisch meesterwerkje te koop had. Een vijftal mensen had gereageerd. Vier had hij die eerste keer moeten ontgoochelen, waaronder die vent uit Loverbeek. Maar dat die in dat boerengat woonde, dat wist hij toen natuurlijk nog niet. Toen hij van zijn volgende trip naar Libanon twee statuettes meebracht, had hij geen advertentie meer geplaatst. Contact opnemen met de geïnteresseerden van het eerste uur had volstaan om veel geld te pakken. Geld dat in zijn inbouwkluisje verdween in afwachting van de eerste grote operatie.

Faoust nipte aan het sap en plaatste het glas bedachtzaam op een tijdschrift op het lage salontafeltje. Tavernier had meer dan eens bij hem gekocht. En net zoals de anderen had hij altijd zonder aarzelen de gevraagde prijs betaald. Zelf hield hij om evidente redenen geen boekhouding bij van de verkoop van de gestolen beeldjes. Maar hij dacht dat Tavernier er misschien wel tien had afgenomen. Tot zowat twee jaar geleden. Toen het opnieuw zijn beurt was om bediend te worden, had hij gepast. Zonder een woord uitleg. Ook een tweede gelegenheid had de man aan zich voorbij laten gaan. Een derde keer had Faoust hem niet meer gebeld. Er waren genoeg gegadigden. En nu dook die vent weer op, maar als verkoper. Op zich betekende het misschien niet veel. Wellicht overdreef hij. Maar hij kon het simpele feit niet negeren dat Jahl ook in Loverbeek verbleef. De missie van zijn soldaat moest beschermd worden, moest doorgaan. Ieder risico diende geneutraliseerd te worden voor het een gevaar kon worden.

Hij reikte naar zijn matzwarte Nokia die binnen handbereik op het salontafeltje lag. De telefoonnummers van zijn antiekklanten hield hij bij in een afzonderlijk bestand. Meteen vond hij het nummer van Tavernier. Een mobiel nummer dat begon met 0475. Hij bekeek ook de andere nummers. Twee hadden een vast nummer opgegeven, één in zone 02, het ander in zone 058. De overige waren ook nummers van mobieltjes. Rachid Faoust besefte dat hij zijn klanten nauwelijks kende. Hij had dat ook nooit anders gewild. Hen de beeldjes in handen duwen, de bankjes in ontvangst nemen. Hij glimlachte scheef. Nooit was het de bedoeling om sociaal contact met de kopers aan te gaan. Snelle zaken doen, in de grootst mogelijke anonimiteit, daar kwam het op aan. Maar nu vroeg hij zich af of dat wel de goede aanpak was. Tenslotte wist hij niet aan wie hij verkocht. Terwijl hij nadacht, streek hij met de punt van zijn tong traag over zijn lippen. Discretie, de grootst mogelijke discretie, was voor de handel in gestolen antiek een noodzakelijke voorwaarde. En hij moest toegeven dat hij tot nog toe van de kant van de kopers geen enkel probleem had ondervonden. Het waren kenners, welgestelde kunstliefhebbers die voor hun privécollectie kochten. Tot voor kort plakte hij datzelfde etiket op Tavernier. Maar nu had die vent hem gedwongen een stuk weer in te kopen. Nu wist hij dat hij in Loverbeek woonde, dezelfde plek waar ook Jahl verbleef.

Faoust baalde. Het kon allemaal toeval zijn, maar het leek zo verdomd onwaarschijnlijk. Hij vermoedde dat er meer achter zat. Hij kon het niet geloven, maar stel dat Tavernier iets over Jahl te weten was gekomen. Stel dat hij Jahl met de moord op die OCMW-hoer in verband kon brengen... Faoust greep naar zijn glas en nam een flinke slok. Zijn motto indachtig dat risico's er waren om geëlimineerd te worden, lag het besluit voor de hand. Hij moest niet wachten tot die zak zich opnieuw in zijn winkel liet zien met wie weet wat voor nieuwe idiote eisen. Nee, hij moest vooruit denken. Zelf het initiatief nemen. Uitvissen waar die man in Loverbeek woonde. Of hij werkelijk een gevaar voor Aboe Jahl was en dus voor de aanslag op SWIFT. Faoust toetste op zijn mobieltje 1207 in, de inlichtingendienst van Belgacom. Hij wilde aan de hand van het telefoonnummer van Tavernier zijn adres achterhalen. Hij hoopte dat het niet geheim was. Dat bleek gelukkig niet zo. Maar groot was zijn verbazing toen een vriendelijke operator hem meldde dat het nummer niet zo lang geleden was opgezegd. Onmiddellijk sprongen bij Faoust alle gevaarlichten op rood. Bij Allah! Wat had dat te betekenen? Waarom had die achterbakse hond zijn nummer geschrapt? Slechter nieuws kon hij niet bedenken. Een koude rilling trok over zijn lijf. Zat de Staatsveiligheid hem op de hielen? Was die Tavernier één van hen? Of werkte hij sinds kort in opdracht van die ratten? Rachid Faoust sloot de ogen en probeerde die gedachten, de ene al verschrikkelijker dan de andere, van zich af te zetten. Hij moest zijn kalmte herwinnen. Het juiste perspectief bewaren. Hij greep naar het glas sinaasappelsap en dronk het gulzig leeg. Het enige wat hij kon doen, was meer te weten komen over die Tavernier. Misschien zag hij spoken. Misschien bestond er een aannemelijke uitleg voor het opzeggen van dat nummer en voor het bezoek van Tavernier aan zijn zaak. Er zat maar één ding op: zelf op onderzoek gaan om te ontdekken hoe de vork in de steel zat. De aanval op SWIFT mocht niet het minste gevaar lopen. Die moest slagen!

24

'Zou toch niet mogen, hé Karel...' Rechercheur Van Walle-ghem van de gedecentraliseerde federale gerechtelijke politie, directie Dendermonde, draaide de op A4-formaat afgedrukte kleurenfoto's één voor één langzaam om. 'Ben jij daar weer! Herlees liever het verslag van de wets-dokter. Dat is nuttiger dan je ogen te verslijten op die foto's. Die vertellen ons toch niks meer.'

'Zelfs dood zie je dat dit een mooie vrouw was.' Er klonk spijt door in Toine Van Walleghems stem. Hij klopte de foto's samen en legde ze voorzichtig, als in een laatste eer-betoon, op de rechterhoek van de tafel.

'Werken op de afdeling moordzaken resulteert bij jou duidelijk in morbide afwijkingen. Weet je dat er een woord bestaat voor het kicken op lijken? Necrofilie, is dat. Dat is een seksuele afwijking waarvoor je dringend psychiatrische hulp nodig hebt. Man toch!' Karel Janssens, net vijftig en commissaris bij de gerechtelijke politie van Dendermonde, kreeg het op zijn heupen. Maar niet alleen van het gedoe van zijn medewerker. Dat verdomde dossier schoot niet op. 'Als het je hier niet bevalt, heb je keuze te over. Er zijn in-terne vacatures in overvloed. En er zijn genoeg mensen die graag op jouw stoel willen zitten.'

'Sorry, chef.' Uit ervaring wist Toine dat hij zich het best zo klein mogelijk maakte en bij wijze van spreken één werd met het vale behang als de baas in een rotstemming was. Het liefst wilde hij zo snel mogelijk verdwijnen naar de kamer die hij deelde met drie andere rechercheurs. Maar hij was voor iets anders dan de foto's de werkkamer van zijn chef binnengewandeld. 'Ga je buiten eten of wordt het een broodje?'

'Ik heb een broodje gezond besteld.'

'Dan blijf je dus hier...'

'Godverdomme, Van Walleghem, ben je vanmorgen achterlijk wakker geworden of zo? Als ik zeg dat ik een broodje heb besteld, ga ik toch niet buiten eten!' Janssens' ogen vonkten. Hij kon het niet hebben dat een medewerker blijk gaf van domheid. De politie kreeg al genoeg verwijten in die richting. Van de zenuwen en uit gewoonte voelde hij of zijn strikje recht zat. Hij was op dat vlak een onvoorwaardelijke supporter van Elio di Rupo, de voorzitter van de Parti Socialiste, die ook nooit zonder rondliep. Maar daar hield iedere overeenkomst op. Ik ben weliswaar een flik, maar geen flikker, was de geijkte uitspraak van de commissaris als hem voor de zoveelste keer voor de voeten werd geworpen dat hij di Rupo imiteerde.

'Sorry, chef', echode Van Walleghem. Hij overwoog of hij het kon maken bij de Italiaan te gaan eten en Janssens met zijn rothumeur achter te laten. Als hij verdween, zou het er voor de rest van de dag niet plezieriger op worden. Maar toen dacht hij aan die blonde serveerster die daar sinds enkele weken in dienst was. Ze had hem de laatste keer heel aanmoedigend toegelachen. En uiteraard had hij zijn arsenaal van charmewapens niet ongebruikt gelaten. Hij dacht dat, indien hij daar vandaag weer een pizza ging eten, er een afspraakje inzat. 'Ik ben op zijn laatst tegen halftwee terug.'

'Alsof ik niet weet dat je dat blonde stuk op het oog hebt. Ik ben rechercheur en met veel meer ervaring dan jij!' Hij lachte zijn medewerker schijnbaar welwillend toe. 'Ik blijf wel op post om verder te roeren in die moordzaak in Loverbeek.'

Toine Van Walleghem besefte opgelucht dat de bui over was. Hoewel. 'Ik blijf vanavond langer. Dan kunnen we samen alles nog een keer overlopen.'

'Het is al goed. Ga je nieuwe lief maar versieren.' Karel Janssens glimlachte stijf. Het was niet omdat hij de man af en toe de huid vol schold, dat hij Toine niet mocht. Hij werkte bijna vijf jaar met hem op de afdeling Moordzaken in Dendermonde. Eigenlijk sinds de politiehervorming. Hij had hem leren waarderen als een secure rechercheur die – eenmaal iets op het spoor – niet meer losliet. Daarin herkende hij zichzelf van dertig jaar geleden. Toen was hij de jonge Turk die, nauwelijks droog achter de oren, de zwaarste misdaden ging oplossen. Dat idealisme, dat hijzelf intussen kwijt was, vond hij bij Van Walleghem terug. Hij twijfelde er niet aan dat Toine voorbestemd was voor een carrière met hoofdletter bij de gerechtelijke politie. Alleen zijn zwak voor vrouwelijk schoon speelde hem soms parten. Zoals nu. Voor de buitenwereld leek hij geconcentreerd de foto's van het lijk van Arlette Lepoutre te bestuderen. Maar in plaats van te focussen op een detail dat hen tot nog toe misschien was ontgaan, braakte hij zever over hoe mooi die vrouw wel was. Ergerlijk, want kinderachtig en niet professioneel.

'Tot straks dan.' Met de staart tussen de benen glipte Toine de kamer uit.

'Hm.'

Het dossier van de moord op Arlette Lepoutre lag verspreid over zijn brede werktafel. Het omvatte intussen een heuse collectie gekleurde mappen. Getuigenverklaringen. Pv's over de paar huiszoekingen. Resultaten van het forensisch onderzoek. Een map met de correspondentie tussen hemzelf en de onderzoeksrechter. Janssens keek met een diepe zucht op zijn polshorloge. Tien over twaalf. Zijn broodje kon ieder ogenblik arriveren. Hij voelde of zijn strikje goed zat en reikte toen naar een maagdelijk wit blad. Alles nog eens op een rijtje zetten, had Toine het genoemd. Voor de hoeveelste keer? Hij trommelde met zijn balpen een ongeduldig melodietje op het bureaublad. De moord op Arlette Lepoutre was zo een van die lastige dossiers die om het paar jaar bij hem terechtkwamen. Eerst leek alles voor de hand te liggen. Een passioneel drama. Haar vriendje had haar om een of andere reden omgebracht. Overigens, de meeste moorden gebeurden uit hartstocht, niet uit hebzucht. Een bedrogen echtgenoot, een oudere vrouw die verliefd wordt op een jonge vent en daarom van haar man af wil waarmee ze al twintig jaar is getrouwd... Maar al vlug bleek in dit dossier de waarheid anders te zijn. Wat de échte waarheid was, dat wist hij niet. Nog niet. Maar dat haar vriendje haar niet had vermoord, dat stond intussen vast als een paal boven water. Die had een alibi waar je de Eiffeltoren op kon bouwen.

'Ne smos voor meneer de commissaris!' De deur vloog open en een agent gooide het in een servet verpakte broodje zowat voor zijn neus neer.

'Gaat het een beetje!' Maar de man was al weg. Karel Janssens zuchtte en draaide zich naar achter om uit zijn boekentas zijn thermosfles te pakken. Hij kon het spul dat hier uit een automaat stroomde nauwelijks drinken. Dat was geen koffie. Je kon weliswaar in alle combinaties kiezen tussen zwart, met melk, met suiker, groot en klein. Maar uit datzelfde plastic buisje stroomde ook hete chocomelk en tomatensoep. Alleen de idee dat zijn geliefkoosde drank in de buik van die machine op eenzelfde manier werd klaargemaakt als al die andere hete troep, was te veel. Zorgvuldig draaide hij de afsluitdop los, plaatste die omgekeerd op tafel en schonk zich een kop in. Hete damp kringelde traag naar boven. Hij trok het elastiek van het broodje gezond, legde het servet uitgespreid op tafel en nam een grote hap, er zorg voor dragend dat er geen kruimels op een vel uit het dossier terechtkwamen.

Haar vriendje had het dus niet gedaan, maar wie dan wel? Terwijl hij ongegeneerd smakte, dacht Karel Janssens aan de laatste ontwikkelingen. De brief die het slachtoffer enkele dagen voor haar dood aan haar moeder had gericht waarin ze een van de plaatselijke potentaten zwaar beschuldigde, wierp natuurlijk een compleet nieuw licht op de zaak. Hoe heette die man ook alweer? Hij verschoof enkele papieren tot hij de brief van Arlette voor zich had liggen. Van Steirteghem, las hij van de gele Post-it die aan de brief kleefde. Ja, nu wist hij het weer. Sinds de laatste gemeenteraadsverkiezingen was die de voorzitter van het OCMW van Loverbeek. Of all places! schamperde hij. Niet dat per definitie moord in zo'n dorp was uitgesloten, maar in het gerechtelijke arrondissement Dendermonde gebeurden de meeste kapitale misdaden in steden als Aalst of Sint-Niklaas. *Loverbeek, parel van het Waasland.* Hij glimlachte bij de herinnering aan het bord dat de dorpskern aankondigde, toen hij de eerste keer ter plekke kwam. Hij dacht met minder plezier terug aan de absolute ramp die de lokale politie had aangericht. Niet alleen was door de zware regenval het meeste bewijsmateriaal weggespoeld, maar die heren hadden als olifanten in een porseleinkast op de meest onbenullige wijze de plaats van het delict verstoord. Bovendien was het lijk door een knaap ontdekt die er niets beters op had gevonden dan met een twijg in de kleren van de dode te poken. Commissaris Janssens veegde met een snel gebaar de kruimels van zijn mond, plooide het servet bijeen en deponeerde het in het zwarte plastic vuilnisbakje onder zijn bureau. Hij schonk zich nog een kop koffie in, strekte wijd zijn armen en benen en liet ten slotte een luide boer. Het sein om zich met hernieuwde energie op het dossier Lepoutre te storten.

Het feit dat een politieke figuur – weliswaar van plaatselijk formaat – zo duidelijk door het slachtoffer was genoemd, maakte het hele dossier natuurlijk een stuk interessanter. Of pikanter, zoals mevrouw de onderzoeksrechter dat zo toepasselijk omschreef. Want als hij voordien, na het noodgedwongen schrappen van haar verloofde als mogelijke dader, moeite had om een motief voor de misdaad te vinden, dan was dit met die brief geen probleem meer. Die Van Steirteghem had het slachtoffer misbruikt, herhaaldelijk misbruikt. Tenminste, dat beweerde Arlette Lepoutre. Want de man zelf ontkende in alle toonaarden. Niet dat hij niet toegaf dat hij een relatie met haar had – uiteraard met haar volledige instemming – maar moord! Nee, hoe kon de politie zo stom zijn dat te denken. Gek genoeg geloofde Janssens hem. Hij had hem twee keer langdurig ondervraagd zonder dat hij Van Steirteghem op zelfs maar de minste fout kon betrappen. Hij was weliswaar een driftkop die om de haverklap rood aanliep en zijn zelfbeheersing verloor. Niettemin, toen de onderzoeksrechter voorstelde om hem aan te houden op basis van alleen maar de achtergelaten brief van het slachtoffer, had hij haar dat uit het hoofd gepraat. Misschien waren de voorzitter van het plaatselijke OCMW en die Arlette Lepoutre minnaars... Hij dacht aan de foto's van de overledene. Toine had gelijk. Ze was een mooie, jonge vrouw. Zou zo iemand het aanleggen met een figuur als Van Steirteghem? Een ventje als buskruit dat er zelfs van ver niet aantrekkelijk uitzag. Maar anderzijds betekende dat niets. Uit ervaring wist hij dat de gekste combinaties mogelijk waren. Als er ergens maar enig belang in het spel was. Een oude, verlepte man met veel geld die pronkte met een vamp van twintig of een kerel in de fleur van zijn leven die zogezegd verliefd was op een trien van boven de zeventig... Alles kon, alles mocht. Had Van Steirteghem haar misschien een stevige promotie beloofd? Bovendien zat die man in de bouw. Zwart geld zou wel geen probleem zijn. Dat Van Steirteghem en het slachtoffer een relatie hadden, dat was een feit, herhaalde Janssens bij zichzelf. Dat had haar verloofde trouwens ook vastgesteld, toen hij beiden op een avond vol passie had zien vrijen op kantoor. Bovendien op haar werktafel. De brief van Arlette aan haar moeder paste daarom van geen kanten in het plaatje. Waarom zou zij een verhaal opdissen over herhaald misbruik als ze zelf maar al te graag meedeed? De commissaris dacht aan het antecedentenonderzoek. Dat lag hier ook ergens op tafel, maar hij hoefde die map niet open te slaan om zich te herinneren dat Arlette een liederlijk verleden had. Dat ze niet vies was van overdreven mannelijke aandacht. Buiten die achtergelaten brief was er eenvoudigweg geen rechtstreeks bewijs tegen Van Steirteghem. Bovendien had zijn echtgenote verklaard dat hij die avond de deur niet uit was geweest. Heel de tijd tv gekeken. Echtgenoten waren per definitie niet te vertrouwen, maar ook hier volgde Karel Janssens zijn intuïtie. Die vrouw had niet gelogen, dat vertelden hem die lange jaren van verhoren en ondervragingen. Ten slotte had het DNA-onderzoek niets opgeleverd. Maar dat was te verwachten met die zware regenval tijdens en na de moord.

Van Steirteghem had Arlette Lepoutre misschien niet vermoord, maar dat belette niet dat een andere dode met de voorzitter van het plaatselijke OCMW in verband werd gebracht. Waar had hij die stukken ook weer gelegd? De commissaris schoof enkele stapels papier heen en weer, stond op om op de tafel in de hoek te kijken en vond uiteindelijk wat hij zocht verborgen onder de map met de verslagen van de wetsdokter. Het waren twee velletjes, twee pv's, enkele dagen geleden opgesteld. Het ene bevatte de verklaring van iemand uit Loverbeek die haar baas door een hartaanval had verloren. Hij las het stuk, dat hij al kende, vlug door. Ene Lutgart Vernimmen beweerde zonder omwegen dat Van Steirteghem de dood van haar werkgever, Guido Tavernier, op zijn geweten had. Hij zou de man hebben uitgedaagd, terwijl hij wist dat hij een zwaar hartpatiënt was. Toen Tavernier de hartaanval kreeg, die uiteindelijk het begin van het einde betekende, had hij geprobeerd in alle stilte de plaat te poetsen. Dat zou bevestigd zijn door een agent van de plaatselijke politie, maar dat pv was tot nog toe onvindbaar. Tot slot noemde Vernimmen haar collega's als getuigen. Het andere proces-verbaal was veel korter. Het betrof een verklaring van dokter Stevens van de dienst intensieve zorgen van het Stedelijk Ziekenhuis van Sint-Niklaas, die aangifte deed van een verdacht overlijden.

Karel Janssens ging weer zitten, streek zich nadenkend door het haar en voelde of zijn vlinderdasje recht zat. Hij keek verstoord op zijn polshorloge omdat hij vond dat Van Walleghem te lang wegbleef. Maar het was pas tien voor één. Zijn balpen zweefde besluiteloos over het vel papier dat al de hele tijd voor hem lag. Buiten enkele Mickey Mouseachtige figuurtjes in de marge, had hij niets opgeschreven. Hij baalde. Strikt genomen kende Loverbeek twee verdachte overlijdens. Het ene was overduidelijk moord. Een vrouw was vakkundig doodgestoken. Een vrouw die een relatie had met Van Steirteghem. De andere dode was technisch gezien niet vermoord, maar gestorven aan een hartaanval. Maar ook daar dook Van Steirteghem op. Iemand die niets van doen had met Arlette Lepoutre, die geen enkel belang had om de man zomaar te beschuldigen, beweerde dat Van Steirteghem haar baas had gedood. Met woorden. Van Steirteghem, Van Steirteghem... Die naam bleef maar terugkomen. Zou er een verband bestaan tussen de moord en het verdachte overlijden? Een verband dat hij niet zag? Maar zo groot was Loverbeek niet. Hij vermoedde onderliggende spanningen, ontspoorde dorpspolitiek, wilde relaties die de hartstocht hoog deden oplaaien... Was die Arlette Lepoutre misschien de minnares van beide ouwe snoepers? Die gedachte deed de balpen in Janssens' hand trillen. Hij mocht niet vergeten dat die vrouw ook een abortus had ondergaan. Dat stond klaar en duidelijk in het autopsierapport. En dan nog een slecht uitgevoerde. Wie was verduiveld de vader van dat kind? Van Steirteghem? Tavernier? Hij zuchtte. Er zat niets anders op dan de voorzitter van het OCMW van Loverbeek opnieuw op de rooster te leggen. En hij moest de medewerkers van Tavernier verhoren. Misschien wisten die meer dan die Lutgart Vernimmen. En straks, als Toine terug was van zijn romantische expeditie, moesten ze die nieuwe sporen samen verkennen. Twee weten immers meer dan één.

25

Same time, same place, had zijn contactpersoon gezegd. Maar waar bleef die dan? Net als enkele maanden geleden leunde Aboe Jahl tegen de kiosk met NMBS-dienstmededelingen in het Zuidstation te Brussel, in de onmiddellijke buurt van hetzelfde café. Ditmaal zonder *Financial Times* of donkere zonnebril. Hij keek geërgerd op zijn namaak Rolex-polshorloge. Dat had hij daarnet op straat voor 15 euro gekocht. Het was een exemplaar met een chronometer en veel nep witgoud. Maar tot nog toe werkte het. Hij droeg het losjes om de pols zodat het hem eigenlijk heel de tijd hinderde, maar dat had het voordeel dat iedereen kon zien wat een machtig instrument hij om had. Het was de enige uitspatting die hij zich sinds zijn aankomst in België had veroorloofd. Terwijl hij zenuwachtig in zijn handen wreef en zich klaarmaakte om zijn kleinood voor de zoveelste keer te raadplegen, voelde hij plots een hand op zijn schouder. Snel draaide hij zich om en keek in de strenge ogen van de man die hij kende van hun vorige ontmoeting. Opnieuw had hij die niet zien of horen aankomen.

'Je bent te laat', was daarom zijn bitse reactie.

'Ik ben een voorzichtig iemand', repliceerde Rachid Faoust beheerst, maar zijn ogen schoten vuur. Een soldaat had geen opmerkingen te maken.

De ander begreep de stille boodschap meteen. 'Het is de spanning. Nu de datum vastligt...'

'Kom, laten we de stationshal op en neer wandelen. Wij vallen op die manier minder op dan zoals vorige keer hier te blijven staan.' Hij troonde Aboe Jahl onopvallend bij de elleboog mee. Een flauwe glimlach speelde om zijn mondhoeken. Vorige keer vermoedde hij dat vele voorbijgangers dachten dat ze een homokoppel waren. Of beter, dat hij – een Belg met veel geld – een mannelijke hoer had aangesproken. Toen had hij dat vervelend gevonden. Maar nu stoorde hem dat niet. Hij, een rijke zak, goedgekleed en duidelijk ouder, die een arme, jonge prostitué had opgepikt en meetroonde naar een klef hotelletje niet ver uit de buurt. Er bestonden slechtere dekmantels.

'Je noemde dinsdag 6 mei...'
'Ja. Dat is de dag.'
Ze zwegen en liepen enkele tellen naast elkaar, allebei bezig met hun eigen gedachten. Aboe Jahl voelde hoe de zenuwachtige opwinding zich weer in zijn buik nestelde. Het was nog twee maanden voor hij zou toeslaan, maar precies deze tijd beloofde de mooiste uit zijn leven te worden. Het is weinig mensen gegeven het ogenblik van hun ultieme glorie en vervulling bij voorbaat te kennen, speelde het door zijn hoofd. Het geluk dat mij toevalt, is zo uitzonderlijk dat ik het nauwelijks kan vatten. Aboe Jahl deed moeite om niet over zijn hele lijf te gaan beven. Hij voelde een geweldige aandrang om zich op zijn knieën te laten vallen om tot Allah te bidden. Om Hem te danken dat hij was uitverkoren. Dat hij straks – al over twee maanden! – een martelaar zou zijn, dat het Paradijs vol heerlijkheden hem wenkte, was een wetenschap die bijna te zwaar om te dragen was. Van opwinding begon hij licht te hijgen. Zweet stond op zijn voorhoofd.
'Ik loop toch niet te snel?' Rachid Faoust begon trager te

lopen en manoeuvreerde zijn soldaat naar de kant van de hal in de schaduw van een aantal grote aankondigingsborden waar het wat minder druk was. 'Je voelt je toch goed?' Hij bekeek Jahl vol achterdocht. 'Je hebt van mijn centen toch geen drugs gekocht?'

'Het is het belang van wat we gaan doen. De hele wereld zal vol respect naar onze heldendaad opkijken.' Zijn stem beefde. Klonk onvast. 'Allah is in mij... In iedere vezel van mijn lijf. Ik voel mij vol van blijdschap, van geluk. Voor wat ik voor Hem ga doen...'

Faoust bekeek zijn soldaat met gemengde gevoelens. Motivatie was nodig en noodzakelijk en beide waren ontegensprekelijk in ruime mate bij Aboe Jahl aanwezig. Maar de man mocht niet flippen. Hij moest gewoon uitvoeren wat van hem werd verwacht en dus niet de pedalen verliezen. 'Wij dienen Hem allebei en zijn allebei dankbaar voor wat we voor Hem kunnen doen.' Het klonk als iets dat een imam zou zeggen en al betekende het op zich niet veel, die enkele woorden leken Aboe Jahl terug op deze aarde te brengen. Hij haalde een paar keer diep adem, zocht in de zakken van zijn spijkerbroek naar een zakdoek en depte met dat vuile vod voorzichtig zijn voorhoofd. Rachid Faoust spiedde intussen de omgeving af op zoek naar personen die hen misschien in het oog hielden. Maar het enige wat hij zag, waren mensen die zich naar hun bestemming spoedden, de ene al gehaaster dan de andere. De kust was veilig.

'Kom, we gaan daar op die bank zitten.' Hij wees naar een donkergrijze, glanzende bank uit kunststof die tegen de muur stond, niet ver van hen vandaan. Zijn soldaat volgde hem gedwee. Toen ze zaten, was het of ze zich op een eilandje bevonden, afgeschermd van de grote drukte in de stationshal. De grote borden met dienstregelingen fungeerden als golfbrekers die de mensenmassa op afstand hielden. Tien meter rond de bank was er niemand. Een betere plaats in het station om de plannen van de aanslag verder te bespreken was moeilijk denkbaar. Faoust dook in de linkerbinnenzak van zijn jasje – zoals bij de vorige gelegenheid had hij zijn winterjas in de auto in de parkeergarage achtergelaten – en haalde er een in tweeën gevouwen, licht verfrommeld A4'tje uit. 'Dit is het plannetje waar ik het over had.'

Aboe Jahl nam het papier over en vouwde het plechtig open. Hij las de naam die in grote letters bovenaan stond vermeld. 'Ah... SWIFT? Wat is dat?' Die letters zegden hem absoluut niets. Nog nooit had hij van zoiets gehoord.

Faoust keek hem minzaam aan. 'SWIFT is een instelling die het grootste deel van het internationale betalingsverkeer organiseert. Het zenuwcentrum van het wereldwijde geldverkeer.'

'Zo... Waarom dat bedrijf? Waarom niet iets wat meer internationale weerklank geniet? Een gebouw van de Europese Unie, bijvoorbeeld?' Er klonk ontgoocheling in zijn stem. Hij wilde graag martelaar worden, maar dan in het kader van een operatie met een mondiale weerklank. Niet die... bank!

'Je praat als een kip zonder kop. Ten eerste is de selectie van het doel niet jouw probleem. Anderen, die veel beter op de hoogte zijn, hebben SWIFT gekozen. Ten tweede...' Faoust keek zijn soldaat strak in de ogen, '...is SWIFT een uitstekende keus. Je moet je voorstellen wat het betekent als het op wereldvlak plots onmogelijk wordt om nog financiële transacties te doen. En dat niet gedurende enkele uren, maar dagenlang. Handelsstromen vallen stil. Banken raken in moeilijkheden. De ontwrichting zal gigantisch zijn. Bovendien geeft die instelling op een systematische manier informatie door over zogezegd verdachte geldstromen. Aan de

Amerikaanse geheime diensten en aan hun zionistische hielenlikkers.' Hij moest de motivatie van zijn soldaat op zenit houden.

'Zo had ik het niet bekeken...' Economie liet hem koud. Als egyptoloog en islamstrijder keek hij neer op mensen die handeldreven. Dat was hem veel te wereldlijk, veel te banaal. Maar het simpele gegeven dat die instelling met de Amerikaanse duivels samenspande, maakte veel goed.

'De impact van een actie wordt niet alleen gemeten aan het aantal doden dat ze oplevert', doceerde Faoust toen hij merkte dat Aboe Jahl nog niet helemaal was overtuigd. 'Neem nu 11 september. Een mijlpaal in onze vrijheidsstrijd. De grootste overwinning ooit door de islam geboekt op die verderfelijke insecten. Zegt men.' Het klonk respectloos.

'Wat bedoel je?' De verontwaardiging droop van Aboe Jahls woorden.

'Er zijn inderdaad veel doden gevallen. Drieduizend, vierduizend. Maar dat maakt niet uit. De Amerikaanse economie werd door die aanval nauwelijks geraakt. Integendeel. De Amerikanen zijn als gekken beginnen te consumeren, hebben auto's gekocht die ze niet nodig hadden, allerlei andere overbodige uitgaven gedaan. De bedrijven die in de Twin Towers waren gevestigd, waren enkele dagen na de aanval al weer aan het werk. Op een andere plaats, met ander personeel, maar weer aan het werk.'

'Ik begrijp wat je bedoelt.'

'Maar laat ik je geruststellen. SWIFT opblazen zal ook een belangrijke tol aan mensenlevens eisen. Ik schat zo'n honderd. Dat alleen al zal de wereldpers halen. Herinner je Madrid, die treinstellen. Iedere krant op aarde, ieder tv- en radiostation had het erover. Met SWIFT wordt het niet anders. Je zult wereldberoemd zijn...'

Langzaamaan herkreeg het gezicht van zijn soldaat de verheven uitdrukking van tevoren. Zijn daad van opperste opoffering zou ook op dat vlak opzien baren. 'Ik heb mijn afscheidsbrief al in mijn hoofd', sprak hij plechtig. 'Al onze broeders moeten weten dat ik het ben die de bomauto heeft bestuurd.'

Als er maar voldoende doden vallen, dacht Rachid Faoust sarcastisch bij zichzelf. De man is niet dom, maar hij ziet gewoon niet in dat zijn daad het westen in zijn financiële hart zal treffen. En voor het overige... Zijn soldaat mocht de details van zijn tweede, parallelle aanvalsplan niet kennen. De SWIFT-computers bevonden zich diep in het gebouw, in de kelder. Met een bomauto kon je die geen schade toebrengen. Maar met de badge die hij van die Deense slet ging stelen, was het een koud kunstje om bij die apparatuur te komen. Maar genoeg daarover. Hij moest Aboe Jahl verder inlichten. 'Je kent dus de datum, je kent het doelwit en op het plannetje staat ook het adres vermeld. Zie je? Rue Adèle nummer 1 in Terhulpen, ten zuiden van Brussel.'

'Duidelijk. Ik veronderstel dat ik eerst weer op verkenning moet, net zoals in de haven van Antwerpen?'

'Je begint het te leren. Ja. Ik ben zelf ook al een aantal keren de omgeving gaan scannen. De hoofdingang is gelegen op de hoek van de rue Adèle en een drukke hoofdstraat. Je moet zelf ter plekke gaan kijken, maar eigenlijk wijst alles zichzelf uit.' Faoust haalde een balpen uit zijn binnenzak en wees naar de vette streep die hij over de volle breedte van het A4'tje had getekend. 'Je komt van het centrum van Terhulpen aangereden. Dat is je aanvalsrichting. Op de hoofdstraat kun je aardig wat snelheid maken. Zoals ik zei, ligt de hoofdingang op de kruising van die straat met de rue Adèle.' Nu bleef zijn balpen bij de kruising zweven. 'Er is natuurlijk een slagboom en toegangscontrole, maar merkwaardigerwijs bevindt die zich zowat 100 m op de SWIFT-terreinen. Je kunt je snelheid dus nog wat opvoeren...'

Aboe Jahl bestudeerde nauwgezet het plannetje. 'De verhoudingen kloppen?'

'Ja.'

'Hoe is de topografie?'

'Wat bedoel je?' Het klonk bits. Faoust haatte het wanneer een strijder woorden gebruikte die hij niet snapte.

Een superieure glimlach krulde Aboe Jahls lippen. 'Sorry. Ik vroeg mij af of het terrein vlak is of niet.'

Faoust schokschouderde. 'Van het centrum van Terhulpen – de hoofdstraat dus – naar de kruising met de rue Adèle, is licht dalend. De rue Adèle zelf gaat flink naar beneden, maar dat doet er verder niet toe. Die moet je hoe dan ook niet in. Opgelet. Als je eenmaal op het SWIFT-terrein bent, helt de weg naar boven.'

'Hm. Het is inderdaad beter dat ik zelf enkele keren op verkenning ga.' Aboe Jahl was nu weer volop de technicus die in Libanon tijdens de Israëlische inval in de zomer van 2006 enkele geslaagde bomaanslagen had gepleegd. Zijn godsdienstige pathos van daarnet had hij opgeborgen.

Faoust knikte goedkeurend. 'Ik zei al dat je dat moest doen. Je rijdt toch met een onopvallende auto?'

'Ja. Een witte Renault Kangoo. Heeft ons bijna vijfduizend gekost.'

'Prima. Nog iets.' Met zijn balpen wees hij naar de slagboom en het gebouw die hij zorgvuldig op het plannetje had aangeduid. 'Tussen de ingang van het terrein en de slagboom moet je zowat honderd meter overbruggen. De slagboom zelf is geen obstakel. Dat is zo'n belachelijk ding dat je ook op parkings vindt. Dat rijd je zo aan stukken.' Nu wees hij naar het gebouw en naar enkele fijne strepen die hij in het midden had getekend. 'Dit is de ingang van de

kantoren. Die strepen duiden op een bordes met vijf treden. Gelukkig zijn die breed.'

'Met andere woorden, ik kan die met het bestelwagentje
oprijden.'

'Zo is dat. En als je eenmaal boven bent, heb je nog zowat
twintig meter voor je de ruime, glazen ingang bereikt. Je
kunt dus opnieuw wat versnellen voor jij je in het glas
boort.'

'Veiligheidsglas?'

'Zou kunnen. In het beste geval ben je er zo doorheen en
kom je in het centrale deel van het gebouw. Dicht bij de receptie waar constant twee dames zitten. Dat is de ideale plek
om de springlading tot ontploffing te brengen. De kracht
ervan zal zonder twijfel de eerste paar verdiepingen doen
instorten waarna de rest van het gebouw volgt.'

'En als ik niet door het veiligheidsglas heen kom?'

'Die kans bestaat. Dan zit er niets anders op dan de springlading boven op het bordes te doen ontploffen...' Faoust
wreef nadenkend over zijn kin. Zijn baard begon alweer te
prikken. 'Ik ben geen ingenieur, maar ik vermoed dat een
explosie op die plek niet veel zal verschillen van een binnen.
Zie je, in alle twee de gevallen raak je de structuur van het
gebouw.'

'Mm. Het zou toch beter zijn dat ik het autootje tot aan
de receptie rijd.'

'Misschien. Ik zei al dat je het best ter plekke het een en ander gaat bestuderen. Schuin tegenover de ingang op zowat
honderd meter staan enkele bomen. Als je daaronder par-
keert en een verrekijker gebruikt, heb je een uitstekend zicht
op de hoofdingang, het wachthuisje met de slagboom en
het kantoorgebouw. Maar wees uiterst discreet. Meer dan
twee keer ga je daar niet staan.'

Aboe Jahl schokschouderde. 'Oké. Overigens, loopt daar

veel veiligheidspersoneel rond? Ik bedoel gewapende bewakers.'

'Het is een privébewakingsfirma die de dienst uitmaakt. Die dragen geen wapens die naam waardig. Ze hebben weliswaar honden. Maar in je bestelwagentje hoef je daar niet bang voor te zijn.'

De twee mannen staakten hun gefluister en keken als gebiologeerd naar het plannetje. Aboe Jahl had geen verdere vragen. Hij zou niet te lang wachten om naar Terhulpen te rijden om zijn eerste observatieopdracht uit te voeren. Hij was erop gebrand om met eigen ogen de plaats te zien waar hij zijn heldendom zou verdienen. Bovendien vertrouwde hij de man naast zich niet helemaal voor de omgevingsdetails. Hijzelf was veel beter getraind om de mogelijkheden en vooral de onmogelijkheden van zo'n missie in te schatten.

Bij Rachid Faoust overheerste een gevoel van onherroepelijkheid. Zijn strijder kende het doelwit. De datum lag vast. De springstof was voorhanden. Als ze straks afscheid namen, zou hij Aboe Jahl nooit meer terugzien. Behalve misschien in het tv-journaal na de aanval, wanneer zijn afscheidsbrief werd voorgelezen. Jahl zou natuurlijk voor een foto hebben gezorgd. Waarop hij zou zijn afgebeeld in het typische uniform van een soldaat van Allah met de groene sjaal vol koranverzen rond zijn hoofd. Dat bracht hem ongewild bij de parallelle aanval. Voor zichzelf had Faoust al lang uitgemaakt dat het bestelwagentje zou ontploffen vóór de glazen voordeuren van de SWIFT-kantoren. Natuurlijk bestonden die uit dik veiligheidsglas. Onmogelijk dat dat Renaultje zich daar doorheen boorde. En dat zou Aboe Jahl binnenkort ook ontdekken. Maar dat maakte niet uit. Zoals daarnet afgesproken, zou Jahl de springstof buiten het gebouw doen ontploffen. De computerzaal zou niet worden geraakt. De hoeveelheid C4 was niet min, maar het SWIFT-gebouw was ook niet klein. Eigenlijk was dat gedoe met Aboe Jahl niet meer dan een afleidingsmanoeuvre. Eentje dat de wereldpers zou halen, maar ook niet meer dan dat. Op zijn schouders rustte de zware taak om het echte werk te doen, om de computerzaal van die goddeloze geld- handelaars in een wilde fontein van louterend vuur op te blazen. Zijn soldaat had zijn marsbevel gekregen. Nu kwam het eropaan zijn eigen plan ten uitvoer te brengen.

26

'Mijnheer de commissaris, dit is niet meer serieus. Dat is nu al de derde keer dat u mij optrommelt. Als voorzitter van het OCMW van Loverbeek heb ik andere dingen aan mijn hoofd dan deze... uitstapjes naar Dendermonde!'

'Ga zitten, meneer Van Steirteghem.' Karel Janssens had hem inderdaad opnieuw opgeroepen. Nu in het kader van het overlijden van Guido Tavernier. Maar dat wist Van Steirteghem nog niet. Ze zaten tegenover elkaar in de verhoorkamer, of het 'zweetkot' zoals dat in het plaatselijke jargon werd genoemd. Commissaris Janssens was ditmaal alleen – de vorige keren was Toine erbij geweest om het pv op te nemen – maar nu vond hij een alternatieve aanpak beter. In een tête-à-tête werden gemakkelijker dingen gezegd.

'Ik ben van de CD&V, mijnheer de commissaris. Gekozen door het volk. Door de mensen! U kunt mij niet ongestraft de duivel aandoen!'

Het viel Janssens voor de zoveelste keer op dat Van Steirteghem in uitroeptekens sprak. Geen enkele zin kon die man op een normale manier zeggen. 'Het spreekt vanzelf dat ik u niet naar hier zou laten komen, als het niet nodig was.'

'Wat moet u nu weer weten? Heb ik u niet in groot detail uitgelegd dat ik met die moord op Arlette Lepoutre niets te maken heb!' Van Steirteghem was rood aangelopen en draaide zenuwachtig op zijn stoel. Hij zat hier verdomme zijn tijd te verliezen.

'Wie zei iets over Arlette Lepoutre?'

'Hé?'

Eindelijk had hij dat ventje de mond gesnoerd, had hij zijn volle aandacht. 'Vandaag moet ik u een aantal vragen stellen over het overlijden van Guido Tavernier en uw mogelijke rol daarin.'

'Wat...?' Nog steeds was Van Steirteghem uit het lood geslagen. 'Tavernier? Wat heb ik met diens overlijden te maken? Die is toch aan een hartaanval gestorven!'

'Ik beweer niet dat u die man met eigen handen hebt vermoord. Alleen...' Janssens overwoog hoe hij deze opvliegende figuur het best aanpakte. Gewoon bij de feiten blijven leek het meest aangewezen. 'Ik heb verschillende getuigen die hebben verklaard dat u het slachtoffer bent komen opzoeken in de week voor Kerstmis. Bij hem op kantoor.'

Van Steirteghem trok gejaagd de schouders op. Zoiets ontkennen zou dom zijn. Te veel mensen hadden hem inderdaad die dag bij GT gezien. 'Dat zal dan zo wel zijn, zeker.'

'Wat was de reden voor uw bezoek?'

De voorzitter van het Loverbeekse OCMW keek de commissaris nijdig aan. Hij herinnerde zich het gesprek in Taverniers kantoortje, maar hij wist dat alleen die seut van een Lutgart Vernimmen daarbij aanwezig was geweest. Niemand anders. En omdat Tavernier intussen het tijdelijke voor het eeuwige had verwisseld, was het dus zijn woord tegen dat van haar. Daarom verkoos hij zich voorlopig van den domme te houden. 'De reden van mijn bezoek? Bah... Gewoon eens goeiendag komen zeggen. Het is niet omdat wij politieke tegenstanders zijn... waren,' verbeterde hij snel zichzelf, 'dat wij elkaar uit de weg gingen.'

'Zo.' De commissaris consulteerde zorgvuldig de map voor hem. 'Nochtans hebben alle medewerkers van het vastgoedkantoor, zonder uitzondering,' hij keek Van Steirteghem strak in de ogen, 'verklaard dat u kwam om over De Beemden te praten. U stond toen nog aan de balie. Dat is heel iets anders dan zomaar even binnenwippen...'

'Als ze dat zeggen, zal dat zo wel zijn', hernam Van Steirteghem zijn standaardantwoord. 'Ik weet dat niet meer precies. Heeft dat belang?' Hij wapperde met zijn rechterhand om dit inhoudsloze gesprek – als was het een lastige vlieg – weg te jagen.

'U bent dus naar Tavernier gegaan om over De Beemden te praten', besloot Janssens de vraag van de ander negerend. 'Wat is De Beemden precies?' Hij wist natuurlijk dat het bouwgrond betrof. Waarop het lijk van Arlette Lepoutre was gevonden. En waarop Tavernier serviceflats wilde bouwen. Maar hij wilde alles nog eens uit de mond van Van Steirteghem horen. Wie weet verklapte die hem iets nieuws.

Van Steirteghem zuchtte met overtuiging en liet zich in de stoel onderuitzakken. Hierdoor leek hij nog kleiner dan hij al was. 'De Beemden is de naam van een bouwgrond. GT – Tavernier – wilde daar flats voor bejaarden op zetten, maar dat stuitte op tegenstand van de buurtbewoners. Overigens, helemaal terecht. Een veel te groot project voor een dorp als Loverbeek.'

'En wat hebt u daar precies mee te maken?'

'Ik ben op de eerste plaats *politieker*, mijnheer de commissaris. Dus wat bij de mensen leeft, is automatisch mijn probleem.'

Zal wel zijn, dacht Janssens. 'Dus bent u in de week voor Kerstmis bij Tavernier binnengesprongen om hem die bezorgdheid over te brengen.'

'Zo kunt u dat noemen. Ja, zo is het gegaan.'

'U bent niet zelf geïnteresseerd in die bouwgrond?'

'Ik?' Eerst wilde Van Steirteghem met klem ontkennen, maar hij dacht er tijdig aan dat die commissaris wellicht

zijn huiswerk had gemaakt. Lutgart Vernimmen had ongetwijfeld alles verteld over zijn voorstel om De Beemden over
te kopen. Dat lag voor de hand. Dat stond natuurlijk in een
van die pv's. Bovendien hadden ze misschien ook Karen
Derijck van Groen! verhoord. Die zou haar klep niet hebben kunnen houden over wat hij van plan was met De Beemden. Het had geen zin dit verhaal niet zelf te brengen.
'Wel...' begon hij aarzelend, net alsof hij moeite deed om
zich alles te herinneren, 'Tavernier was aan het herstellen
van zijn eerste hartaanval. Hij kon niet veel tijd meer aan
zijn zaken besteden. Ik zal niet zeggen dat hij ze verwaar-
loosde, maar het was niet zoals vroeger. Daarom trouwens
dat hij die Lutgart Vernimmen naar voor schoof om hem bij
te staan. Maar dat is duidelijk te hoog gemikt voor die dame',
sprong hij van de hak op de tak. 'Ik heb hem voorgesteld om
De Beemden over te kopen. Hem tegen een goede prijs meteen van een grote zorg te verlossen.' Hm, dat klonk niet
slecht, besloot hij niet ontevreden bij zichzelf.

Karel Janssens knikte. Hij was de getuigenverklaring van
Lutgart Vernimmen aan het nalezen. Van Steirteghem ver-
telde ten minste de waarheid over de reden van zijn bezoek.
Maar je kunt de dingen natuurlijk heel positief of juist niet
voorstellen. 'En dat is allemaal in alle vriendschap gegaan?
Geen hoge woorden? Geen geruzie?'

'Pff. Dat weet ik niet meer...'

'U herinnert zich niet dat Tavernier op een bepaald ogenblik Lutgart Vernimmen om zijn hartpillen heeft gestuurd?'

Van Steirteghem voelde zich in een hoek gedrongen. Hij
moest vechten om de aggressiviteit die hij in zich voelde
opwellen de baas te blijven. Hij mocht niet vergeten dat hij
tegenover een politiecommissaris zat. 'Zou best kunnen...
Moet ik mij dat soms allemaal herinneren? Wat is daar nu
zo belangrijk aan!' Hij had luider gesproken dan bedoeld.

Hij kon het niet laten. Hij lag niet langer onderuitgezakt, maar zat nu recht op het puntje van zijn stoel.

'De gedachte dat Tavernier die pilletjes plots nodig had omdat u hem zo boos maakte, is u volkomen vreemd?'

'Hoe kon ik weten wanneer die man iets moest slikken? Iedereen wist dat hij een zware hartpatiënt was.'

Die woorden toverden een glimlach om Janssens' lippen. 'U dus ook.'

Daar had Van Steirteghem niet van terug. Hij liep rood aan, blies zijn wangen bol, maar bleef zwijgen.

'Dat is dus wat mevrouw Vernimmen u verwijt. U bent GT – zoals u hem noemt – gaan opzoeken en hebt hem een voorstel rond De Beemden gedaan waarvan u wist dat het hem de gordijnen in zou jagen. Nadien hebt u geprobeerd om in stilte te verdwijnen, zonder zelfs maar uw hulp aan te bieden. Dat getuigt allemaal niet van veel naastenliefde, meneer de voorzitter van het Openbaar Centrum voor Maatschappelijk Welzijn. Niet veel later is Guido Tavernier als gevolg hiervan in het ziekenhuis overleden. Beschrijft dat de loop van de gebeurtenissen accuraat? Is het zo gegaan?'

'Is het zo gegaan? Is het zo gegaan?' aapte Van Steirteghem hem na. 'Hoe kan ik dat weten? Ik ben geen dokter! Alleszins ontken ik dat ik iets te maken heb met het overlijden van die man. Trouwens, dit spelletje heeft lang genoeg geduurd. Ik wil een advocaat!'

'Kom, kom. We zijn hier niet in Chicago. Ik probeer alleen het gebeurde zo correct mogelijk te reconstrueren.' Janssens glimlachte fijntjes. 'Als u hier straks buiten staat, staat het u natuurlijk vrij een advocaat te consulteren. Maakt u zich zo ongerust?'

Een golf van opluchting trok door Van Steirteghem. Niet dat hij had gevreesd dat ze hem zouden oppakken. Maar aan de andere kant, hij wist maar al te best met welke bedoelingen hij GT was gaan opzoeken. De bevestiging van die commissaris dat hij straks naar huis kon, deed deugd. Zijn strijdlust was snel terug. 'Wie zou zich geen zorgen maken? Eerst kom ik hier uren verliezen over de moord op Arlette Lepoutre. Waar ik niets mee te maken heb. Totaal niets. En nu probeert u mij een ander overlijden in de schoenen te schuiven!'

'Het is toch een merkwaardig toeval dat uw naam in beide zaken wordt genoemd, vindt u niet?'

'Ik vind helemaal niks. Ik ben een publieke figuur. De voorzitter van het OCMW van Loverbeek! Iedereen kent mijn naam.'

'En u bent de werkgever en de minnaar van Arlette Lepoutre', riposteerde Janssens niet zonder ironie, terwijl hij aan zijn vlinderdasje voelde om te checken of het nog recht zat. 'Tenminste, dat is uw versie. In de brief aan haar moeder – die u inmiddels kent – beschuldigt zij u zwaar. Van systematische verkrachting.'

Van Steirteghem krabde zenuwachtig aan zijn neus. 'Pff. Dat verhaal hebben we gehad. Dat is de grootste zever die ik ooit heb gelezen.'

'Juist, ja.' Karel Janssens overwoog wat hem te doen stond. Het was duidelijk dat Van Steirteghem op zijn minst de nieuwe hartaanval van Tavernier mee had helpen veroorzaken. Maar de man was al ziek, had al een zware hartinsufficiëntie. Het woog allemaal nogal licht om tot onmiddellijke aanhouding over te gaan, zoals hij daarnet al had besloten. Hij moest hoe dan ook met de onderzoeksrechter overleggen voor hij in dit delicate dossier verdere stappen ondernam. Wie weet welke politieke invloeden meespeelden. Een laatste vraag. 'Als we ervan uitgaan dat u en Arlette Lepoutre minnaars waren, dan zijn u misschien nog andere namen van vriendjes van haar bekend?'

Van Steirteghem trok een grimas. 'Ze had geen onbesproken reputatie. Zoveel is duidelijk.' Het lag op het puntje van zijn tong om de geschiedenis van de te late abortus in geuren en kleuren te vertellen, maar op het laatste ogenblik hield hij zich in. Hij kon onmogelijk uitleggen hoe hij daarvan op de hoogte was.

'Mm. Tavernier was daar niet bij?'

'GT?' Eerst wilde hij ontkennen, maar eigenlijk wist hij dat niet. Arlette was zijn speeltje, dat hij had gebruikt en misbruikt. Ze kende natuurlijk vele andere mannen. Maar GT? 'Ik weet niks over Arlette en Tavernier. Roger, de zoon van de slager, dat was haar officiële lief. Dat is het enige wat ik weet.'

'Mm', deed de commissaris opnieuw. 'Wist u dat die Roger u en zijn lief op een avond in de kantoren van het OCMW heeft betrapt?' Een visje uitwerpen kon nooit kwaad.

'Roger? Mij betrapt? Op het OCMW?' Karel Janssens knikte alleen maar. 'Dat kan niet. Onmogelijk. Die zou dat toch aan de grote klok hebben gehangen!'

'Dat heeft hij niet gedaan. Maar zonder zijn getuigenis...' de commissaris herinnerde zich hoe de ogen van de jongen zich met tranen hadden gevuld, 'dat zijn zogezegde verloofde met volle overgave aan het liefdesspel had meegedaan, zouden wij de brief die Arlette aan haar moeder heeft gericht, veel ernstiger hebben genomen.'

Nondedju, hamerde het in Van Steirteghems hoofd, die idioot heeft mij betrapt! Wanneer kan dat gebeurd zijn? En wat een hoerengeluk had hij, dat die slungel helemaal verkeerd had ingeschat wat zich voor zijn ogen afspeelde. Arlette die had meegewerkt! Laat mij niet lachen! Het moest eens waar zijn! Dat kind spartelde iedere keer tegen zoveel ze kon. Wat het anderzijds natuurlijk allemaal zoveel spannender maakte. Wat een smakelijke grap dat die

Roger daarin laaiende passie zag. 'Kan ik gaan?' vroeg hij ten slotte, terwijl hij al uit de stoel overeind kwam, niet gewend om op toestemming te wachten.

'Voorlopig wel, ja. 't Is te zeggen. Uw verklaringen van vandaag moeten nog in de vorm van een pv worden gegoten. Dat doen we samen met mijn collega, rechercheur Van Walleghem. Intussen kent u die procedure.' Commissaris Janssens bestond het om flauw te glimlachen.

'En daarna kan ik naar huis?'

'Ja, meneer Van Steirteghem. Nadien kunt u naar huis, terug naar Loverbeek.'

Met enkele stappen was die bij de deur.

'Hoewel, nog één ding', hield Janssens hem bruusk staande. 'Waarom was u er zo zeker van dat Tavernier De Beemden aan u zou verkopen?'

Van Steirteghem draaide zich verveeld om. 'Bah... Er was zijn gezondheid... Het verzet van de buurtbewoners. En ik wist over een geflopt vastgoedproject, hier in Dendermonde. Het kon niet anders of de man had geld nodig.'

'Zo...' Janssens fronste de wenkbrauwen. 'U wilde uw politieke tegenstander dus uit de nood helpen. Hem een pleziertje doen...' Hij liet het zo sarcastisch mogelijk klinken.

Van Steirteghem trok ostentatief de schouders op. Zonder nog iets te zeggen, droop hij af.

27

Lutgart zat aan haar bureautje achter de hoge balie in het vastgoedkantoor voor zich uit te staren. Ze dacht terug aan de dag toen GT was overleden. Hoe ze zich op die bank in dat trieste plantsoen over van alles en nog wat zorgen maakte. Maar tot vandaag was niets uitgekomen waarvoor ze had gevreesd. Al besefte ze goed genoeg dat het alleen een kwestie van tijd was. De klassieke stilte voor de storm. Ze bekeek de dingen op een pragmatische manier. Zolang er geld op de rekening stond, zolang de bank haar handtekening honoreerde, was er niets aan de hand. En van eventuele erfgenamen had niemand tot nog toe iets gehoord. Maar dat wilde nog niet zeggen dat ze passief zou wachten tot het te laat was. Ze moest maximaal gebruik maken van de tijd die haar restte.

'Vera, ik ben eventjes een paar documenten halen...' In GT's appartement bevond zich weliswaar een kamertje dat hij als archiefruimte had ingericht, maar het was niet daarom dat ze gehaast de trap opliep. In de ruime huiskamer bleef ze gefascineerd voor de vitrinekast met de verzameling antieke beeldjes staan. Vijfduizend jaar oud, had hij gezegd. Dat was misschien zo, maar kunst was voor haar toch wat anders. Bij de meeste beeldjes waren de verhoudingen helemaal mis. Te lange armen, een veel te brede romp. Of een neus zo groot als een hand. Wie vond zoiets nu mooi? Wie wilde daarvoor een fortuin ophoesten? Vol onbegrip haalde ze de schouders op. Het maakte niet uit. Wat telde, was dat er mensen bestonden die daartoe bereid waren. Graag bereid, als ze GT mocht geloven. Ze draaide zich gedecideerd van de vitrinekast weg en liep naar de granieten keuken, waar ze op de kast naast het aanrecht een blocnote en balpen wist liggen. Daarmee gewapend maakte ze de inventaris op van de stukken in de vitrinekast. In vier, vijf zinnen omschreef ze zo duidelijk mogelijk ieder beeldje. Na een paar minuten was ze klaar.

Lutgart Vernimmen zuchtte voldaan. Zeven beeldjes had ze geteld. Zeven keer honderdduizend dollar, volgens GT. En dat dit niet gelogen was, bewees de 90.000 dollar die hij kort voor zijn dood op de kantoorrekening had gestort. Zonder het harde bewijs van die centen, had ze nooit geloofd dat zijn verzameling zoveel geld waard was. Sinds dat moment was ze beginnen na te denken. Omdat haar baas zo sterk in De Beemden geloofde, had hij er geen graten in gezien om een tweede, eventueel een derde collectiestuk te verkopen. Dat had hij met evenveel woorden tegen haar gezegd. Na zijn overlijden was ze eerst van plan geweest om dat ook te doen. Om op die manier, zodra het geld van de eerste verkoop was opgesoupeerd, het vastgoedkantoor weer wat ademruimte te geven. Tot De Beemden zou zijn ontwikkeld. Soms moet je een risico nemen om later sterker door te gaan. Daar had GT gelijk in. Alleen, de verkoop vlotte niet. De bouw moest zelfs nog beginnen. Af en toe kwam er een vraag om inlichtingen. Daarop reageerde ze door een van die mooie, glanzende kleurenfoldertjes op te sturen. Maar er was niemand die verder contact zocht. De financiering van het project was bovendien nog altijd niet rond. Lut deed wat ze kon om die gesprekken vlot te krijgen. Ze probeerde GT's manier van doen te imiteren. Maar ze had niet zijn kaliber, bezat niet zijn kwaliteiten.

Daarom begon ze op een plannetje te broeden. Eerst vol schroom. Geschrokken van de wilde meanders die haar gedachten plots volgden. Maar toen in de weken na GT's dood geen erfgenamen opdoken, toen zij en haar collega's iedere dag naar kantoor bleven komen zonder dat iemand hen zei dit niet meer te doen, rijpte bij haar een opwindend, gewaagd scenario. Ze beschikte nog steeds over de sleutel van GT's appartement. Ze wist dat hij niet had gelogen over de waarde van zijn collectie. Zij was de persoon die iedere avond als laatste het kantoor verliet... Maar nog belangrijker, wie zou die antieke beeldjes missen? Wie kwam bij GT over de vloer? Jaren geleden had hij een vaste vriendin gehad, maar die relatie was al lang voorbij. Die zou zich in de verste verte niet herinneren wat er allemaal in zijn appartement had gestaan. Andere vaste bezoekers kon ze zich niet voor de geest halen. De koortsachtige opwinding die haar de eerste keren had overvallen toen ze begon na te denken over de praktische uitwerking van haar plan, was snel voorbij naarmate ze de details verder invulde. Op de eerste plaats kwam het eropaan de hele verzameling op een veilige plaats op te bergen. Iedere dag kon immers de laatste zijn dat ze vrije toegang had tot GT's appartement. Morgen kon een verre neef of tante opduiken of kon het vastgoedkantoor failliet gaan en alles verzegeld worden. Snel zijn, dat telde.

Lut opende wijd de deuren van de vitrinekast en trok de stapel kranten naar zich toe die naast het bankstel op de grond lag. Exemplaren van weken geleden van De Tijd. Zorgvuldig vouwde ze een krant helemaal open, greep voorzichtig naar de eerste statuette en begon die in het papier te wikkelen. Het ene na het andere beeldje onderging dezelfde behandeling. Toen ze klaar was, liep ze naar de keuken en trok een ladekast open waarin ze een voorraad plastic zakken wist liggen. Ze zocht er een stevig, groot exemplaar uit en nadat ze met krantenpapier een bodem had gevormd, legde ze uiterst behoedzaam de zeven beeldjes op elkaar. De plastic zak verborg ze in de vestiairekast. Vanavond, voor ze naar huis ging, zou ze die komen ophalen. Opnieuw wandelde ze naar de keuken, bevochtigde een vaatdoek en begon de vitrinekast zorgvuldig van buiten en binnen te kuisen. Ze was niet gek. Haar vingerafdrukken zou niemand vinden. De natte plekken die de vaatdoek achterliet, veegde ze droog met een tot een prop samengeperst vel van de keukenrol. Ten slotte plaatste ze mooi gespreid in de kast enkele siervoorwerpen die ze op andere plaatsen in het appartement had gevonden. Tevreden, met de handen in de zij, bekeek ze haar werk. Niemand kon zien dat de vitrinekast ooit andere objecten had getoond dan de prullaria die er nu in stonden. Er restte haar nog één ding. Ze trok de koelkast open en begon de inhoud te keuren. Zoals ze had verwacht, was die nog goed gevuld, maar een aantal artikelen was al ruim voorbij de datum. En dat kon je eraan zien. Opnieuw zocht ze in de ladekast naar een plastic zak. Ze stopte er de beschimmelde Hollandse kaas in samen met vleeswaren waarop grijsgroen haar groeide. Toen stapte ze gedecideerd naar de archiefruimte. Zonder het licht aan te doen, trok ze een kast open en greep naar de eerste de beste map. Ze was bijna bij de voordeur, maar dacht er tijdig aan dat ze de flink geslonken stapel kranten opnieuw op zijn plaats moest schuiven. Met de plastic zak afval in de ene hand en de dossiermap onder haar elleboog geklemd, verliet ze ten slotte het appartement.

'Ziezo. Ik heb meteen ook maar de koelkast schoongemaakt. Vera, wil jij dit buiten zetten? Straks, als de vuilniskar komt...' Haar drie collega's, die niet veel omhanden hadden, keken als op bevel tegelijkertijd naar haar. Lut zwaaide met het plastic zakje opdat iedereen het goed zou zien. 'Allemaal vervallen. Maar goed dat ik daaraan denk. Zoals ik ook niet ben vergeten om zijn gsm-abonnement op te zeggen. Ik zet het voorlopig in de gang. Er zitten dingen bij die bepaald niet lekker ruiken...' Zo, dacht ze toen ze opgelucht opnieuw achter haar bureautje plaatsnam, deel één is precies volgens plan verlopen.

Maar deel twee was minstens even belangrijk. Het volstond natuurlijk niet om die beeldjes in veiligheid te brengen. Het was een beangstigende, maar tegelijk prikkelende gedachte dat ze straks in een felrode plastic zak met zo'n 700.000 dollar antiek over straat zou lopen. Haar bedoeling was om die centen ook echt in handen te krijgen. Niet in de vorm van kinderachtige voorwerpen die alleen excentriekelingen konden bekoren, maar in stapels bankjes die ze kon aanraken, betasten en ruiken. Toen ze eenmaal haar beslissing genomen had, had Lutgart Vernimmen niet getwijfeld. Ze vond dat de zaken simpel lagen. Ofwel deed ze wat ze net had gedaan, ofwel gingen enkele verre erfgenamen met de buit lopen. Wat was nu het oneerlijkst? De vraag stellen was die beantwoorden. Het enige wat ze nog moest doen, was een antiquair vinden die een correcte prijs bood voor haar koopwaar.

28

'Hebt u gehoord dat ze Van Steirteghem voor de derde keer hebben ondervraagd? En opnieuw hebben ze hem laten gaan. Hoe is dat mogelijk, meneer pastoor? Hoe kan dat nu?' In de keuken van de pastorie, op haar gebruikelijke stoel, keek Maria Lepoutre hem met ogen vol onbegrip aan. Ze was niet groot, maar door het verlies van haar dochter was het alsof ze was gekrompen. Met de handen in de schoot en afhangende schouders leek ze niet van deze wereld. Met Arlette was het beste in haar gestorven.

'Ik heb het gehoord, ik heb het gehoord', antwoordde Moens stil. Zijn hart stroomde over van medelijden. Ontelbare keren had hij haar proberen te troosten. Soms dacht hij dat ze op de goede weg was, dat ze haar verdriet wat beter kon dragen. Maar dan was er een kleinigheid, iets dat haar plots aan Arlette herinnerde dat haar zonder pardon opnieuw kopje onder duwde. Maria was altijd een diepgelovig iemand geweest die tot God sprak en haar leven zoveel mogelijk naar zijn geboden en die van de kerk inrichtte. Het verlies van haar dochter stelde die overtuiging zwaar op de proef. Ze begreep het niet. Dit was iets heel anders dan haar man die ze in een tragisch ongeluk was verloren. Waarom had God haar zo meedogenloos gestraft? Was het om die abortus? Om het liederlijke leven van haar dochter? Dat kon niet waar zijn. In zo'n God had ze nooit geloofd. God was voor haar barmhartige liefde, geen zure, bestraffende rechter. Maar Arlette was niet meer. Nooit zou ze nog de opgewekte stem van haar grote meid horen. Je moet het leren aanvaarden, had meneer pastoor haar verschillende keren voorzichtig aangespoord. Het is verschrikkelijk wat er is gebeurd. Maar erbij stil blijven staan heeft geen enkele zin. Voor haar waren het niet meer dan lege, holle zinnen. Ze kon zich niet voorstellen dat iemand ooit het verlies van een kind kon accepteren, kon verwerken. Het conflict tussen haar geloof in een liefdevolle God en de laaghartige, onbegrijpelijke moord op haar dochter bleef in haar voortwoekeren, vrat aan haar. Soms ging ze naar de kerk, zoals ze vroeger zo vaak deed, om tot haar barmhartige God te bidden, om raad te vragen. Maar in plaats daarvan daagden haar beelden van haar kind dat leeggebloed op De Beemden lag, haar natte haar in pieken en haar truitje verscheurd door het wilde dier dat haar had vermoord. Die foto's – die ze beter niet had kunnen zien – verdrongen telkens weer iedere andere gedachte wanneer ze een paar minuten voor zich alleen had. En dan was er natuurlijk de brief die Arlette had achtergelaten. De brief die Van Steirteghem aanwees als de grootste smeerlap die er op de wereld rondliep. Als de moord haar geloof in God had ondermijnd, dan hadden die beschuldigingen haar laatste greintje vertrouwen in het wereldlijke onderuit gehaald. En Van Steirteghem was iemand die ze kon benoemen, die ze kende, die ze vaak had gesproken. Misschien was hij niet de moordenaar van haar dochter – tenminste, dat las ze in de krant – maar het stond vast dat hij Arlette had aangerand, verschillende keren. Dat had haar dochter zonder omwegen in haar brief gezegd. Bovendien had hij haar en Arlette gechanteerd met die abortus. Ze begreep niet waarom het gerecht zo'n varken vrij liet rondlopen. Dat beest moest worden opgesloten, vele lange jaren. Terwijl die gedachten door haar hoofd spookten, vulden haar ogen zich met tranen van onmacht en verdriet.

Pastoor Moens zag het. Zonder woorden bood hij haar zijn mooi opgevouwen, blauwgrijze zakdoek aan. Dankbaar depte ze haar ogen. De geweldige onrechtvaardigheid van de moord op Arlette had ook Hendrik Moens zwaar geraakt. Bovendien bleef het motief een groot raadsel. Eerst dacht men dat Roger, haar verloofde, haar in een vlaag van verstandsverbijstering had neergestoken. Maar die had een alibi dat sloot als een bus. Toen was de politie beginnen te poken in Arlettes liefdesleven, had enkele vroegere vriendjes ondervraagd, maar allemaal zonder het minste resultaat. Tot Maria enkele dagen na de begrafenis met die brief was komen aanzetten. Hij was dat bewijsstuk een dag later persoonlijk aan de gerechtelijke politie in Dendermonde, aan de commissaris belast met het onderzoek, gaan afgeven. In de verwachting dat er nu vlug resultaten zouden zijn. Van Steirteghem was sindsdien drie keer ondervraagd, maar was evenvele keren met een valse grijns op zijn smoel terug naar Loverbeek gekomen. Zo'n geweldig bewijsstuk kon die laatste, beschuldigende brief dus ook niet zijn. Dat alles bleef als een carrousel in Moens' hoofd ronddraaien. Want er was niet alleen de moord op Arlette, er was ook het verdachte overlijden van Tavernier. Hij herinnerde zich wat hij de man zowat op zijn sterfbed had beloofd. Dat hij erop zou toezien dat de politie de rol van Van Steirteghem in het overlijden van Tavernier helemaal zou uitspitten. Hendrik Moens rechtte de schouders. Hij wilde in actie komen, iets doen, weerwerk leveren tegen die spiraal van geweld die Loverbeek de laatste maanden trof. Waarbij De Beemden als een duivelse magneet het onheil scheen aan te trekken.

227

'Je vindt mij in mijn studeerkamer', zei hij toen hij opstond en in het voorbijgaan zijn hand op de schouder van zijn huishoudster drukte. 'Ik ga telefoneren.'

'Commissaris Janssens? U spreekt met Hendrik Moens, de pastoor van Loverbeek.'

'Wat kan ik voor u doen?'

'Ik wilde weten hoe het onderzoek vordert. Mijn huishoudster is diep teleurgesteld omdat u Van Steirteghem hebt laten gaan.'

'Uw huishoudster?'

'Ja. Sorry. Zij is de moeder van Arlette Lepoutre.'

'Ach zo... Maar... Ik kan u geen inlichtingen geven. U weet, er bestaat zoiets als het geheim van het onderzoek. Ik vrees dat ik u niet kan helpen. Niet mag helpen.'

Moens deed of hij hem niet hoorde. 'Het feit dat u Van Steirteghem voor de derde keer laat gaan, spreekt boekdelen. Eigenlijk staat u nergens', besloot hij ferm.

'Wij boeken vooruitgang, maar het is een complexe zaak. U leest de kranten ook, neem ik aan.'

'Het is meer dan dat, commissaris. Niet alleen is de moeder van het slachtoffer mijn huishoudster, maar ik heb u ook die brief bezorgd. Bovendien heeft Tavernier mij op zijn sterfbed gevraagd om het aandeel van Van Steirteghem in zijn hartaanval onder uw aandacht te brengen. Wat ik bij mijn bezoek aan uw diensten heb gedaan.' Hij dacht duidelijk aan de andere kant een zucht te horen.

'Dat is allemaal best mogelijk en ik wil er op de koop toe rekening mee houden dat u als zielenherder van uw parochie een ander soort verantwoordelijkheid voelt. Maar ik kan u geen andere informatie over het onderzoek geven dan deze die reeds algemeen bekend is.'

Het klonk definitief, maar Moens liet niet af. 'Geen nieuwe sporen? Helemaal niets?' Nu hoorde hij duidelijk zuchten.

'Pastoor Moens. U bent een koppig man, ofwel bent u hardhorig. Ik denk dat ik voor het eerste kies.'

'Commissaris, geeft u mij toch iets. Ik wil zo graag iets kunnen zeggen tegen mijn huishoudster. Die heeft het bijzonder moeilijk.'

'Tja...' Karel Janssens wist uit ervaring dat niets erger is dan in het ongewisse te blijven. De moeder van Arlette Lepoutre zou pas rust vinden als ze de naam en het gezicht van de moordenaar van haar dochter kende. Alleen, er viel niets te melden, er wás geen nieuws. 'Wat ik u wel kan vertellen, is dat er tot nog toe geen nieuwe elementen zijn opgedoken. We tasten in het duister', concludeerde hij gelaten. Gisteren had hij precies hetzelfde gezegd tegen een journalist van Het Nieuwsblad.

'Roger, haar verloofde, gaat vrijuit, dat weten we intussen allemaal. Maar één van haar vroegere vriendjes? Jullie hebben dat toch allemaal uitgezocht?' Moens beet zich vast nu de commissaris zich schijnbaar wat inschikkelijker toonde.

'Uiteraard hebben we dat gedaan. Een antecedentenonderzoek is standaardprocedure.'

'En niets gevonden?'

Karel Janssens moest plots lachen. 'Zeg, meneer pastoor, ik kan alleen maar hopen dat al mijn rechercheurs even vasthoudend zijn als u.'

'Niets gevonden?' herhaalde Moens met aandrang, de woorden van de commissaris negerend.

'Nee. Niets gevonden', beantwoordde Janssens ten slotte zijn vraag. 'Het enige vriendje waarmee het langere tijd heeft geduurd, was een asielzoeker die nu in Antwerpen woont.'

'Van die man was ze allicht zwanger. Van dat kind dat ze

later heeft laten weghalen', verwoordde de pastoor wat op zijn tong lag.

'Dat weet u ook al, van die abortus...'

Moens beet zich op de lip. Dat was hem in vertrouwen verteld. Dat had hij niet mogen zeggen. 'Ja. Ik vroeg mij af of die man misschien iets met de moord te maken kon hebben. U weet wel. Zij wil geen kind, hij wel...'

'Ja, dat refrein ken ik. Dan gaan ze trouwen en verwerft hij automatisch de Belgische nationaliteit. Maar wij hebben die persoon aan de tand gevoeld. Hij is Arlette al lang vergeten. Woont nu met iemand samen. Hij heeft intussen een verblijfsvergunning en werkt in de haven. Niet het minste motief om zo'n gruwelijke moord te plegen. Overigens, hij heeft een alibi.'

'Hm... Sluit u roofmoord uit?'

'Ik sluit niets uit. Vandaag de dag wordt gemoord voor een briefje van tien. Een junkie die hoge nood heeft aan een shot... Bovendien hebben we haar handtas niet teruggevonden. Niettemin vermoed ik dat het motief voor de moord eerder onder het hoofdstuk wraak of jaloezie is te vinden. Noem het maar intuïtie. Of een ervaring van lange jaren.' De commissaris aarzelde. 'Ik ga geen namen noemen, maar ik kan u verzekeren dat wij alle mogelijke sporen, alle mogelijke combinaties, zorgvuldig natrekken.'

'U denkt dat Arlette naast Roger nog een minnaar had?' Hij aarzelde even. 'Ik bedoel een echte... Niet dat beest dat Van Steirteghem heet.'

Janssens fronste de wenkbrauwen, maar deed of hij hem niet had verstaan. 'Ik zeg alleen dat wij alle mogelijkheden uitputten.'

'U hebt helemaal niks. En toch laat u Van Steirteghem zomaar gaan...'

'Ik moet een eind aan ons gesprek maken, meneer pastoor. Mijn bezoeker is aangekomen', loog de commissaris. Hij had al meer tegen Moens losgelaten dan goed was. Karel Janssens frommelde zenuwachtig aan zijn vlinderdasje. Verdomme! Was er die getuigenverklaring niet van haar verloofde, die haar met Van Steirteghem had betrapt, die driftkop zou nu niet op vrije voeten zijn. Maar ondanks dat hij er verschillende keren uitdrukkelijk naar had gevraagd, bleef die koppig beweren dat Arlette Lepoutre zich met overtuiging en volle instemming door Van Steirteghem liet naaien. De brief die ze had nagelaten verloor daardoor al zijn betekenis, al zijn geloofwaardigheid. Of zou die Roger om een of andere reden liegen? Misschien hield Van Steirteghem die man in de tang met wie weet wat voor smerig verhaal. Commissaris Janssens schudde vol onbegrip het hoofd. Loverbeek leek wel een slangenkuil. Er waren dingen die hem ontgingen, die hij niet zag.

29

'Wat we nodig hebben, is vakantie. Een korte, intense break.'
Faoust lachte charmant naar haar. Hij zat tegenover Helena
in de late trein van Terhulpen naar Brussel. Het kostte hem
almaar meer moeite om daar zo'n twee dagen per week op
het appel te verschijnen. Want Helena Nyegaard verwachtte dat ze daarna iets gingen eten om ten slotte op haar flatje in bed te belanden. De goede zaak was vele opofferingen
waard, maar ook voor een moslim bestonden er grenzen.
De eerste keren met haar, tot daar aan toe. Hij was goed aan
zijn trekken gekomen en haar kleine kantjes had hij, weliswaar niet zonder moeite, kunnen negeren. Maar dat was intussen vier weken geleden. Als ze nu vrijden, vond hij steevast dat ze stonk. Haar lichaamsgeur rook niet echt zuur,
maar had iets ranzigs. Hij dacht dat haar hoge alcoholgebruik ermee te maken had. Of misschien gebruikte ze gewoon het verkeerde parfum. Iets dat niet bij haar huidtype
paste. Hij was gevoelig voor dat soort details. Dat in combinatie met haar stem als een slijpschijf en de bezitterigheid
die hij bij haar voelde groeien, stootten hem steeds meer af.
Het idee dat hij straks weer op haar zou moeten kruipen,
een paar uur in dat veel te kleine bed moeten doorbrengen
dat was doordrenkt van haar lichaamsgeur, was om te kotsen. Maar hij kon niet anders dan de relatie continueren. Zij
was zijn toegangsticket tot SWIFT. Wat niet wilde zeggen

dat hij geen truc had bedacht om zijn leven meer naar zijn hand te zetten.

'Die opleiding van twee weken komt wel heel ongelegen.' Ze hield zijn hand vast en keek hem aan met ogen die hem steeds meer aan die van een koe deden denken.

'Ik kan niet anders. Het hoofdkantoor in Duitsland organiseert die dingen twee keer per jaar. Je weet wel, als verkoper moet je op de hoogte zijn van de laatste producten, nieuwe software, noem maar op...' Liegen kon hij als de beste. Hij probeerde zijn hand los te wrikken, maar ze hield die stevig vast.

'Dan zien we elkaar zolang niet!' Ze trok een pruilmondje.

Belachelijk mens! Hij moest zich dwingen om haar niet in haar gezicht uit te lachen. 'Nee, schat, dat is de harde werkelijkheid.' Hij keek haar in de ogen, liet een stilte vallen en ging toen verder. 'Daarom mijn voorstel van een lang weekend in Barcelona. Om het goed te maken...'

'Ooh Rachid, Barcelona. Hoe romantisch! Ben jij daar al eens geweest? Ik nog niet. In alle reisbrochures zie je daar zulke mooie foto's van. Wanneer vertrekken we?'

In haar enthousiasme had ze eindelijk zijn hand losgelaten. 'Ik dacht aan begin mei. De lente. Dan is het daar in het zuiden al behoorlijk warm. Maar nog niet te heet. Het ideale tijdstip om die stad te bezoeken.' Hij hield in. Zijn uitnodiging moest klinken als een gunst, niet als een smeekbede.

'Begin mei?'

Hij zag haar nadenken. Hij hoopte dat de datum voor haar geen probleem was. 'We vertrekken zaterdagvoormiddag in Zaventem. Ik heb de dienstregeling al nagekeken', sprak hij naar waarheid. 'Ik geloof dat het dan de derde mei is. Ik heb ook maandag verlof genomen, dan maken we er een extra lang weekend van. Dan kunnen we twee dagen na elkaar heerlijk lang in bed blijven.' Hij keek haar veelbetekenend aan.

'Oh Rachid!' Ze wreef zich als een loopse poes tegen hem aan.

Hij kon niet anders dan zijn arm om haar schouders slaan. 'Je kunt die maandag toch probleemloos vakantie krijgen?' Hij stelde de vraag en passant, als informeerde hij naar het weer. Inwendig trilde hij als een riet. Stel dat ze om een of andere dwaze reden precies die dag op kantoor moest zijn. Je wist maar nooit! Hij had als datum van de aanslag op de SWIFT-kantoren dinsdag 6 mei aangehouden. Niet alleen voor Aboe Jahl, maar ook voor hem. De dag daarvoor móést ze verlof nemen. In de ravage die de ontplofte bestelwagen zou aanrichten, kwam hij met haar toegangsbadge zo overal doorheen. Daar twijfelde hij niet aan. En om die badge in zijn bezit te krijgen, mocht Helena die op de eerste plaats zelf niet nodig hebben. 's Maandags, op de hotelkamer in Barcelona, zou hij haar badge stelen en ook met haar komaf maken.

'Zelfs al kreeg ik geen verlof, ik zou met jou in Barcelona blijven!' Helena genoot. De eerste paar keer dat ze Rachid had teruggezien na hun eerste intieme uren, was ze vol aarzeling, bijna achterdochtig. Het leek immers te mooi om waar te zijn. Ze was misschien niet lelijk en ze verzorgde zich zoals het hoorde, maar ze realiseerde zich dat haar beste jaren voorbij waren. Dat Rachid in haar meer zag dan alleen een avontuurtje, een speeltje voor enkele nachten, was iets – als ze eerlijk was met zichzelf – dat haar verbaasde. Ze twijfelde er niet aan dat hij gemakkelijk een veel mooiere en jongere vrouw kon krijgen. In haar fantasie zag ze lichtgesluierde, oosterse prinsessen met reeënogen verleidelijk om hem heen dansen. Maar misschien was het omdat zij

niet afkomstig was uit het Midden-Oosten, maar uit Dene-
marken, dat hij op haar viel. Misschien was het juist omdat
zij geen moslima was, dat hij haar verkoos. Een vrijgevochten, westerse vrouw.

'Ik heb al geboekt', maakte hij haar geluk helemaal compleet. Faoust diepte uit zijn portefeuille een in vieren gevouwen A4'tje op, streek het glad en liet het haar zien.
Het was het boekingsbewijs van Brussels Airlines. 'Dank
je, dank je!' viel ze hem om de hals en ze drukte haar lippen
gulzig op die van hem. Hij onderging de natte kus, streek
vlug met de rug van zijn hand over zijn mond en keek ongemakkelijk om zich heen. Het paste niet om in het openbaar zo intiem te worden, zeker niet voor een moslim. Maar
in de schaars bevolkte wagon leek niemand er zich iets van
aan te trekken. Iedereen was met zichzelf bezig. Intussen
had Helena weer zijn hand gevangen. Ze liet haar hoofd tegen zijn schouder rusten en had een gelukzalige glimlach
om de lippen. Hij haalde nauwelijks merkbaar de schouders op. Zo lang hoefde hij haar niet meer te verdragen.
Zijn plannetje liep gesmeerd. Aboe Jahl stond geboekt voor
6 mei, het pasje van die del zou die dag iedere deur bij SWIFT
voor hem openen. Enkele details kon hij later gemakkelijk
invullen. Ook hij had springstof en een timer nodig. Dit
keer zou de levering rechtstreeks aan hemzelf gebeuren via
een contact van sjeik El Jahmin in Molenbeek, een Brusselse
gemeente. In alle discretie. Zonder dat zijn naam bekend
werd.

Hij had al verschillende keren nagedacht en getwijfeld over
hoe hij zijn rol die dag verder zou invullen. Jahl was een soldaat, maar dat was hijzelf ook. Alleen stond hij enkele trappen hoger in de organisatie. Daardoor had hij zijn lot beter
in handen. Hij was niet alleen uitvoerder, maar ook plan-

ner. De hamvraag daarom was of hij de gecombineerde aanslag kon overleven. Niet dat dit absoluut een vereiste was. Hij stond er geen ogenblik bij stil dat indien de omstandigheden dit vroegen, hij ook de dood zou vinden. Daarvoor was hij niet bang. Het tijdelijke wisselen voor het eeuwige is niet iets dat je moet afschrikken, maar dat je juist met blijdschap moet vervullen. En dat zijn offer welbesteed zou zijn, dat stond vast. Niettemin, er was nog zoveel werk hier op aarde. Misschien had Allah andere bedoelingen met hem dan op 6 mei mee opgeblazen te worden. Hij dacht aan zijn twee sluimerende cellen, aan veel meer spectaculaire acties die de zaak van de islam vooruit zouden helpen. Kon hij erop rekenen dat hij weg kon komen nadat hij de springtuigen had geplaatst? In de chaos die zou volgen op de eerste ontploffingen? Misschien... Hij moest op Allah vertrouwen.

Rachid Faoust voelde hoe diepe tevredenheid en rust langzaamaan bezit van hem namen. Alles was goed. Alles stond vast. Het was slechts een kwestie van tijd voor zijn plannen werkelijkheid werden. Hij glimlachte zoet. Het leven was mooi en had een doel. Hij keek naar Helena. Haar hoofd rustte nog steeds op zijn schouder. Vaag kon hij door zijn papyrusparfum heen haar weeë lichaamsgeur onderscheiden. Die marteling zou hij niet lang meer hoeven te ondergaan. Die domme kip vermoedde helemaal niets. Hoe zou ze ook? Hij speelde zijn rol op een professionele manier. Maar haar lot stond vast. Het tijdstip had hij zelfs al in zijn hoofd. De terugvlucht van Barcelona naar Brussel steeg op om 15u10. Dat liet hen ruim de tijd om op de hotelkamer te ontbijten. Hij zou croissants bestellen met warme chocolademelk. Daarna zou ze natuurlijk nog een laatste keer op Catalaanse bodem willen vrijen. Hij hoorde het haar al met

haar schriele stem verkondigen. Nou, het zou haar aller-
laatste keer ooit zijn. Hij had ontdekt dat ze hield van het
ruwere werk. Een klets op haar kont of hard in haar tepels
bijten wonden haar extra op. Dat mens was ziek, gedegenereerd. Dat was zo duidelijk als wat. Maar hij zou haar op
haar wenken bedienen. Terwijl hij in haar was, zou hij zijn
handen rond haar hals leggen. Tegelijk pompen en knij-
pen. Steeds harder, tot ze stikte. En op dat precieze ogenblik zou hij klaarkomen. Klaarkomen in een vrouw die aan
het sterven was. Die gedachte was heerlijk opwindend. Terwijl hij door het raam van de treincoupé de bomenrijen voorbij zag flitsen, voelde hij zijn erectie groeien.

30

Met een roemer rode wijn in de hand lag Hendrik Moens met zijn hoofd licht naar achter en de ogen halfdicht in zijn gemakkelijke stoel. Het was bijna elf uur, een stevige wind liet de luiken rammelen en hij was van plan om zodra zijn glas leeg was, te gaan slapen. Maar hij wist dat de slaap niet gemakkelijk zou komen. Aan de ene kant was dat het gevolg van zijn leeftijd: hoe ouder hij werd, hoe minder slaap hij nodig had. Anderzijds had het gesprek van deze middag met de directe baas van Arlette op het OCMW ermee te maken. Na zijn laatste telefoongesprek met commissaris Janssens was hij op onderzoek gegaan. Hij vond dat de politie te weinig belang hechtte aan het feit dat Arlette waarschijnlijk door een van haar klanten, een asielzoeker, zwanger was gemaakt. Het kon best zijn dat die man met de moord niets te maken had, maar het simpele gegeven dat ze een relatie met zo iemand was begonnen, vond Moens veelzeggend. Je kon gemakkelijk tonnen commentaar leveren op het feit dat het vanuit haar positie ronduit verkeerd was om aan te pappen met mannen die voor een goed stuk van haar afhankelijk waren, maar dat vond hij niet relevant. Niet nu ze vermoord was. Integendeel. Stel dat haar relatie met die asielzoeker die intussen in Antwerpen woonde geen uitzondering was. Stel dat ze nog een paar vriendjes op dezelfde manier had gevonden. Het was misschien vergezocht, maar niet onmogelijk. Daarom was hij vandaag op het OCMW een praatje gaan maken. Om uit te vissen of daar misschien verhalen de ronde deden over Arlette en haar asielzoekers. Veel was hij echter niet te weten gekomen. Hij had hier en daar een vraag gesteld en had zeker tien minuten gepraat met haar rechtstreekse chef. De indruk die hij daaraan overhield, was dat Arlette Lepoutre haar werk graag deed, zich het lot van die mensen soms wat te veel aantrok en vaak op pad was om hen thuis op te zoeken. Dat was het. Niets meer. Het enige dat bleef hangen, was een terloopse opmerking van haar diensthoofd. Die herinnerde zich dat ze onverwacht enkele dagen vrij had gevraagd nadat ze bij een van haar klanten thuis was langs geweest. Maar wellicht was het overdreven om daar meer achter te zoeken.

Moens nam een laatste, lange teug en plaatste het nu lege wijnglas op het lage, ronde tafeltje naast hem. Met een gevoel van grote ontevredenheid, zelfs van onbehagen, kwam hij overeind uit zijn gemakkelijke stoel en begon naar de trap te slenteren. Het was gewoonweg allemaal te veel voor een dorp als Loverbeek. De moord op Arlette, Tavernier die een hartaanval krijgt terwijl Van Steirteghem bij hem op kantoor is, De Beemden. Altijd met Van Steirteghem op de achtergrond, die als een poppenkastspeler aan de touwtjes trekt. En dan waren er die asielzoekers. Het was natuurlijk gemakkelijk om tussen hen de moordenaar van Arlette te zoeken, wat het Vlaams Belang te pas en te onpas deed. Anderzijds... Wie verbleef er in Loverbeek toen Arlette werd vermoord? Hij dacht dat dit nu nog steeds dezelfden waren. Een Kosovaar, een Pakistaan, een Rus en iemand uit Soedan. Hij was ze zonder uitzondering minstens één keer gaan opzoeken. Het was verleidelijk en o zo gemakkelijk het slechte te zoeken bij mensen die je niet kende, die een taal spraken die je niet begreep. Eigen volk eerst, nietwaar. Maar moest je daarom automatisch dat spoor laten voor wat het was? Het wás een feit dat Arlette met asielzoekers werkte. Dat was haar baan. En bovendien had ze een relatie met één van hen, met iemand die nu in Antwerpen verbleef. Was het zo ver gezocht om een tweede relatie te vermoeden, of misschien een felle, compleet uit de hand gelopen discussie over een dreigende uitwijzing?

Hij bleef besluiteloos met de linkerhand op de armleuning van de trap staan. Het kon niet anders of de politie onderzocht ook die mogelijkheden. Die commissaris Janssens leek hem een capabele vent. Die zou niet slordig te werk gaan. Niettemin had die man hem kort geleden nog bevestigd dat ze nergens stonden, dat de vooruitgang in het dossier nihil was. Het enige wat hij had laten weten, was dat Van Steirteghem niet de moordenaar was. Anders hadden ze de Boskabouter natuurlijk niet laten gaan. Waarom zou hij dan niet zelf nog een keer met de vier Loverbeekse asielzoekers gaan praten? Baatte het niet, dan schaadde het niet. In het slechtste geval was het tijdverlies. Nu hij wist wat hij morgen ging doen, nu hij in actie zou komen, liep pastoor Moens met twee treden tegelijk naar boven, naar de badkamer. Hij was niet van de politie. Integendeel. Hij was zowat het tegenovergestelde. Een zielenherder die zich om hen bekommerde. Misschien vertelden die mensen hem daarom meer. Misschien niet veel. Maar één detail was mogelijk voldoende om op de moord op Arlette Lepoutre een nieuw licht te werpen. Hij zou wel zien.

De volgende dag tegen de middag, leken die bedenkingen hem te getuigen van een optimisme niet van deze wereld. Hij was bij de Kosovaar en de Rus langs geweest. Dat had hij evengoed niet kunnen doen. Als taal geen communicatie-middel is maar een barrière, heb je bij voorbaat verloren spel. Die Kosovaar sprak weliswaar wat Duits, maar niet meer dan om de meest elementaire conversatie te voeren. De bezoeken die Arlette hem had gebracht in herinnering brengen, ging zo moeizaam dat hij er na nauwelijks vijf minuten de brui aan gaf. Nog erger was het met de Rus. De man met een onmogelijk uit te spreken familienaam kwam uit een onooglijk stadje ergens in Oost-Siberië, niet ver van de Chinese grens. In een taaltje dat slechts van heel in de verte op Engels leek en met veel gesticuleren had hij dat ten slotte aan pastoor Moens kunnen duidelijk maken.

Terug op de pastorie voor zijn sober middagmaal vroeg hij zich af of het zin had de twee anderen nog op te zoeken. In theorie kon hij niet uitsluiten dat één van die heren bij de moord op Arlette was betrokken, of erger, zelf de moordenaar was. Ze konden motieven hebben waarvan hij niet de minste notie had. Maar met die mensen contact maken op een meer diepgaande manier dan door te praten over elementaire dingen als hun naam en waar ze vandaan kwamen, ging zijn petje te boven. Hendrik Moens vroeg zich af hoe Arlette daarin slaagde. Ze zou als iedere jongere en met dank aan de media wel vlot Engels hebben gesproken, maar wat baatte dat als haar gesprekspartner die taal nauwelijks verstond? Hetzelfde met Frans en Duits, dat ze ook wel gebruikt zou hebben. Pastoor Moens groef in zijn geheugen naar de asielzoekers die in het verleden aan Loverbeek waren toevertrouwd en die dus door Arlette werden begeleid. Er waren een paar Afrikanen bij, herinnerde hij zich. Van een van die mensen was de asielaanvraag uiteindelijk afgewezen. Zou die uit woede, uit wraak een moord plegen? Maar die man was op een vliegtuig terug naar huis gezet.

Die zou toch niet uitsluitend met de bedoeling een OCMW-ambtenaar te vermoorden terug naar hier komen? Nee, dat was belachelijk. Veel te ver gezocht. Toen hij aan een kop koffie met een zandkoekje toe was, stond zijn besluit vast. Het was vreselijk naïef van hem om te denken dat hij door met die asielzoekers te gaan praten nieuwe aanwijzingen kon vinden. Ook de politie had die mensen natuurlijk ondervraagd. Bovendien beschikten die ongetwijfeld over tolken, zodat die gesprekken heel wat meer diepgang hadden dan de pantomimes die hij daarstraks had opgevoerd.

'Nog wat bijschenken, meneer pastoor?' Maria Lepoutre hield de koffiekan al in de aanslag.

'Ja. Doe maar. Dank je.'

'En, is het een beetje gegaan? Hebt u die mensen gesproken?' Het klonk wantrouwig, maar tegelijkertijd hoopvol.

'Jaja.' Voor hij vanmorgen de deur uitging, had hij haar verteld wat hij van plan was. Misschien had hij dat beter niet gedaan.

'Hebben ze nog iets gezegd? Iets dat ons vooruit helpt?'

Moens streek zich verveeld over de neus. De bange verwachting in haar stem was onmiskenbaar. Hij had vanmorgen beter zijn mond gehouden. 'Niet veel, Maria, niet veel.'

Ze ging bij hem aan de keukentafel zitten. 'Vanmiddag hebt u misschien meer geluk...' Ze keek hem aan met ogen die overliepen van verdriet. Haar enige kind was vermoord en ze wist niet waarom of door wie. Die onzekerheid, die maakte dat ze 's nachts nog nauwelijks sliep, vrat ieder moment aan haar. Het was alsof ze scherpe tandjes voelde bijten en trekken aan haar maag, haar darmen, haar hart. Een marteling die nooit ophield, die alleen maar erger werd.

'Tja...' begon hij. Maar hij kon het niet opbrengen te zeggen dat hij had beslist om vanmiddag die Pakistaan en die

Soedanees niet meer op te zoeken. Ook die bezoekjes zouden achteraf compleet zinloos blijken, daar was hij zeker van. Anderzijds... Hij zag dat Maria hem achterdochtig aankeek. Net of ze vermoedde dat hij zijn plannen had gewijzigd. Ach wat. Wat maakte het tenslotte uit? Hij had voor die dag toch geen andere afspraken of verplichtingen. Dan kon hij net zo goed doen wat zijn huishoudster van hem verwachtte. Ze had het zo al moeilijk genoeg. 'Als mijn kop koffie leeg is, vertrek ik.'

'Dank u, meneer pastoor.'

'Weet ge, Maria, ik heb veel bewondering voor uw dochter. Haar baan was echt niet gemakkelijk. Mensen helpen die hier van heinde en verre aanspoelen. En niet alleen met papierwerk, maar ook moreel. Hen gaan opzoeken, een hart onder de riem steken. Bovendien, de vier vluchtelingen die nu in Loverbeek verblijven, zijn hier helemaal alleen naartoe gereisd. Zonder vrouw of kinderen. Dat maakt het voor hen ongetwijfeld nog allemaal veel zwaarder.' Het kon geen kwaad de herinnering aan Arlette met een roze borstel te schilderen.

'Dank u zeer, meneer pastoor.' Hij zag hoe – even maar – haar gezicht oplichtte.

Toen hij tien minuten later op weg was naar de Lindestraat waar Aboe Jahl op de tweede verdieping van het nummer vier een voorlopig optrekje was toegewezen, dacht pastoor Moens aan zijn eerdere ontmoeting met de man. Dat was enkele maanden geleden, toen die nog maar pas in Loverbeek was aangekomen. Toen al had de naam van die Soedanees hem niet onbekend in de oren geklonken, maar hij wist niet waarom. Sindsdien had die naam zich in zijn geheugen vastgehaakt op een uiterst vervelende manier. Hij besloot dat hij zodra hij weer thuis was, zou gaan googelen om te zien welke antwoorden hij kreeg als hij *Aboe Jahl* intikte.

Aangekomen bij de woning belde hij aan. Eerst gebeurde er niets. Moens was niet ontevreden met die meevaller. Dat nutteloze gedoe was tenminste vermeden. Restte hem nog de Pakistaan aan de andere kant van het dorp op te zoeken. Dan had hij gedaan wat hij Maria had beloofd. Maar plots hoorde hij hoe een raam werd geopend en keek hij in het donkere gezicht van de Soedanees. De twee keken elkaar enkele tellen in het wit van de ogen.

'Ja?'

'Meneer Jahl. U herinnert zich mij nog wel. Ik ben pastoor Moens.'

'Wat u willen?' Minder uitnodigend, meer afstandelijk kon je zoiets niet zeggen.

Die Soedanees sprak ook een koeterwaals Engels. Maar dat wist hij al. 'Ik kom even praten. Mag ik binnenkomen?'

Als antwoord sloot Aboe Jahl met een klap het venster. Hendrik Moens bleef met de handen op de rug wachten. Hij veronderstelde dat de man naar beneden kwam. Hij kreeg gelijk. Na wat gestommel, opende de voordeur zich op een kier.

'Wat u willen?' herhaalde Jahl, maar nu iets minder onvriendelijk. Moens was voor hem niet alleen de vertegenwoordiger van een godsdienst die hij haatte, maar ook een spion van de overheid. Aan de andere kant mocht hij niet uit zijn rol van de sukkelaar vallen, uit een ver land afkomstig, die op zoek is naar een nieuw leven, een nieuw geluk. De fout die hij met die blonde hoer had gemaakt, zou hij niet herhalen. Daarom kon hij niet anders dan de pastoor binnenlaten.

'Ik kom gewoon even praten', herhaalde Moens. 'Zullen we naar boven gaan?'

Gezeten op een gammele, metalen keukenstoel en terwijl Jahl de kop muntthee zette die hij had aangeboden, keek Moens de kamer rond. Die was nog precies zoals bij zijn vorige bezoek. Alleen het slordig bevestigde, door de zon geel geworden krantenpapier op de ruit kon hij zich niet herinneren. Toch waren er verduisteringsgordijnen. 'U beschikt over zware gordijnen en u plakt papier op de ruit?' kon hij zijn nieuwsgierigheid niet bedwingen. Met de rug naar zijn bezoeker gekeerd, gleed een glimlach over het gezicht van Aboe Jahl. Die blonde teef had precies dezelfde opmerking gemaakt. Maar nu had hij zijn antwoord klaar. 'Ik niet zo houden van te veel donkerte. Gordijnen zijn te duister, te zwart... Papier is beter... Suiker in de thee?' Zelf zoette hij hem altijd overvloedig, maar intussen had hij geleerd dat ze hem in dit land van regen en wind vaak zonder dronken.

'Geen suiker, dank u.' Als die man liever met papier verduisterde... Moens vermoedde iets cultureels. Iets waarop hij beter niet inging. Met twee dampende bekers in de handen kwam Jahl voorzichtig tegenover hem aan de kleine keukentafel zitten.

'U komen praten?'

'Ik kom in de eerste plaats zien hoe het met u gaat. U bent moslim en ik christen, maar naastenliefde is iets wat we allebei koesteren, nietwaar?'

Jahl knikte afwezig. Hij wist dat er tussen de drie grote godsdiensten, het jodendom, het christendom en de islam, overeenkomsten waren. Ze hadden een gemeenschappelijke oorsprong, vaak dezelfde profeten. Hoofdstukken die handelden over het vagevuur, de hel, het laatste oordeel kon je zowel in de Bijbel als in de Koran lezen. Maar de essentie was natuurlijk dat het jodendom en het christendom dwalingen waren. Daarom was Mohamed tenslotte ten tonele verschenen, om het koninkrijk van de enige, ware God, Allah, aan te kondigen en te vestigen. Daarom zou hij binnenkort een zware slag aan die afvallige honden toebrengen door de SWIFT-kantoren op te blazen. Hij grijnsde besmuikt. Het was grappig. Die pastoor die uit naastenliefde kwam kijken hoe het met hem ging. Hij moest eens weten dat in de stortbak van zijn wc genoeg C4 verstopt lag om zijn kerk wel honderd keer de lucht in te blazen. Maar in aarzelende woorden antwoordde hij: 'Alles met mij in orde zijn. Ik wachten op papieren. Ik bidden dat ik in uw schone land mag blijven.'

'Hebt u al een idee wat u gaat doen als uw verblijfsvergunning in orde is?'

'Werk zoeken. Als ik wat heb gespaard, familie laten komen...'

Moens knikte vol begrip. 'U weet natuurlijk van Arlette Lepoutre, de dame van het OCMW, die is vermoord?' Hij gebruikte dezelfde aanpak als eerder die dag. Eerst wat over koetjes en kalfjes praten, dan Arlette te berde brengen. Bij de twee anderen was het gesprek daarop afgesprongen omdat ze nauwelijks in het Duits of Engels konden uitleggen wat ze wilden zeggen. Maar Aboe Jahl was vlotter met de taal. Misschien lukte het met die man beter.

'De dame van het OCMW vermoord?' echode die. Bij zichzelf vroeg Jahl zich af of hij moest zeggen dat hij daarvan op de hoogte was, of juist ontkennen. Een algemene stelregel was immers dat hoe minder je zei dingen te weten, hoe minder problemen er op jou afkwamen. Maar aan de andere kant leek het nogal ongeloofwaardig dat hij – zelfs al was hij in Loverbeek als een soort toerist – zogezegd niets zou opgevangen hebben over de moord. 'Ik heb daarvan gehoord', zei hij daarom met toegeknepen stem.

'Wanneer hebt u haar het laatst gezien? Ze kwam toch regelmatig langs?'

Jahl beet op zijn onderlip. Hij mocht die pastoor niet onderschatten. Zie je wel, dacht hij venijnig, die man is een spion. Hij komt mij uithoren, net zoals de politie heeft gedaan. Hoewel, die agent was snel de deur uit. Met zijn vriendelijke ogen keek hij Moens recht aan. 'Die dame verschillende keren mij komen opzoeken. Lieve dame. Goed gemaakt. Lekker stuk!' Hij grijnsde scheef naar de pastoor. Tenslotte was hij als asielzoeker al lang op de dool. Die pastoor zou verwachten dat hij een toespeling maakte op de voluptueuze vormen van die hoer.

Het klonk Moens bevreemdend in de oren. Plots zag hij Arlette voor zich. Hoe ze zich kleedde. Niet echt uitdagend, maar toch. Een uitgesneden topje, korte rok. Niet voor niets had ze een niet-vlekkeloze reputatie. Hij moest denken aan Van Steirteghem, hoe die haar had misbruikt. Dat was onvergeeflijk, maar die smeerlap moet ook gedacht hebben dat bij Arlette alles mocht en alles kon. Tenslotte wist die van haar abortus. Hendrik Moens vroeg zich af wat Aboe Jahl van Arlette dacht. Ze zou toch niet hebben geprobeerd om die ook tot haar vriendje te maken? Een allesbehalve vrolijke gedachte. Hij herinnerde zich wat Janssens had gezegd. De commissaris had die asielzoeker waarmee ze had aangepapt een echte relatie genoemd. Niet zomaar een avontuurtje van een nacht. Moens pijnigde zijn hersenen om zich voor de geest te halen wie dat geweest kon zijn. Het lukte hem niet. 'Welnu, wanneer hebt u haar de laatste keer gezien?' drong hij niet onvriendelijk aan.

'Ik dat niet meer goed weten', hield Aboe Jahl de boot af terwijl hij vlijtig suiker door de hete thee roerde. 'Moet zijn geweest toen het héél koud was.' Hij plaatste het kopje op de keukentafel, hield zijn armen tegen zijn zij, sloot zijn ogen, kneep zijn lippen stijf op elkaar en deed 'Brr!'

'Juist', merkte Moens droog op. 'Ze heeft toen niks speciaals gezegd of gedaan?'

Jahl hield zich gedeisd. Die pastoor stelde ongeveer dezelfde vragen als die rechercheur – hij lette er zorgvuldig op dat hij niets zei dat afweek van de versie die hij toen had gegeven – maar de toon van de vragen van die zielenherder was anders. Net alsof hij iets wist wat de andere niet had geweten. 'Nee. Zij langskomen met papieren. Voor mij om te tekenen.'

'U vond niet dat ze ziek was? Ze had geen koorts of zo?'

'Ziek? Waarom u dat vragen? Nee, nee. Zij kop thee drinken, net als u, en dan weggaan.' Bij zichzelf zag hij Arlette weer voor zich. Hoe ze hem uitdagend haar blanke vlees had aangeboden. Dat wijf was niet ziek, dat was bezeten! Maar hij had die verleiding met gemak weerstaan. Hij had Allahs proef met vlag en wimpel gewonnen.

'Goed. Er is niets anders dat u is opgevallen?'

'Nee, nee. Waarom u dat vragen?' herhaalde Jahl met aandrang.

'Nou, omdat ze nadat ze bij u buiten was, voor de rest van de week verlof heeft genomen. Zomaar. Helemaal onaangekondigd.' Dat had haar dienstchef hem verteld.

'Ach zo.' Aboe Jahl kon zich maar al te best voorstellen waarom dat nodig was. Alleszins was hem intussen al lang duidelijk dat die blonde duivelin niet was gaan uithuilen. Bij niemand. Niet bij de politie, niet bij haar op kantoor. Wat nog alleen maar eens bewees hoe slecht haar bedoelingen waren. Het was alleen maar rechtvaardig dat ze intussen haar verdiende loon had gekregen.

'Goed. Dan ga ik maar. Bedankt voor uw tijd en voor de lekkere muntthee.' Moens kwam met een zucht overeind van de smalle keukenstoel. Het gesprek was zoals hij had verwacht op niets uitgedraaid, maar met deze man had hij tenminste nog een gesprek kúnnen voeren. Hij hoopte maar dat dit straks met de Pakistaan evenzeer het geval zou zijn. Als hij toch het lijstje helemaal afwerkte... 'Als ik voor u iets kan doen, ook materieel, wat kleren...' Maar midden in zijn zin stopte hij. Op het aanrecht, in een glazen, doorzichtig dessertschaaltje, zag hij autosleutels liggen. De sleutelhanger met het gele Renault-logo erop was van ver herkenbaar. 'U hebt een auto...?' vroeg hij daarom enigszins verbaasd en aarzelend.

Aboe Jahl draaide zich gepikeerd naar het aanrecht. Een zonnestraal die net niet werd tegengehouden door het papier op de ruit dat in een hoek slordig was bevestigd, viel precies op de sleutel. Daardoor sprong die nog veel meer in het oog. Hij vloekte stil bij zichzelf omdat hij die niet beter had opgeborgen, maar kon moeilijk ontkennen dat die sleutel daar inderdaad lag. Het kwam erop aan vlug iets te verzinnen. 'De autosleutels van een vriend', loog hij met overtuiging. 'Hij heeft die hier vergeten toen hij gisteren op bezoek was.'

Op straat liep Moens met gezwinde pas terug naar de pastorie. Hij was niet langer van plan de Pakistaan te gaan opzoeken. Hij vond dat niet meer nodig. Waarop hij gisteravond hoopte, maar wat tot vanmiddag een verre illusie leek, was uiteindelijk toch uitgekomen. Hij had wat inlichtingen te pakken waarmee hij de politie misschien verder kon helpen. Die autosleutels waren een eerste aanwijzing, de belangrijkste, dat er met het verhaal van die Soedanees iets mis was. Autosleutels die een vriend had vergeten? Laat me niet lachen! Zonder autosleutels had die niet naar huis gekund. Die zou hij meteen zijn komen oppikken zodra hij merkte dat hij ze was vergeten. Al bij al een zwakke uitvlucht. En precies daarom was hij daarstraks daar niet op ingegaan. Hij mocht niet de indruk wekken dat hij Jahl op een ongerijmdheid had betrapt. Hoewel, moest Moens bij zichzelf toegeven, het niet uit te sluiten viel dat die sleutels iemand anders toebehoorden. Dat kon altijd. Maar het was verduiveld onwaarschijnlijk. Dus, als die sleutels van Jahl waren, hoe had hij die auto dan betaald? En waarom had hij die überhaupt nodig? Waarom zei hij dat hij die niet bezat? Hendrik Moens gnuifde en zoog de frisse lentelucht met volle teugen in. Eindelijk had hij wat munitie. En er was meer. Niet zo overtuigend als het harde bewijs van die autosleutels, maar toch. Aboe Jahl had wat te gretig geklonken toen hij sprak over het lekkere stuk dat Arlette was. De gedachte dat die twee iets met elkaar hadden, brandde zich in pastoor Moens' gedachten. Zou commissaris Janssens dat spoor al hebben verkend? vroeg hij zich zenuwachtig af. Hoe dan ook, hij moest die man dringend opnieuw spreken. Het zag ernaar uit dat het geen kort gesprek zou worden.

31

Faoust stond te wachten voor de verkeerslichten op het kruispunt van de Steenweg op Gent met de Mettewielaan. Het was vroeg in de namiddag, een flauwe lentezon stond aan een waterig blauwe hemel en er was weinig verkeer. Allemaal dingen die zijn humeur, dat al niet slecht was, nog verder opkrikten. Hij grinnikte en keek op het gps-scherm midden in het dashboard van zijn donkerblauwe Toyota Avensis. Nog vier kilometer. Gewoon rechtdoor, de weg verder volgen tot in Sint-Jans-Molenbeek en dan linksaf naar de rue de la Perle. Hij kwam niet vaak in Brussel en nog minder in de wijk waar hij nu naartoe reed. De hele buurt van het kanaal tot bijna aan de Vierwindenstraat was nochtans een gebied waar hij zich prima thuisvoelde. Terwijl hij zijn bestemming naderde, zag hij hoe met ieder huizenblok dat hij voorbij reed er meer Arabische opschriften op de etalages stonden. Hij voelde hoe de sfeer op straat helemaal veranderde. Toen hij ten slotte de rue de la Perle in draaide, kon hij evengoed in het oude centrum van Beiroet zijn aangekomen. Veel mensen op straat, allemaal broeders en zusters. Alle vrouwen droegen een hoofddoek, sommigen een allesverhullende zwarte boerka. Handelaars stalden hun waren gewoon op straat uit en wachtten op klanten, genietend van een dampende kop thee. Hij kwam hier niet vaak omdat hij wist dat informanten op de loer lagen

om op goed geluk autonummerplaten aan de Staatsveiligheid door te geven met als excuus de strijd tegen het terrorisme. Je moest het noodlot niet tarten. Behalve vandaag.
Sjeik El Jahmin had hem het adres van de broeder die hem
de springstof zou leveren enkele dagen geleden doorge-
beld. Geen naam, slechts een adres en het gegeven dat hij op
de derde belknop moest drukken, te tellen vanaf beneden.

Terwijl hij zijn auto met moeite tussen een Mercedes break
en een vw Touareg parkeerde, voelde hij trots in zich opwellen. Hij was in de hoofdstad van Europa, in het hart van
het land van de ongelovigen. Maar als hij rondkeek, als
hij luisterde naar de geluiden die door het open raampje
naar binnen waaiden, wist hij dat de goede zaak vooruitgang boekte. Veel vooruitgang. Hij herinnerde zich dat hij
jaren geleden – toen hij nog maar net in België was – ooit
in deze wijk een enkele afspraak had gehad. Toen waren
slechts een paar straten dicht bij het kanaal geïslamiseerd.
Toen zag je hier en daar zelfs nog Franstalige opschriften op
de etalages. Maar die tijd was gelukkig voorbij. Definitief
voorbij. En Philippe Moureaux, de burgemeester van Molenbeek – driftig op zoek naar steun uit gelijk welke hoek
om toch maar herkozen te worden – had zijn politieagen-
ten zelfs verboden om in de islamwijken te patrouilleren.
Op een ander ogenblik had die man de term 'islamsocialis-
me' gelanceerd. Hoe dwaas kon je het bedenken, glimlachte
Faoust spottend. Die machtsgeile ps'er had het zelfs zover
gedreven om Hind Fraihi, een onderzoeksjournaliste van
Het Nieuwsblad, op de vingers te tikken omdat die afvallige
slet, overigens helemaal correct, had durven verkondigen
dat er in Molenbeek een parallelle samenleving van reac-
tionaire moslims bestond die almaar machtiger werd. Een
ongelovige hond, een atheïst dan nog, die het opnam voor

de ware broeders! Te gek voor woorden. Maar het bewees voor de zoveelste keer dat de samenleving van de westerse *kafirs* tot iets compleet richtingloos, iets helemaal gedegenereerd was verworden.

Nummer 12 in de rue de la Perle deed de naam van de straat absoluut geen eer aan. Het was een smalle woning opgetrokken in vervuilde rode baksteen, drie hoog, met een kelder. De raamlijsten waren ooit groen geschilderd, maar waren nu in zeer slechte staat. Het houtrot was op verschillende plekken duidelijk zichtbaar. Het huis stond gekneld tussen een in nog abominabeler toestand verkerende woning waarvan het glas in verschillende ramen was gebroken en vervangen door gevlekt bordkarton, en een andere waar op de begane grond een rommelige kruidenierszaak was gevestigd. Faoust klom de drie arduinen treden vol vogelpoep op om bij de voordeur te komen en drukte op de derde, naamloze belknop. Omdat er niets gebeurde, wilde hij net een tweede keer aanbellen toen hij in de gang gestommel hoorde. De deur opende op een spleet.

'Ja?'

'Ik ben gestuurd door sjeik El Jahmin.' Hij wist eigenlijk niet waarom, maar hij fluisterde.

'Kom binnen.' Ze spraken Arabisch.

De man was gekleed in een donkerbruine djellaba en droeg open sandalen. Voor hij de voordeur sloot, keek hij schichtig de straat in. 'Volg mij.'

De traphal rook vaag naar geuren die Faoust herinnerden aan het Midden-Oosten. Gebraden lam. Komijn. Look. Hij kreeg het water in de mond. Vanmiddag had hij slechts een broodje tonijn gegeten.

De andere sprak verder niet. Zonder om te kijken ging hij de trap op eerst naar de eerste, toen naar de tweede verdieping. Hij sleepte met zijn linkerbeen en greep naar de leuning om zich met zijn hand op te trekken. Boven gekomen duwde hij de rechterdeur op de overloop open en gebaarde naar Faoust dat hij hem moest volgen. De deur kwam meteen uit in de woonkamer met zicht op de rue de la Perle. Het interieur was oosters ingericht met veel koper en op de grond zware tapijten. Niet echt Faousts smaak want veel te overvloedig, veel te kitscherig. Boven wat eens de open haard was, maar waarin nu een gaskachel goed hoorbaar stond te snorren, hing een kromzwaard. Het scherpe lemmet was in prima staat met slechts hier en daar enkele roestvlekjes. Het was versierd met een geometrisch motief waarin je bloemen kon herkennen.

'Mooi wapen.' Faoust zag meteen dat het geen namaak was.

'Het is een *yataghan*. Komt uit Turkije. Negentiende eeuw. Een wapen met geschiedenis. Het heeft goed dienst gedaan.' De man in de djellaba sprak emotieloos, als een gids in een of ander museum die wenste dat zijn dagtaak al uren geleden voorbij was.

Faoust wist niet goed hoe die uitspraak te plaatsen. Wat hij voor roestvlekken hield, zou toch geen geronnen bloed zijn?

'Ik haal waarvoor je bent gekomen.' Met slepende passen verdween de ander door een deur die hij snel achter zich sloot. Faoust kon nog net zien dat die naar een slaapkamer leidde.

Terwijl hij wachtte, keek hij rond. Tegenover de muur met het kromzwaard stond een uitpuilende boekenkast die onder het gewicht vervaarlijk naar links overhelde. Toen hij dichterbij kwam, kon hij de titels lezen. Er was natuurlijk de koran, waarvan de met gouddruk versierde band meteen in het oog sprong. Maar vooral was er Fi zilal al-Qur'an ('In de schaduw van de Koran') van Saïd Qutb, een standaardwerk met de enige juiste interpretatie van het Heilige Boek. Qutb was Faousts grote voorbeeld. Die man, die als leider van de Moslimbroederschap door Nasser, de toenmalige Egyptische president, was opgehangen, had niet meer of minder dan de grondslag gelegd van de moderne politieke islam.

'Mijn boeken interesseren u?' Plots stond zijn gastheer naast hem.

Faoust schrok, maar herstelde zich onmiddellijk. 'Ja. Saïd Qutb was een groot man. Een ziener.'

'En een held en een martelaar. Wist u dat hij Osama bin Laden en Ayman al Zawahiri als studenten had?'

'Ach zo. Nee, dat wist ik niet. Nou, ze zijn hun leraar waardig. Had Saïd Qutb dat allemaal mogen meemaken...'

Uit respect voor de nagedachtenis van de man die voor hen bijna een profeet was, bleef het enkele tellen stil.

Ten slotte draaide de man in de donkerbruine djellaba zich naar Faoust. 'Hier heb ik waarop je wachtte.' Hij hield in zijn linkerhand een bundel die op een stapel samengepakt krantenpapier leek en die met een rafelig koord was samengebonden.

'De detonator zit erbij?'

'Natuurlijk. Bijna drie kilogram springstof en de ontsteking met een tijdschakelaar die je kunt instellen tot op maximum een halfuur.' Voor het eerst toverde de man een schijn van een zure glimlach op zijn dunne, bloedeloze lippen. 'Zal dat genoeg zijn?'

Rachid Faoust kon het stille verwijt allerminst appreciëren. Als het niet anders kon, zou hij sterven in de aanslag. Maar hij had nog andere taken te vervullen. Een zinloze dood diende de zaak allerminst. 'Wij ijveren ieder op onze manier, broeder.' Het klonk zo scherp als hij het had bedoeld.

De man in de donkerbruine djellaba fronste licht de wenkbrauwen. 'Zo is dat, zo is dat... Ga nu. Wij zitten hier redelijk veilig, maar het is beter dat je zo vlug mogelijk vertrekt.'

Dat taaltje stond Faoust beter aan. Veiligheid voor alles. Geen risico's. Maar er was nog iets. 'Financieel is alles oké? Je verwacht van mij geen betaling?'

'Nee. Dat is allemaal geregeld.' Hij klonk licht geërgerd. 'Kom nu.' In het zog van de trekkebenende man liep Faoust naar de voordeur, die door de ander eerst op een kier werd geopend. De man in de donkerbruine djellaba speurde zorgvuldig de straat af en opende toen pas de voordeur helemaal. 'Succes, broeder.'

'Inch'allah, als god het wil.' Maar de deur klikte al zwaar in het slot. Rachid Faoust liep relaxed naar zijn Toyota. Wat een bundel krantenpapier leek, hield hij losjes onder zijn linkerelleboog gekneld. Er waren zo van die dagen dat alles meezat. Om te beginnen moest de zon schijnen, als voorbode van alle andere leuke dingen die zouden komen. Als ik een kat was, ik zou gespind hebben, speelde het plots door zijn hoofd. Hij voelde zich opgelaten. Hoe vlot was de overdracht van de springstof niet gegaan. Niet dat hij problemen had verwacht – die waren er nooit sinds hij voor sjeik El Jahmin werkte – maar het gaf zo'n prettig, vertrouwenwekkend gevoel vast te stellen dat alles zo keurig, zo vanzelfsprekend was georganiseerd. Allah keek met de meeste welwillendheid op hem neer, zoveel was duidelijk. Terwijl hij de auto ontsloot en de bundel voorzichtig op de achterbank deponeerde, begon hij een deuntje te neuriën, de laatste hit van Amr Diab, zijn favoriete Egyptische zanger.

32

'Hier zijn we dan weer. Gaat u alstublieft zitten. Stoort het als inspecteur Van Walleghem bij ons gesprek aanwezig is?' Commissaris Janssens was in bloedvorm. Het telefoontje van pastoor Moens waarin die het verhaal deed van de autosleutels die hij bij Aboe Jahl had gezien, zinderde nog na. Knap van die pastoor dat hij dat had opgemerkt. En dom van die Soedanees om iets te laten slingeren dat hem misschien in de problemen bracht. Maar zo zie je wat toeval doet, concludeerde de commissaris nuchter. Je kon nog zo goed rechercheren, iets op het eerste gezicht compleet insignificants als een Renault-sleutelhanger kon het onderzoek misschien op het goede spoor zetten. Al diende hij op te letten niet te enthousiast te worden. Al bij al waren die autosleutels niet meer dan een ongerijmdheid. Maar Janssens voelde het kriebelen. Zijn kleine vinger vertelde hem dat er eindelijk schot in de zaak kwam. Dat er meer aan de hand was.

'In het geheel niet', antwoordde Hendrik Moens, die voor hij plaatsnam zijn bezoekersstoel wat naar achter trok zodat Van Walleghem straks ruimte genoeg had om in de andere te gaan zitten. Voor de gelegenheid droeg de pastoor een grijs jasje op een zwarte fluwelen broek. De bovenste knopen van zijn rood-grijs geblokte sporthemd waren los. Enkele plukken ros borsthaar kwamen voorzichtig gluren. Zijn overjas had hij buiten aan de kapstok achtergelaten.

'Prima. Kop koffie?'

'Graag. Zwart, zonder suiker of melk.'

Terwijl de commissaris zijn medewerker belde en hem en passant opdracht gaf om drie koffie uit de automaat mee te brengen, keek Moens de werkplek van de commissaris rond. Het was een klein kantoor met een hoog raam dat uitzag op de straatkant. Het grijs gelakte bureau met lichthouten blad troonde in het midden met nauwelijks plaats genoeg voor de twee met zwarte skai beklede bezoekersstoelen en een rechthoekige tafel in de hoek bij het venster. Janssens zat in een imposante kantoorzetel met hoge rug waarvan een van de armsteunen een uitpuilende scheur liet zien. Achter hem hing een grote poster van een zonsondergang op een of ander zuidelijk eiland met daarnaast een grote scheurkalender van KBC, die al de datum van morgen aangaf. Op het bureau lag een wirwar van gekleurde, dunne kartonnen mappen, sommige opengeslagen, andere op een stapel. Het geheel wekte de indruk van een georganiseerde wanorde. Moens dacht – bouwend op zijn mensenkennis – dat het karakter van de commissaris ook zo in elkaar zat.

Nadat Van Walleghem was voorgesteld, keek Karel Janssens van de een naar de ander en bracht toen in een nadenkend gebaar de vingertoppen bij elkaar. Even overwoog hij om het gesprek te beperken tot de getuigenverklaring van de pastoor over wat hij bij die asielzoeker had gezien. Pv'tje opstellen, laten ondertekenen en klaar was Kees. Maar dat deed hij ten slotte niet. Zonder Moens' bezoek aan die Soedanees zaten ze hier vandaag niet. Bovendien was het ook via hem dat de brief van het slachtoffer die Van Steirteghem beschuldigde tot op zijn werktafel was gekomen. Het was duidelijk dat die Hendrik Moens een scherpe, snelle geest had. Het kon geen kwaad hem te betrekken in die aspecten van het onderzoek die hij zelf had aangedragen. Wat niet wilde zeggen dat hij niet aan geheimhouding was gebonden. Hij richtte zich tot Moens. 'Al wat u hier hoort, mag u tegen niemand herhalen. Is dat duidelijk?'

De pastoor ging wat rechter op zijn stoel zitten en kruiste de benen. 'Geen probleem. Bovendien weet ik misschien meer dan u vermoedt', voegde hij er geheimzinnig aan toe. Janssens fronste de wenkbrauwen. 'Meer dan wat u mij over de telefoon over die Renault-autosleutels hebt verteld?'

'Inderdaad. Maar laat ik u eerst uitleggen waarom ik Aboe Jahl en die andere asielzoekers in Loverbeek ben gaan opzoeken...'

De plastic koffiebekers waren leeg toen Moens was uitgepraat.

'Dus het is meer dan die autosleutels', vatte de commissaris nadenkend samen.

'Dat vind ik wel, ja. Hoe hij over Arlette sprak, dat verbaasde mij. Hoe hij haar als een lekker stuk omschreef... Dat klonk... vals.'

'Uit niets blijkt dat die twee samen iets hadden. Ook wij hebben in die richting gedacht', kwam Van Walleghem tussenbeide. Tot nog toe had hij alleen geluisterd.

'Wat niet wil zeggen dat het niet kan.' De commissaris bladerde in een citroengele kartonnen map. 'Eén van Arlette Lepoutres vriendjes was een asielzoeker. Iemand die nu in Antwerpen woont en werkt. Jonathan Kasihali.' Hij las even in het dossier. 'Die heeft niets te maken met de moord, dat is duidelijk...' Hij streek zich nadenkend over de kin en keek dan van Moens naar zijn medewerker. 'We hebben hem nog niet grondig ondervraagd. We weten nog niet precies hoe de relatie met het slachtoffer tot stand is gekomen...' De anderen waren meteen mee.

'Stel dat Arlette die sukkelaar gewoon heeft verleid!' Van Walleghem had plots een blos op de wangen. 'Dat ze misbruik heeft gemaakt van haar positie!'

'Ze had niet de beste reputatie, dat moet ik toegeven', deed Moens zijn duit in het zakje.

'Bon. Misschien heeft ze ook te uitnodigend naar die Aboe Jahl gelachen. Kan best zijn. Maar dat betekent nog niet dat die man haar daarom heeft vermoord.'

'Ik vind, chef, dat we die Kasi, Kashil...'

'Kasihali.'

'Die ja, moeten ondervragen over hoe hij het met het slachtoffer heeft aangelegd. Of omgekeerd.'

'Daar heb je gelijk in. Doen we. Maar ik herhaal het, zelfs al blijkt dat Arlette Lepoutre pleziertjes zocht bij haar azielzoekers, dan beschuldigt dit Aboe Jahl op geen enkele manier.'

'Zo is dat.' Pastoor Moens kreeg het moeilijk met de richting die het gesprek nam. Straks was het Arlettes fout dat ze was vermoord. 'Ik heb nog wat meer informatie over Aboe Jahl', boorde hij daarom een ander onderwerp aan. Hij wachtte even tot hij de volle aandacht had van Janssens en van Van Walleghem. 'Ik zei al dat ik misschien nog wat nuttige informatie kon aandragen', begon hij aarzelend. 'Ik weet niet of het echt helpt. Net zomin als dat van die autosleutels,' onderbrak hij zichzelf, 'maar het is toch wel een merkwaardig toeval. Nog maar een.'

'Waar hebt u het over?' De commissaris had zich licht naar hem toe gebogen en keek de pastoor intens aan.

'Ik heb het over Aboe Jahl. Over de man zijn naam.'

'Zijn naam?' De twee politiemannen reageerden als in samenspraak waardoor iedereen moest glimlachen.

'Ja. Zijn naam. Ik ben pastoor, zoals u weet. Dus religieus geschoold. Uiteraard op de eerste plaats in de katholieke eredienst. Maar met een open oog voor wat in andere religies leeft. De islam, het boeddhisme, het taoïsme... Voor zover je dat laatste natuurlijk een godsdienst kunt noemen...'

'Ja. En?' Karel Janssens hing zowat aan Moens' lippen. Als een kind met sinterklaas wilde hij zijn cadeautje zo snel mogelijk hebben.

'De naam Aboe Jahl klonk mij niet onbekend in de oren. Maar ik kon hem niet thuisbrengen. Dus ben ik op internet gaan zoeken.' Hij keek hen triomfantelijk aan. Liet hen nog wat sudderen. Moens genoot van het ogenblik. Hij voelde zich als Watson die bij Sherlock Holmes verslag uitbrengt. 'Aboe Jahl is een figuur uit de Koran. Iemand die Mohamed eerst te vuur en te zwaard bestreed, maar nadat die hem vergiffenis had geschonken, een van de grootste voorvechters van de islam werd.'

'Zo...' Commissaris Janssens voelde ontgoocheling. Hij had op een spectaculaire onthulling gerekend.

'Begrijpt u het niet? Aboe Jahl is de naam van een van de grootste islamstrijders. Iemand die bij wijze van spreken op z'n eentje een machtig Byzantijns leger heeft verslagen. Dat kan geen toeval zijn!'

'Wat kan geen toeval zijn?' Ook voor Toine Van Walleghem was de anticlimax groot.

'Ik zeg u dat die Aboe Jahl – of hoe die man ook moge heten – iets in het schild voert. Eerst die autosleutels. Het is onwaarschijnlijk dat die van iemand anders zijn. Daar zijn we het toch over eens...?' Hij keek afwachtend naar de anderen, maar die knikten instemmend. 'Goed. Dat betekent dat die Aboe Jahl dus een auto bezit. De logische vraag is dan niet alleen waarom hij die nodig heeft, maar ook hoe hij die heeft betaald. Het hoeft natuurlijk geen nieuwe, dure slee te zijn, maar toch. Autorijden kost hoe dan ook geld. Met andere woorden, van wie heeft hij dat geld gekregen...?' Pastoor Moens zweeg. Zijn keel voelde droog aan.

Karel Janssens schraapte de keel en tuurde op het schrijfblok waarop hij een aantal dingen had genoteerd. 'Akkoord, er is de auto en er is de naam die allerlei associaties oproept...'

'En er is wat Jahl heeft gezegd over het slachtoffer: een heet, lekker stuk.'

'Toine, het er niet te dik opleggen, hé.' Maar bij zichzelf kwam hij tot de conclusie dat die pastoor niet ver naast de waarheid zat. Als die man een auto bezat, lag de vraag naar de financiering ervan voor de hand. 'Die Renault-sleutels passen inderdaad niet in het plaatje van de armlastige asielzoeker...'

'Misschien heeft Arlette die bij haar laatse bezoek ook zien liggen.' Hendrik Moens flapte het eruit alsof het de mededeling betrof dat het koud was voor de tijd van het jaar.

'Kan best zijn, kan best zijn...' Commissaris Janssens tokkelde zenuwachtig met zijn vingertoppen op het bureaublad. Hij zag een aantal puzzelstukken op hun plaats vallen. Hij stelde zich Arlette Lepoutre voor die de man die zich Aboe Jahl noemde, ging bezoeken. Mogelijk met andere bedoelingen dan zuiver professionele. Dat moest nog blijken. Maar als ze die sleutelbos ook had gezien, dan kon het niet anders of ze zou de man daarop hebben aangesproken. Het was verduiveld haar baan om oog te hebben voor details die niet klopten in het verhaal van een asielzoeker. En hoe zou Jahl daarop hebben gereageerd? Had hij inderdaad een valse naam zoals Moens vermoedde? Wat had die man te verbergen? Wat waren zijn échte bedoelingen?

Van Walleghem was helemaal mee. 'Die Aboe Jahl is misschien helemaal geen asielzoeker. Die doet alsof. En Arlette Lepoutre heeft dat ontdekt...'

'En daarom moest ze sterven.' Pastoor Moens stem klonk als bij het einde van zijn zondagse preek. Plots werd het stil.

'Nog iemand koffie?' Karel Janssens verbrak de ban. 'Niet dat hij zo lekker is, maar ik vind dat we iets te drinken hebben verdiend.'

Moens was blij dat de commissaris het vroeg. Het was warm in de kamer. Zijn keel voelde aan als schuurpapier, maar dat kon ook van de spanning zijn. 'Nog altijd zwart voor mij, zonder suiker of melk.'

'Toine, ga jij...?' Zijn medewerker kwam al overeind uit zijn stoel.

'Hoe moet het nu verder?'

Karel Janssens ging zwaar verzitten. 'Meneer pastoor, we zijn flink opgeschoten – waarvoor mijn hartelijke dank – maar nu is het onze beurt, als u begrijpt wat ik bedoel.' Hij glimlachte ontwapenend, terwijl hij voelde of zijn butterfly nog recht zat.

'Ik begrijp helemaal niet wat u bedoelt. Het is duidelijk dat die Aboe Jahl op z'n minst iets te verbergen heeft. Gaat u hem niet ondervragen? Nu u het weet van die autosleutels? En van zijn naam', voegde hij er vlug aan toe.

'Ik wil zeggen dat het nu tijd is voor het meer... eh, technische politiewerk. Ondervragen, inderdaad. Maar er staan ons nog andere middelen ter beschikking.'

'Andere middelen?'

'Meneer pastoor. Ik dank u opnieuw van harte voor uw hulp. Maar hier eindigt uw medewerking. Nu zijn wij aan zet. En wat dat inhoudt, kan ik u niet uitleggen. Dat zult u wel begrijpen.' Het klonk strenger dan hij had bedoeld.

Een volgende vraag die op Hendrik Moens' lippen brandde, bleef op die manier onuitgesproken. Het besef dat zijn rol was uitgespeeld, sijpelde spijtig naar boven. 'Goed dan.' Hij maakte aanstalten om op te staan.

'Uw verklaringen moeten nog op schrift worden gesteld. Mijn medewerker zal dat doen.' Op datzelfde ogenblik duwde Van Walleghem voorzichtig met zijn linkerschouder de kamerdeur open, met drie witte plastic bekertjes dampende koffie tussen beide handen geklemd. 'Toine, neem jij meneer pastoor mee voor het pv? Wij zijn hier rond.'

Twee uur later zaten de commissaris en zijn rechercheur opnieuw tegenover elkaar. Het was bijna middag en ze hadden honger, maar geen haar op hun hoofd dacht eraan om niet eerst te debriefen. Het bezoek van de panlatmagere pastoor uit Loverbeek had zijn effect niet gemist.

'Wie had dat gedacht, hé?' begon Janssens.

'Dat is een verstandige vent. Iemand met ogen in zijn kop.'

'Van zodra hij belde met dat verhaal over die autosleutels wist ik dat we zouden opschieten. Ik voel die dingen aan.'

Van Walleghem lachte flauwtjes. 'Zoiets als iemand die in kristallen bollen kijkt, chef?'

'Niet zeveren. We staan voor een doorbraak. Toen jij dat pv aan het uittikken was, heb ik alles nog eens op een rijtje gezet. Overigens, wist je dat de plaatselijke politie die Jahl al heeft ondervraagd?' Janssens hield een vel papier ostentatief tussen duim en wijsvinger. 'Zie je? Exact twee regels, om te zeggen dat er niets te melden is.'

Van Walleghem grinnikte. 'Dat zijn geen rechercheurs. Dat zijn niks meer dan slechte leerling-tovenaars.'

'We gaan die Aboe Jahl door de mangel halen. Ik heb al gebeld met mevrouw de onderzoeksrechter. Ik krijg een huiszoekingsbevel.' Janssens keek op zijn polshorloge. 'Binnen een uurtje is het klaar. Morgenvroeg gaan we op bezoek bij meneer Jahl. En jij mag persoonlijk assisteren.'

Van Walleghem zuchtte gelaten. Dat betekende om vijf uur opstaan. Iets wat hij haatte. 'Ging ze meteen akkoord?' 'Bah. Niet meteen. Maar omdat de zaak Lepoutre maar niet opschiet... We hebben voorlopig geen rechtstreekse bewijzen tegen Jahl. Bewijzen van wat dan ook. Maar is het niet daarvoor dat een huiszoeking dient? Juist om bewijsmateriaal te verzamelen?' 'Harde bewijzen zijn er niet. Maar dat verhaal van die autosleutels... Dat stinkt.'

Plots boog Karel Janssens zich naar voor en vervolgde op fluistertoon. 'Weet je wat ik denk?' Hij wachtte niet om zijn eigen vraag te beantwoorden. 'Ik denk dat we te maken hebben met een terrorist. Iemand die onder de dekmantel van de ontheemde asielzoeker hierheen komt met malafide bedoelingen.'

'Zeg, chef, je hoeft niet te fluisteren. Wij worden hier niet afgeluisterd. Hoop ik.' Het was of de ander zijn grapje niet had gehoord. Van Walleghem liet de bewering van zijn baas bezinken. Een asielzoeker-terrorist in Loverbeek? Het leek op het eerste gezicht vergezocht. Eerder lachwekkend. Maar aan de andere kant was het een uitstekende dekmantel. Op die manier het land binnenkomen en geduldig wachten tot zijn asielaanvraag werd goedgekeurd. 'Als het waar is wat je zegt, dan veronderstelt dat nogal wat aan organisatie. Op de eerste plaats moet de identiteit van die man kloppen. De immigratiediensten kijken dat in detail na. Als pastoor Moens gelijk heeft met wat hij zegt over de naam Aboe Jahl, dan rammelt daar het een en ander.'

'Ooh... Zolang ben je nog niet weg van DPER, de rechercheschool. Je herinnert je ongetwijfeld hoe gemakkelijk het in een land als Soedan is om paspoorten te vervalsen, inclusief de benodigde stempels. Laat staan om de originele stukken zelf te gebruiken. Denk je nu werkelijk dat ze in Brussel die dingen tot op het bot uitzoeken?'

'Misschien was Arlette Lepoutre op een aantal ongerijmd-heden gestoten. Ik bedoel, nog andere ongerijmdheden dan deze die we al kennen.'

'Dat weten we niet. Laten we hopen dat die huiszoeking ons meer leert.' Hij keek zijn medewerker indringend aan. 'Want we kunnen hier allerlei hypothesen verkopen. We kunnen er allemaal van overtuigd zijn dat Aboe Jahl meer weet over de moord op Arlette Lepoutre... Maar op dit ogen-blik staan we nergens. Wij hebben alleen maar indirecte be-wijzen. Nauwelijks meer dan aanwijzingen.'

Van Walleghem knikte berustend. 'Dat is waar. Maar er is tenminste een lichtpunt.' Hij was optimistisch van aard. Het enige vervelende was dat vroege opstaan. Wat nog meer stak omdat hij vanavond met Annick, de dienster uit het Italiaanse restaurantje, had afgesproken. Hij zou morgen-vroeg een lange, hete douche nodig hebben om goed wak-ker te zijn.

'Neem Fred mee. Twee rechercheurs moeten volstaan om dat appartementje uit te kammen. En je pakt hoe dan ook Jahl op voor ondervraging, hier op kantoor.'

'Is het goed dat we daar tegen acht uur zijn?'

Janssens glimlachte toegeeflijk. 'Allez, maak er zeven uur van en het is oké.'

'Dank u, chef.' Toine Van Walleghem kraakte de vingers van zijn linkerhand. Een gewoonte die hij maar niet kwijt-raakte. 'Nog iets. Als die Aboe Jahl inderdaad een terrorist is, moeten we Brussel dan niet waarschuwen? De Staatsvei-ligheid?'

Daar had Janssens ook al aan gedacht. Maar hij voelde er niet veel voor om wat in de eerste plaats een moordonder-zoek was, uit handen te geven. 'Toine, dat van dat terroris-me, dat is maar een wilde hypothese, hé. Tot we harde be-wijzen hebben van iets anders, houden we dat voor ons.

Bovendien, de onderzoeksrechter denkt ook alleen in de richting van moord.' Gemakkelijkheidshalve vertelde hij er niet bij dat hij tegenover haar met geen woord had gerept over de mogelijkheid dat Jahl een terrorist was. Kreeg hij gelijk, dan moest die pluim op zijn hoed terechtkomen. Niet op die van een van de concurrerende afdelingen, laat staan dat de Staatsveiligheid – een zootje would-be James Bonds – met de eer ging lopen.

'Bon. Dan ga ik maar.'

'Ik ben morgen tegen negen uur op kantoor.' Hij kon het niet laten breed te glimlachen. 'Als er iets bijzonders is, mij direct bellen hé.'

'Tuurlijk, chef. Slaapwel, chef.'

33

Diezelfde dag, het liep tegen vijf uur, zoemde de telefoon op het bureau van commissaris Janssens.

'Karel, goeiemiddag. Benedicte.'

Zijn eerste reactie was te denken dat er problemen waren rond de huiszoeking morgenvroeg bij Jahl. De onderzoeksrechter had slechts met veel moeite het bevelschrift hiertoe afgeleverd. Ze zou toch niet op haar beslissing terugkomen?

'Mevrouw de onderzoeksrechter... Wat kan ik voor u doen?'

'Ik heb een verrassing voor u!'

De commissaris deed er het zwijgen toe. Vrouwen – nog erger, onderzoeksrechters – die voor hem een verrassing in petto hielden, dat was als een inbraakalarm dat oorverdovend afging.

'Je onderzoekt toch ook dat verdachte overlijden van die Tavernier, niet?'

'Jaa...' Hij vroeg zich af wat er ging komen. 'Tavernier is overleden aan een hartaanval. Mogelijk uitgelokt door zijn grootste politieke tegenstander. Enfin, ik moet dat nog verder uitspitten.'

'Tja... Misschien is er nog iets anders in het spel.' Benedicte Moyersoens overliep een van de stukken die ze een kwartier geleden per fax van een collega uit Antwerpen had gekregen. Met haar karmijnrood gelakte rechterwijsvinger volgde ze moeizaam de letters. Slechts in uiterste nood zou ze naar haar leesbril grijpen. Maar ze mocht zichzelf niets wijsmaken. Ze was 52. Haar ogen zouden alleen maar verder achteruitgaan. 'Doet de naam Lutgart Vernimmen een belletje rinkelen?'

'Hé... Lutgart Vernimmen?' Janssens had enkele tellen nodig om zich te herinneren dat die vrouw de naaste medewerker van Tavernier was.

'Ik zei dat ik je zou verrassen.' Mevrouw de onderzoeksrechter genoot van de weinige keren dat zij haar commissaris op het verkeerde been zette en niet omgekeerd. 'Die dame wordt genoemd in een Antwerps pv in verband met de heling van gestolen kunst. Antiek van 5000 jaar oud. Uit Irak. Toen Sumerië.'

Daar had Janssens niet van terug. De medewerkster van Tavernier? Kom nou. Hij probeerde zich haar voor de geest te halen toen ze in zijn kamer een verklaring was komen afleggen over de rol van Van Steirteghem bij de tweede hartaanval van haar baas. Slechts vaag kon hij zich haar herinneren. Een kleurloze, wat strenge figuur. Verder kwam hij niet. 'Bent u er zeker van dat het over dezelfde Lutgart Vernimmen gaat? Uit Loverbeek?'

'Geen twijfel mogelijk. Haar adresgegevens staan uiteraard in het pv.'

Janssens knipperde met zijn ogen. Dezelfde persoon. Die gestolen kunst te koop aanbood. Uit Loverbeek. Opnieuw Loverbeek. Was dat een dorp waar slechts criminelen woonden? 'Wat is er precies gebeurd?'

'Ik stuur je straks de fax door die ik zelf heb gekregen. Je moet maar zien hoe die gegevens passen in de zaak Tavernier. Of juist niet.' Moyersoens greep naar haar leesbrilletje. Er was toch niemand die kon zien dat ze het droeg. 'Ik geef je de grote lijnen. Onze mevrouw Vernimmen heeft zich exact tien dagen geleden gemeld bij Alexander & Alexander, je weet wel, een van de grootste antiquairs in Antwerpen...'

Janssens had de naam nog nooit gehoord, maar reageerde niet.

'Ze had een oud-Sumerisch beeldje bij zich. Een voorstelling van de godin Innana, daterend van zo'n 3200 jaar voor Christus. Ik hoef je niet te zeggen dat dit zelfs voor antieke kunst zeer oud is. De antiquair zag natuurlijk meteen dat hij te maken had met een uitzonderlijk stuk. En omdat de verkoopster nul komma nul verstand had van wat ze te koop aanbood, wist hij onmiddellijk dat er iets grondig verkeerd was.' De onderzoeksrechter bevochtigde haar lippen. 'Ik voeg daar graag aan toe dat bij antiek dat te goeder trouw is verworven altijd een bewijs van herkomst hoort. Dat was hier niet het geval.'

Commissaris Janssens friemelde aan zijn butterfly. Antiek en kunst zegden hem niet veel. Hij kon er slechts aan denken in geldtermen. 'Op hoeveel schatten zij dat godinnenbeeldje?'

'Een voorzichtige raming spreekt over 200.000 euro. Maar het is zo exclusief, dat het in een veiling een veelvoud daarvan kan opbrengen.'

Janssens floot vol bewondering. Maar met iedere seconde die voorbij tikte, kreeg hij het moeilijker om Lutgart Vernimmen aan dat dure plaatje te koppelen. 'U zei dus dat de antiquair onraad rook...'

'Ja. Hij heeft gevraagd of hij het stuk mocht fotograferen. Kwestie van na enig opzoekwerk een correcte prijs te kunnen opmaken. Dat was geen probleem. Tegelijkertijd heeft hij naam, adres en telefoonnummer van Vernimmen genoteerd. Zogezegd om haar te kunnen bereiken zodra hij meer nieuws had. Tien minuten nadat ze zijn zaak had verlaten, wist hij dat het om een gestolen kunstwerk ging van het Museum van Oudheden in Bagdad. Waarschijnlijk ontvreemd in de paar dagen nadat de Amerikanen de Iraakse hoofdstad bezetten. Kras hé!'

'Zeg dat wel. Maar hoe kan iemand als Lutgart Vernimmen aan zo'n beeldje komen?'

'Tja. Misschien heeft ze het gestolen. Van haar baas. Het is aan jou om dat verder uit te zoeken. In ieder geval stoten we hiermee op een compleet nieuw spoor in de zaak Tavernier.'

'Als ik het vragen mag, hoe komt het dat Antwerpen ons deze zaak doorschuift? Die antiekwinkel ligt toch in hun rechtsgebied?' Als goed politieman wilde Janssens altijd alles weten.

'Och... Ik was gisteravond op een receptie. Met een Antwerpse collega wat nieuwtjes uitgewisseld. Iemand die zich ook voor antiek interesseert...' Ze kon het niet laten Janssens te laten verstaan dat zij géén kunstbarbaar was. 'Als anekdote vertelt hij mij over dat kostbare Sumerische beeldje dat plots in 't Stad was opgedoken. De naam van iemand uit Loverbeek valt. Bij mij gaat een lichtje branden. Ik vraag of hij het dossier naar mijn ambtsgebied doorstuurt. Hij is blij dat er wat werk van zijn bureau verdwijnt... Je ziet, op mijn manier trek ik ook aan de kar.'

'Jaja. De justitie werkt zo slecht nog niet.'

Benedicte Moyersoens wist niet goed hoe die uitspraak te plaatsen. Janssens kon soms zo eigengereid zijn. Ze haalde haar schouders op. 'Het werk is nog maar half gedaan. De verklaring van die antiquair hebben we. Maar Lutgart Vernimmen weet nog niet dat we haar op het spoor zijn. Die moet jij op de rooster leggen.'

Karel Janssens zuchtte en keek verveeld op zijn polshorloge. Hij had verdomme geen tijd om sparringpartner te zijn voor mevrouw de onderzoeksrechter omdat toevallig een nieuw dossier op haar bureau lag met heel misschien een link naar het overlijden van Tavernier. Het was vijf over vijf. Gewoonlijk bleef hij tot zes uur op kantoor, maar nu wilde hij vroeger naar huis. Morgen zou een drukke dag worden. Hij keek uit naar de ondervraging van die Aboe Jahl. Wie weet wat als gevolg daarvan allemaal aan het licht kwam. Hij was er zeker van dat het onderzoek naar de moord op Arlette Lepoutre eindelijk een nieuw elan zou krijgen. Bovendien zat hij misschien juist met zijn veronderstelling dat die Jahl een terrorist was. 'Ik zie niet in hoe die affaire van heling van oude kunst mijn moordonderzoek vooruit kan helpen...' begon hij daarom gedecideerd.

Maar de onderzoeksrechter onderbrak hem onmiddellijk. 'Tavernier, Van Steirteghem, morgen de huiszoeking bij die asielzoeker en nu die Lutgart Vernimmen... Ik denk dat het geen kwaad kan om ook in dit laatste dossier te graven. Daarstraks heb je mij verteld, toen je kwam bedelen om dat huiszoekingsbevel, dat je nauwelijks vooruitgang boekt met Lepoutre. Welnu, wij moeten te weten komen hoe dat oude Sumerische beeldje in het plaatje past. Misschien is dat juist de ontbrekende schakel.'

Commissaris Janssens was allesbehalve overtuigd. 'Heling is voor de financiële afdeling. En met dat nieuwe spoor, dat van Aboe Jahl...'

'Ik stuur je vandaag nog een kantschrift, een instructie, om de zaak van de heling van dat beeldje bij je moordonderzoek te betrekken. Ga jij zelf maar eens praten met die Lutgart Vernimmen. Morgen bijvoorbeeld.'

'Morgen is er de huiszoeking. Nadien ondervraag ik Jahl.'

'Je hebt toch de voormiddag vrij? De zaak moet opschieten, Karel!'

'Goed, goed. Ik zie wat ik kan doen.' Hij beet zich op de lippen.

'Niet dat ik jouw terughoudendheid niet begrijp', ging de onderzoeksrechter opgewekt verder. 'Maar geef toe, het is toch wel een heel groot toeval dat die helingszaak ook naar Loverbeek wijst.'

Janssens schokschouderde. 'Kan zijn. Maar ik beschouw dat meer als een... bijproduct. Tavernier sterft. Die Lutgart Vernimmen weet van dat beeldje. Ze ziet haar kans schoon. Hetzelfde verhaal als altijd wanneer iemand overlijdt.'

'Dan rijst de vraag hoe Tavernier aan dat beeldje is gekomen. Wie weet wat je op die manier allemaal op het spoor komt. Overigens, het zou mij niet verbazen dat die Arlette Lepoutre op een of andere manier ook een rol in dat verhaal speelt.'

Janssens hief de ogen ten hemel. 'Ik geloof meer in het Aboe Jahl-spoor', hield hij koppig vol. 'Daarvoor hebben we concrete aanwijzingen.'

'We zien wel, we zien wel. Succes morgen met de huiszoeking. En met de ondervraging van Vernimmen.'

Karel Janssens legde met een bedenkelijk gezicht de hoorn neer. Ergens besefte hij dat het niet meer dan logisch was dat hij die helingaffaire bij zijn moordonderzoek betrok. Bovendien was het niet helemaal uitgesloten dat Moyersoens gelijk had. Een verband met de moord op Lepoutre was mogelijk. Maar het leek hem vergezocht. Veel te ver. Het voelde niet goed. Hij geloofde veel meer in wat een grondige ondervraging van die asielzoeker zou opleveren. Dat spoor was niet alleen onderbouwd door dat verhaal over die autosleutels. Het was niet zo onwaarschijnlijk dat Arlette Lepoutre had geprobeerd ook met die man aan te pappen. De affaire van dat Sumerische beeldje paste niet in dat scenario. Janssens trommelde eerst op het bureaublad en controleerde toen of zijn vlinderdasje recht zat. Kantschrift of geen kantschrift. Hij focuste op morgen, op Aboe Jahl. De rest kon wachten.

34

Het was nog donker toen de witte, anonieme Opel Astra van de gerechtelijke politie van Dendermonde de Lindestraat in Loverbeek in draaide. Half april zat de lente nog helemaal niet in de lucht. Er woei een stevige diepvriesbries en de twee mannen in de wagen hadden zich dik ingeduffeld, net of ze geen vertrouwen hadden in de autoverwarming. Het leek wel of de seizoenen opschoven. Zestien graden eind november, maar barre koude terwijl de bomen al in de knop zouden moeten staan.

'Daar is het.' Fred Bontinckx wees naar het trieste rijtjeshuis waar Aboe Jahl verbleef.

'Er is nergens licht.'

'Het is ook nog geen zeven uur.'

'Zeg dat wel, verdomme.' Toine dacht aan gisteravond, aan het geslaagde avondje uit met Annick, zijn nieuwe vriendinnetje. Zonder die stomme huiszoeking had hij nog twee uur langer bij haar in bed kunnen blijven. Dan was er nog tijd geweest voor wat gestoei. Nu stond hij om vijf uur onder de douche. Hij stuurde de auto tot tegen de stoeprand. Parkeren was geen probleem. Er was plaats zat in de straat.

'Zullen we maar?'

'Hoe sneller, hoe liever. Je verwacht geen moeilijkheden?'

'Hoe kan ik dat weten? Die vent is een asielzoeker. Meer weet ik niet. Alleszins geen misdadiger. Hoewel...' Hij dacht aan wat Janssens had gezegd over mogelijke terroristische activiteiten. Maar dat was niet bestemd voor Freds oren.

'Hoe bedoel je?'

'Ik wil alleen zeggen dat we voorzichtig moeten zijn. Je weet nooit.'

'Zo is dat.'

Ze verlieten de auto en liepen naar de voordeur. Bontinckx drukte lang op de bel waarop in een krullerig handschrift A. Jahl stond. Ze hoorden de bel tot beneden overgaan.

'Die zal nu wel wakker zijn.'

'Heel het huis heeft dat gehoord...' Ze lachten zenuwachtig. Een huiszoeking was nooit leuk. Meestal ging dat probleemloos, maar beiden hadden al gewelddadige ervaringen meegemaakt. Mensen waren onvoorspelbaar als je hen van hun bed lichtte. Plots opende een raam twee verdiepingen hoog.

'Wat is er?' Het klonk als een schreeuw.

'Meneer Jahl! Gerechtelijke politie. Wij hebben een huiszoekingsbevel. Opendoen!' Van Walleghem wapperde met het papier dat hij hoog boven zich in de rechterhand hield. Als antwoord werd het venster dichtgesmeten en ging in de kamer het licht aan. Beide inspecteurs keken eerst naar boven, dan naar de voordeur en ten slotte naar elkaar. De reactie van die Jahl kon je moeilijk coöperatief noemen.

'Die vent kan toch niet langs achter verdwijnen?'

'Dju, Fred. Dat weet ik niet. We moeten zien dat we vlug binnenkomen, zoveel is zeker. Heb jij een slotenmaker gesommeerd?'

'Ik? Ik weet van niks. Niemand heeft mij dat gevraagd.'

Van Walleghem voelde nattigheid. Het was standaardprocedure om zo iemand stand-by te hebben als ze niet op de medewerking van de persoon in kwestie konden rekenen. En omdat hij de leiding had van deze huiszoeking...

Maar plots werd de voordeur geopend en stond een matrone in nachtjapon voor hen met een zware, los gebreide sjaal om haar hals. 'Wat is dat hier allemaal? Wat moeten jullie?'

Bontinckx hield zijn legitimatie voor haar neus. 'Politie! Wij komen voor meneer Jahl. Huiszoekingsbevel.' Als afgesproken begon Toine weer met dat stuk papier te wapperen. De vrouw keek zonder achterdocht van de een naar de ander. De legitimatie of het huiszoekingsbevel gunde ze geen blik. 'Dat moet die'n typ zijn die het OCMW hier heeft geplaatst. Ik woon op de begane grond.' Uitnodigend hield ze de deur helemaal open. Meer hadden Fred en Toine niet nodig om de smalle trap op te stormen.

''t Is op de tweede verdieping', riep de vrouw hen opgewekt na. Ze leek er plezier in te hebben dat haar bovenbuur dergelijk ochtendlijk bezoek kreeg.

Jahl, die op de overloop stond, hoorde de politie in het trappenhuis. Toen hij het raam had gesloten, had hij het licht aangedaan in de verwachting dat de politie zou denken dat hij naar beneden kwam. Zo hoopte hij tijd te winnen om de springstof uit de waterbak van de wc te vissen en op een veiliger plek te verstoppen. Omdat dat vette mens van de benedenverdieping zomaar de voordeur had geopend, kwam dat plannetje in gevaar. Meer, het bleek onuitvoerbaar. Twee inspecteurs in burger kwamen hijgend de laatste treden op gestormd. Honderden gedachten flitsten door zijn hoofd. Toen hij door dat schelle belgeluid ruw was gewekt en merkte dat de politie beneden stond, was er eerst een gevoel van opperste verbazing. Hoe waren ze hem op het spoor gekomen? Alles liep net zo lekker. Het was slechts een kwestie van enkele weken voor hij zou toeslaan. Meteen daarna overspoelde hem een golf van ontgoocheling. Zij hadden hem gevonden! Die laffe christenhonden stonden op het punt te verijdelen dat hij zijn ticket naar het Paradijs verdiende... Die wetenschap was zo zwaar om te dragen dat hij even niet wist wat te doen. Ten slotte zette de gedachte aan de springstof en het ontstekingsmechanisme dat hij in de wc-bak had verborgen hem aan tot actie. Hij moest zien te redden wat er te redden viel. Zonder dat hermetisch verpakte bundeltje konden ze niet veel tegen hem inbrengen. Maar er was te weinig tijd. Als verlamd staarde hij naar de twee politemannen die hem te pakken hadden.

'Fred...' Van Walleghem hijgde na. 'Doe hem handboeien om en leg hem vast aan die buis.' Hij wees met zijn kin naar een grijsgroene pijp van de verwarming, die zwaar onder het stof zat. 'We mogen geen risico's nemen.' Hij keek Aboe Jahl achterdochtig aan. Die man was niet naar beneden gekomen om de voordeur te openen. Met andere woorden, die was iets anders van plan. En wat kon dat anders zijn dan iets te verbergen dat de politie niet mocht vinden?

'Zo, manneke, we komen u straks halen.' Fred Bontinckx liet het sleuteltje van de handboeien in de rechterzak van zijn gewatteerde windjak vallen en trok de rits dicht.

Toine stond al in de kamer en keurde met een professionele blik de inhoud. Dit zou geen klus van uren worden, concludeerde hij. In de hoek boven een witte spoelbak met wat vuil vaatwerk hing een dubbele kast met glazen deur. Onder de gootsteen stond wat schoonmaakgerief. Twee donkergroene plastic emmers, een aantal veelkleurige flessen met schoonmaakproducten, een gerafelde dweil. Midden in de kamer zag hij een vierkante tafel met formica blad waarop op verschillende plaatsen brandende sigaretten hun afdruk hadden achtergelaten. Twee keukenstoelen en een waterkoker die met een verlengsnoer aan een stopcontact naast de voordeur was verbonden, vervolledigden het plaatje. In de muur aan de overzijde was een deur die wijd open stond, waardoor hij in de slaapkamer keek. Twee kamers, meer niet. Weinig kasten. Ze zouden snel terug op het bureau zijn. Hij draaide zich naar zijn collega. 'Als jij de slaapkamer doet, kijk ik hier alles na.'

'Oké. Dat zal hier rap gebakken zijn.' Fred was na een snelle blik ook tot dat besluit gekomen.

'We nemen al zijn persoonlijke spullen mee. Kledij, boeken, sleutels...'

'We kunnen die sportzak gebruiken.' Hij wees naar Aboe Jahls tas waarmee die het land was binnengekomen.

'Ja. Doe maar.'

Terwijl de speurders op een systematische manier hun taak afwerkten, was Jahl op de planken vloer gaan zitten. Dat kon hij nog net met die handboeien om, tenminste als hij zijn arm heel de tijd gestrekt naar boven hield. Na de verbazing, ontgoocheling en wanhoop omdat hij zich niet van de springstof had kunnen ontdoen, overviel hem een gevoel van gelatenheid. Ze hadden hem te pakken. Hoelang zou het duren voor ze de twee kamertjes hadden uitgekamd en aan de wc op de overloop begonnen? Hij hoorde de twee mannen bezig, soms lachten ze. Maar hij verstond niet wat ze zeiden. Tegen hem hadden ze Engels gesproken. Waarom liet Allah dit toe? Waarom kon het plan niet worden uitgevoerd zoals afgesproken? En wat zou er gebeuren wanneer ze de explosieven vonden? Ze zouden hem natuurlijk ondervragen om te weten te komen hoe hij daar aan was gekomen. En vooral waarvoor die springstof diende. Hij zou niets zeggen. Verraad plegen, zijn broeders uitleveren aan die christenhonden, was een gedachte te belachelijk om zelfs maar te formuleren. Maar het zouden geen gemakkelijke weken worden.

Na nog geen tien minuten stonden de beide politiemannen weer bij hem op de overloop. Den sporttas puilde uit.

'Dat was dan dat. Heb jij iets op de kop getikt dat de moeite waard is?' Fred keek zijn collega geïnteresseed aan. Hij had niets van belang gevonden.

'Niet veel. Wat kleren. Hoewel...' Hij graaide in de sporttas en haalde er een bundel gele tweehonderdtjes uit, die met een elastiekje bij elkaar werden gehouden. 'Bijna vijfduizend euro...'

'Je vraagt je af waar die gasten dat geld vandaan halen.' Bontinckx keek met ogen vol gretigheid naar de bankjes.

Toine merkte de begerige blik van zijn collega. 'Veel geld, hé?' Ook hij voelde de verleiding branden. 'Als er nu per ongeluk enkele briefjes op de grond vallen...'

'En wij rapen die op...'

'Maar niet meer dan ieder twee.'

'Maak er drie van en voor mij is het oké.'

Van Walleghem gaf drie briefjes van tweehonderd aan zijn collega en toen aan zichzelf. Ze deden of Jahl bij het hele gebeuren niet aanwezig was. Zelfs al briefte die de diefstal aan de commissaris of aan zijn advocaat, het zou toch neerkomen op zijn woord tegen dat van hen. Zoals altijd.

'Zo. Da's voor dat vroege opstaan.'

'Meer zit er niet in, zeker? Stel dat we nu geen geld vinden. Of slechts vijftig euro of zo. Van een asielzoeker gaat niemand toch iets anders verwachten...?'

'Nee. Zo is het goed. We moeten niet overdrijven.' Toine dacht aan wat Janssens had beweerd over Jahl. Dat die een terrorist was. En terroristen beschikten per definitie over geld om hun duistere zaakjes te financieren. Maar of het nu vijfduizend euro was of twaalfhonderd minder, dat maakte niet uit.

Bontinckx blies zijn wangen vol en haalde zijn schouders

op. Dit soort afspraakjes hield alleen stand als de collega in kwestie voor honderd procent meedeed. Als dat niet het geval was, moest je gas terugnemen. Bovendien, een extraatje van zeshonderd euro was niet mis. Hij liet het onderwerp rusten. 'Verder nog iets gevonden?'

'Een chique Motorola. Zilvergrijs. Van een ultraplat ontwerp. Met de oplader eromheen gewikkeld. Zal interessant zijn om te zien wie er allemaal in het telefoonboek staat. En onze meneer heeft ook een zwaar polshorloge, zo'n opzichtig geval in witgoud.'

'Pff. Als je zoveel geld hebt...'.

'Voor de rest enkele sleutels. Eentje met een hanger met Renault-logo...'

'Kom, we zijn hier weg.' Hij opende de rits van zijn rechterzak en begon naar de sleutels van de handboeien te zoeken.

Aboe Jahl geloofde niet wat hij zag. Die twee flikken maakten aanstalten om te vertrekken! Ze hadden zelfs de wc nog niet doorzocht! Hij ging moeizaam rechtstaan, zodat de boeien gemakkelijker konden worden losgemaakt. Je ziet, donderde het in hem, je moet altijd op Allah vertrouwen. Altijd. Die idioten denken maar aan één ding. Zo spoedig mogelijk hier weggaan om – nadat ze hem zouden hebben afgeleverd – zich te bezatten met het geld dat ze van hem hadden gestolen. Nu, ze deden maar. Hij sloeg zijn ogen naar beneden opdat ze het plotse vuur in zijn blik niet zouden zien. Als ze de explosieven niet ondekten, was alles niet verloren. Wie weet lieten ze hem binnen enkele dagen vrij. Hij moest gewoon een goede uitleg voor dat geld zien te vinden. En voor dat mobieltje en die autosleutels. Maar daarvoor had hij enkele uren de tijd.

Bontinckx had de handboeien van de verwarmingspijp

losgemaakt en deed ze nu rond zijn pols. 'Kom vriend, we gaan naar beneden.' Hij begon schuifelend naar de trap te lopen, Jahl gewillig met zich meevoerend.

'Ga alvast maar', antwoordde Toine. 'Ik kijk nog even in de wc. Die hoort ook bij het flatje.'

'Wat is daar nu te vinden?' Dat heeft hier lang genoeg geduurd.

'Ik ben zo bij je.' Van Walleghem trok de wc-deur, die al heel de tijd halfopen stond, helemaal naar zich toe en wierp een snelle blik op het interieur. Het was een kaal, in gebroken wit geschilderd kamertje. Middenin stond de pot met zwarte, neergeslagen bril. Daarachter, in de linkerhoek, een aangebroken pak Scottex wc-papier. In de andere hoek zag hij een stapeltje Arabische tijdschriften. Het geheel gaf niet echt een propere indruk, maar vies was het evenmin. Zijn collega had gelijk. Hier was niets te vinden. Nergens een plaats om wat dan ook te verstoppen. Alleen... De inspecteur staarde naar de wc-bak. De enige plaats om iets te verbergen, was daarin. Hij hoorde hoe Fred en hun klant bijna beneden waren. Ook hij had geen zin om de huiszoeking ten huize Jahl nog lang te trekken. Maar anderzijds, nu hij hier toch was... Bovendien herinnerde hij zich de woorden van Janssens. Die verdacht Jahl ervan een terrorist te zijn. Hij liep een paar passen tot aan de wc-bak, tilde het zware deksel op en keek op een met bruine tape dichtgeplakte, doorschijnende plastic zak. Binnenin zag hij een tweede verpakking van krantenpapier. Voorzichtig viste hij de bundel uit het water. Hij was één brok nieuwsgierigheid en moest moeite doen om het pakket niet te openen. Ten slotte besloot hij spijtig dat die eer de commissaris toekwam. Maar iets dat op deze manier was verstopt, kon alleen goed nieuws betekenen.

Vijftig minuten later zat Jahl in het zweetkamertje van de Dendermondse gerechtelijke politie. Sinds daarstraks die ene inspecteur met in zijn armen de explosieven de trap afkwam, had hij geen woord meer gesproken. De hoop die zo fel was opgevlamd toen zijn handboeien werden losgemaakt zonder dat ze zijn geheim hadden ontdekt, was weg alsof die nooit had bestaan. Hij nam zich voor zijn mond niet open te doen, geen enkele vraag te beantwoorden. Slechts het asielzoekersverhaal konden ze krijgen. Maar zijn Engels zou slechter zijn dan ooit. Tenslotte was hij een vluchteling uit Soedan. Met de ogen gericht op de punt van zijn afgedragen baskets, de schouders naar beneden en de handen in zijn schoot, leek hij één brok wanhoop. Maar wat hij op de eerste plaats voelde, was schaamte. Schaamte omdat hij zo zwaar tekort was geschoten. Hij had er geen flauw besef van hoe ze hem op het spoor waren gekomen. Maar het simpele feit dat hij hier zat, was voldoende. Hij had gefaald. Punt.

Op een langwerpige tafel in de uiterste hoek van het kamertje lagen de belangrijkste bij de huiszoeking buitgemaakte stukken. Eerst de explosieven. Die leken op een blok melkwitte plasticine. Daarnaast de detonator. Dan de Renault-autosleutels, de bundel bankjes en het mobieltje. Alles netjes naast elkaar en telkens verpakt in doorschijnende plastic folie. Alles voorzien van een identificatie-etiket. De commissaris was in zijn nopjes. Dat die Aboe Jahl iets te verbergen had, daar was hij na Moens' verhaal over die autosleutels al van overtuigd. Maar zijn beschuldiging dat die man een terrorist was, steunde op niets. Behalve misschien op zijn fingerspitzengefühl. En nu kreeg hij over heel de lijn gelijk. Hij keek met ontroering naar de paar kilo C4 die hem van op de tafel leken toe te lachen. Nooit had hij gedacht dat de buit van de huiszoeking zo aanzienlijk zou zijn. Nooit had hij – zelfs niet in zijn stoutste dromen – kunnen vermoeden dat er zich in Loverbeek een terroristische brandhaard bevond. Want dat die Aboe Jahl deel uitmaakte van een groter geheel, dat stond vast. Op zijn eentje had die man dat geld niet kunnen bemachtigen, laat staan die explosieven. Dat had hij nog geen tien minuten geleden ook aan Benedicte Moyersoens gemeld. De onderzoeksrechter had hem uitvoerig gefeliciteerd met zijn grote vangst. Maar ze had er onmiddellijk aan toegevoegd dat ze Brussel zou verwittigen. De vondst van explosieven in Loverbeek was iets voor de DJP, de directie Strijd tegen Criminaliteit inzake Personen. Het stak de ogen uit dat het dossier Aboe Jahl het ambtsgebied Dendermonde oversteeg. Karel Janssens had geprotesteerd omdat hijzelf Aboe Jahl op de rooster wilde leggen. In de eerste plaats wat betreft de moord op Arlette Lepoutre. Moyersoens had hem alleen na lang aandringen een halve dag gegund. Hij had beleefd dank u wel gezegd, maar in gedachten was hij al bezig de nota voor de parketmagistraat op te stellen, zodat die straks de pers kon inlichten over de belangrijke terroristenvangst die hij, Karel Janssens, had gedaan. Toen hij zich ten slotte tot Aboe Jahl richtte, speelde het door zijn hoofd dat de persjongens om zijn foto zouden bedelen.

'Meneer Aboe Jahl... Dat is toch uw naam...?' De commissaris bediende zich van het Engels. Bovendien sprak hij traag en duidelijk articulerend, opdat de ander hem zonder fout zou verstaan.

De man tegenover hem gaf geen kik. Licht naar voor gebogen bleef hij naar de grond staren. Hij bewoog niet, knipperde niet met de oogleden, scheen geen adem te halen. Het leek of hij in trance was.

'Meneer Jahl?'

'Hij zwijgt al sinds wij hem hebben opgepakt.' In de kleine kamer zat Toine Van Walleghem schuin van de commissaris, wat naar achter. Het stilzwijgen van die vent verbaasde hem niet in het minst. Eerst vreesde hij dat hij zou piepen over het geld dat hij en Fred hadden verdonkeremaand, maar die angst was snel weg. Het was duidelijk dat die zogezegde asielzoeker liever zijn tong afbeet, dan hun vragen te beantwoorden.

Commissaris Janssens haalde de schouders op. Hij was een pragmatisch man. Hij keek met welbehagen naar de bewijsstukken op de tafel in de hoek. Opnieuw glimlachte hij toen hij de blok C4 plasticine zag. Die pluim kon niemand hem afnemen. Wat maakte het uit dat die vent de doofstomme speelde? Hij was het die deze terrorist had opgepakt. Niemand anders. Dat ze straks in Brussel maar probeerden om hem aan de praat te krijgen. Misschien lukte hen dat nog ook. Wat telde was dat zijn naam straks in het tv-journaal genoemd zou worden. Maar hij mocht niet vergeten dat hij Jahl verdacht van de moord op Arlette Lepoutre. Nu die explosieven bij hem op het toilet waren gevonden, leek het zo eenvoudig om een en ander met elkaar in verband te brengen. Wie weet had Arlette hem bij een van haar bezoeken wel betrapt met de springstof en het ontstekingsmechanisme open en bloot op zijn keukentafel... 'U herinnert zich Arlette Lepoutre? De dame van het OCMW?'

Het was Toine die antwoordde. 'Chef, dat ventje doet zijn bakkes niet meer open. Ik zei het al. Of het nu gaat over die explosieven of over die moord, hij zwijgt als een graf.'

Jahl verstond het Nederlands van Van Walleghem niet, maar de vraag van de commissaris, die Engels had gesproken, begreep hij goed genoeg. Alleen, de logica die de flikken volgden, was hem volkomen vreemd. Waarom zou hij iets zeggen over die blonde del als hij de lippen al stijf op elkaar hield over die explosieven? Trouwens, wat was erger? Die dode hoer of het feit dat hij overduidelijk een aanslag had willen plegen? Terwijl hij koppig naar de grond bleef staren, herinnerde hij zich de moord op die duivelin maar al te best. Hij had haar, verscholen in een portiek, opgewacht na het einde van haar dagtaak. Het was een donkere avond met veel regen en een stevige wind. Van op afstand had hij haar onopvallend gevolgd, voortdurend kijkend of er niemand anders op straat was. Bij dat stuk braakliggend land, waar ze een groot reclamebord hadden geplaatst, had hij toegeslagen. Na een snelle, maar grondige controle of niemand hem zag, was hij naar voor gesprongen en had hij zijn hand op haar mond gelegd. Tegelijkertijd had hij haar achter het grote paneel getrokken, het braakliggende terrein op. Ze had flink tegengesparteld. Bijna was ze kunnen ontsnappen. Net op tijd had hij haar bij de losscheurende mouw van haar regenjas gegrepen. Ongeveer honderd meter verder, waar enkele struiken de straat aan het zicht onttrokken, had hij haar enkele zware klappen verkocht. Op het hoofd en in de buikstreek. Ze was versuft op haar knieën gevallen en had hem met lege ogen vol onbegrip aangestaard. Haar regenjas lag intussen op de grond en was met de wind enkele meters verder gewaaid en aan een tak blijven haken. Toen was alles snel gegaan. Het lange keukenmes met gekartelde rand dat hij plots in zijn hand hield, toverde doodsangst op haar gezicht. Maar ze had niet geschreeuwd. Niet het minste geluid kwam over haar lippen. Kort na elkaar had hij drie keer toegeslagen. De eerste steek recht in haar hart was al voldoende. Maar voor alle zekerheid had hij nog twee keer het mes diep in haar bovenlijf gestoken. Ze had bloed gespoten als een fontein. Het zat op zijn jekker, zijn jeans, zijn baskets. Dat was vervelend, maar ook niet meer dan dat. In de regen die almaar dichter viel, had hij eerst het lijk zoveel mogelijk onder de struiken verborgen. Toen had hij zijn jas en jeans uitgetrokken en die in de volle regen uitgespreid op de grond gelegd. De kou deed hem rillen als een riet, maar hij wist wat hem te doen stond. Toen ze doorweekt waren, had hij het bloed er zo goed en zo kwaad als kon uitgewassen. Dat lukte maar half, maar het was voldoende om zonder problemen op zijn flatje te komen. Later had hij die kledingstukken doen verdwijnen, samen met zijn afgedragen sportschoenen en haar handtasje. Dat zou die fascisten van de politie op het spoor van een roofmoord zetten. Alles meegegeven met het huisvuil. Het keukenmes had hij in een rooster van de straatriolering gegooid. Het was allemaal snel en efficiënt gegaan. Zoals je van een beroeps kon verwachten. In geen honderd jaar zouden ze zelfs maar een begin van bewijs vinden dat hem koppelde aan de moord op die blonde lichtekooi.

'Goed. Als u het zo wilt spelen...' Karel Janssens keek strak naar Jahl, die onbewogen als een sfinx de blik naar beneden hield. Zijn dag kon niet meer stuk. Straks was hij de held. Collega's zouden hem groen van jaloezie feliciteren... Het enige spijtige was dat hij de waarschijnlijke moordenaar van Arlette Lepoutre, die hier op nog geen meter van hem zat, binnen enkele uren naar Brussel moest laten vertrekken. Hij zou hem uit handen moeten geven. Want de dag van vandaag stond terrorisme met stip op de top drie van belangrijkste misdaden. Een moord? Pff. We zien wel. Maar een terrorist vatten! Dat was pas politiewerk. Hij zuchtte. 'Het aanhoudingsbevel is toch in orde?' Hij keek naar Toine. Het was allemaal snel gegaan. Hij moest opletten geen fouten te maken. Zeker nu ze in Brussel met het vergrootglas zouden nagaan wat ze hier in Dendermonde hadden uitge-spookt. 'Het pv van de ondervraging?'

'Bijna klaar, chef. Wat het aanhoudingsbevel betreft, me-vrouw de onderzoeksrechter heeft dat afgeleverd zodra u haar over die C4 vertelde.'

'Goed. Gooi hem in de cel. Moeten wij hem naar Brussel brengen of wordt hij afgehaald?'

Toine keek verveeld. Daarover had men hem niets ge-zegd. 'We zullen wel zien, zeker...'

'Ik kijk het zelf wel na.' Commissaris Janssens kwam met gemengde gevoelens overeind uit zijn stoel. Het was frus-trerend dat hij die moordenaar moest laten gaan, maar voor het overige was dit een werkelijk memorabele dag. Hij mocht niet vergeten straks zijn vrouw te bellen opdat ze de dvd-recorder zou programmeren. Sinds kort hadden ze zo'n veel te duur betaald, nieuwerwets ding van Telenet in huis. Hij twijfelde er geen moment aan dat de mededeling van de persmagistraat van Dendermonde straks de blik-vanger was in het tv-journaal. En dat zijn naam genoemd zou worden, daar ging hij zelf voor zorgen. Daarvoor ken-de hij de persmagistraat goed genoeg.

35

'Mevrouw Vernimmen. Dank u wel dat u zo snel bent gekomen.' Commissaris Janssens stond met uitgestrekte hand op. Hij had haar meteen naar zijn werkkamer laten brengen.

'U hebt nieuws over meneer Tavernier! Heeft zijn moordenaar bekend?' Tot haar grote verbazing had zij nog geen uur eerder een telefoontje van de commissaris gekregen. Veel uitleg had hij niet gegeven, behalve dat ze dringend bij hem in Dendermonde werd verwacht. Hij zou een auto sturen om haar op te halen. Ze vond het allemaal nogal overhaast, geïmproviseerd. Maar aan de andere kant ook weer niet. Het onderzoek naar de misdaden van Van Steirteghem was wellicht bijna afgerond. Misschien moest ze helpen bij het invullen van het laatste paar witte vlekken.

Janssens trok een stoel bij en ging naast haar zitten. Hij was niet van plan haar hard aan te pakken. Dat was niet nodig. Ze had niet het profiel van een crimineel. Met die terrorist die was opgesloten in afwachting van zijn transport naar Brussel en de zekerheid dat hij straks op tv kwam, voelde hij zich een tevreden, bijna overmoedig man. Hij had uit de zaak Aboe Jahl op persoonlijke titel gehaald wat erin zat. Nu nog dat varkentje van de heling van die antieke beeldjes wassen. Daarna kon Loverbeek wat hem betrof de komende tien jaar van de aardbol verdwijnen. 'Het is niet om Van Steirteghem dat ik u heb laten komen.'

'Maar ik dacht...'

'Houdt u van kunst, mevrouw Vernimmen? Antieke kunst?'

Ze wist meteen hoe laat het was. Die antiquair moest de politie hebben getipt. Maar hoe kon die vermoeden dat het om gestolen goed ging? Niemand was op de hoogte van het bestaan van de kunstcollectie van GT. Hoe konden ze weten dat ze dat beeldje van hem had gestolen? Ze draaide zenuwachtig op haar stoel. Ze wilde tijd winnen. 'Ik... eh, weet niet wat u bedoelt...'

Janssens zuchtte. Dat ze niet meteen zou bekennen, had hij verwacht. Maar ze zou toch niet de hele tijd de vermoorde onschuld spelen? Hij reikte naar een dunne map op zijn werktafel en schoof een vel naar haar toe. 'Dit is de verklaring van de antiekhandelaar aan wie u een oud-Sumerisch beeldje hebt proberen te verkopen.' Hij keek haar strak aan. 'Komt de herinnering al terug? We spreken over slechts kort geleden, nietwaar...'

Lut las in diagonaal het pv'tje opgesteld door de Antwerpse federale politie. Met iedere zin voelde ze zich dieper in het moeras zinken. Zonder een woord te zeggen schoof ze de tekst terug naar de commissaris.

'Minimum 200.000 euro, mevrouw Vernimmen. 200.000.' Ze keek hem vol onbegrip aan. 'Dat is een eerste raming van de waarde van dat beeldje. Gestolen uit een museum in Irak, einde april 2003.'

'Dat kan niet', flapte ze er zonder nadenken uit. 'Dat is niet mogelijk.'

'Waarom vertelt u mij niet wat er is gebeurd? Hoe raakte u in het bezit van dat kunstwerkje?'

Lut besefte dat ontkennen geen zin had. Maar zo erg was het toch niet wat ze had gedaan? 'Ik heb dat beeldje na het overlijden van GT in zijn appartement gevonden.' Ze aarzelde niet. Tenslotte herhaalde ze slechts wat haar baas haar had verteld. 'Ik wilde het verkopen om aan geld te komen. Om het kantoor niet failliet te laten gaan. In afwachting dat De Beemden zou zijn ontwikkeld. Dat was de wens van meneer Tavernier. Dat heeft hij mij zelf gezegd.' Het klonk verdedigend. Ze was rechter op haar stoel gaan zitten.

Janssens lachte haar aanmoedigend toe. 'Hoeveel dergelijke beeldjes had meneer Tavernier? Was hij misschien een echte verzamelaar?'

'Nooit heb ik geweten dat hij er nog had.' Ze deed moeite om niet te snel te spreken, om niet te laten merken dat ze meer wist. Nu ze haar hadden betrapt met dit ene exemplaar kwam het erop aan de zes overblijvende buiten schot te houden. Die waren van háár, van niemand anders. Zij alleen had er recht op.

'U weet niet hoe uw baas in het bezit van zo'n uniek stuk is gekomen? U begrijpt, iets dat zo waardevol is... Experts denken dat in een openbare veiling de prijs een veelvoud van die 200.000 euro kan halen. 400.000, misschien 500.000.'

Zeven keer vijfhonderdduizend, dacht Lut ademloos bij zichzelf, voor het gemak ervan uitgaand dat alle voorwerpen evenveel zouden opbrengen. En haar man die nog van niets wist. Dat was als de lotto winnen! Maar het was te veel. Veel te veel. En het betrof allemaal gestolen goed, daar twijfelde ze niet aan. Het angstzweet brak haar uit.

Janssens besefte dat zijn cijfergegoochel doel had getroffen, maar wist niet goed hoe haar reactie te plaatsen. Misschien had ze op een veel lager bedrag gerekend, waardoor de diefstal haar minder erg leek. 'Veel geld, hé?' bevestigde hij daarom alleen maar, terwijl hij Lut bleef bestuderen.

'Ik weet niets van andere beeldjes en ik heb geen flauw idee hoe meneer Tavernier aan dat ene is gekomen. Misschien op een van zijn verre reizen. Voor hij schepen van ruimtelijke ordening was, ging hij regelmatig op reis. Ook naar het Midden-Oosten.' Zo. Misschien hield die commissaris nu op. Ze had zich enigszins hersteld. Ze wist nog niet precies op welke manier, maar die andere beeldjes, die zou ze hoe dan ook te gelde maken. Was het niet in België, dan in het buitenland. En ze zou meteen betaling in cash vragen. Geen sporen achterlaten. Was dat ook niet altijd GT's gepatenteerde filosofie?

'Ik weet niet of u het weet,' begon de commissaris fijntjes, 'maar van alle in Irak gestolen antiquiteiten bestaat een heuse catalogus. Iedere keer dat zo'n beeldje opduikt, wordt het geconfisceerd en weer aan de Iraakse autoriteiten teruggegeven.' Dat had hij daarnet zelf op internet ontdekt. Hij zei het poeslief, maar de onderlinge dreiging was niet mis te verstaan. Mocht je nog meer beeldjes hebben, dan kun je er geen kant mee uit.

Lutgart Vernimmen zuchtte gelaten. Plots zag ze in hoe ijdel en naïef haar verwachtingen, haar dromen, waren. Met hangende schouders en de ogen gericht op een punt achter de rug van de politieman vroeg ze fluisterend. 'Wat hangt me boven het hoofd? Moet ik de gevangenis in? Mijn kinderen? Ons huis...' Haar flinke houding van zo-even was helemaal weg. Nu keek ze hulpeloos naar haar handen.

'Je hebt dus nog meer antiek? Nog meer beeldjes?'

Ze knikte gelaten. 'Ja. Zes stuks. Uit de vitrinekast in GT's appartement. Nu staan ze bij ons thuis op zolder. In een rode plastic zak.' Ineens rechtte ze zich. 'Commissaris, mijn man weet van niets. Helemaal niets!'

Janssens streelde liefkozend over zijn butterfly. In dat helingsdossier zat duidelijk meer dan hij had gedacht. Benedicte had toch een beetje gelijk. Maar de moord op Arlette of het overlijden van Tavernier stonden er helemaal los van. Behalve misschien... 'De vraag blijft hoe Tavernier in het bezit van die beeldjes is gekomen.'

'Hij zal er zijn zwart geld wel in hebben gestoken, zeker?'
Ze schokschouderde.
'Dat is dan wel heel veel zwart geld...'
Ze maakte hetzelfde gebaar. 'Ieder project dat we deden. Dat hij deed', verbeterde ze haastig zichzelf, 'was voor een deel in het zwart. Zoals iedereen doet die in projectontwikkeling zit.'
Daar ging Janssens niet op in. 'Ik vraag u met aandrang of u weet waar hij die beeldjes heeft gekocht. Zeven stuks dus.'
Opnieuw haalde Lut de schouders op. 'Het zijn er geen zeven, maar acht. Niet lang voor zijn overlijden is hij zelf naar Antwerpen getrokken om een beeldje van de hand te doen. Om de zaak drijvende te houden!' gooide ze hem uitdagend voor de voeten. 'Maar voor dat stuk heeft hij maar 90.000 dollar gekregen. Die hij meteen op de kantoorrekening heeft gestort.'
'U weet niet waar dat was in Antwerpen?' Bij zichzelf dacht Janssens dat hij een huiszoeking moest aanvragen voor het vastgoedkantoor en het erboven gelegen appartement. Hij mocht ook niet vergeten de privé- en zakelijke bankrekeningen van Tavernier uit te pluizen. Tot nog toe was er geen reden om dat te doen.
'Nee. Dat weet ik niet.' Lutgart wierp een blik op de verklaring van de Antwerpse antiquair die nog steeds voor Janssens lag. 'Alleszins niet bij die valserik.'
Het klonk bijna vertederend. Hij kon niet anders dan glimlachen. 'Komaan, mevrouw Vernimmen, het is tijd om uw verklaring op te nemen. Een van mijn rechercheurs zal dat doen.'
'En ik? Wat gebeurt er met mij?'
Hij trok haar bij de elleboog, met zachte druk, mee naar buiten, naar de kamer van zijn medewerkers. 'Ik bel dadelijk mevrouw de onderzoeksrechter. Het is aan haar om te

beslissen of u wordt aangehouden.' Ze bleef stokstijf staan. 'Maar ik zal haar uitleggen dat u prima hebt meegewerkt. Dat uw eerste bedoeling was het immokantoor drijvende te houden.' Hij keek haar veelbetekenend aan. 'Misschien acht ze het niet nodig om u op te sluiten. Maar ik denk niet dat u aan een proces ontsnapt...'

36

Het was precies zes voor zeven toen Faoust de deur van zijn winkel op de Frankrijklei op slot deed en het aluminium-rolluik naar beneden trok. Hij rilde. Omdat zijn auto nog geen driehonderd meter verder in een garage stond geparkeerd, droeg hij slechts een pak. De scherpe, koude wind maakte dat hij zijn linkerhand, als was het een sjaaltje, om zijn hals legde. Met opgetrokken schouders haastte hij zich langs de gevels naar zijn Toyota.

Bijna was hij de hifi-zaak voorbij. Maar plots werd zijn aandacht getrokken door de batterij tv-schermen die naar de straatkant toe stonden opgesteld. Bruusk hield hij de pas in en staarde ontzet naar beelden van iemand die geboeid werd weggevoerd, omringd door onherkenbare politiemensen. Hun gezicht ging verborgen onder iets wat een grote, zwarte kous leek met uitsparingen voor ogen, neus en mond. Ze droegen matzwarte machinepistolen. Op de achtergrond kon hij nog net de plompe gevel van het Brusselse justitiepaleis zien. De speciale antiterrorisme-eenheid, ging het door hem heen. Maar zijn ogen werden gevangen door de persoon in hun midden. Zijn soldaat! Zij hadden Aboe Jahl! Hij bleef naar een groot scherm staren, waarop intussen de nieuwslezer weer te zien was. Hij zag de lippen van de man bewegen, maar hier buiten hoorde hij hem niet. Wat kon er gebeurd zijn? Traag begon hij opnieuw langs de gevels te lopen, naar de parkeergarage. Kou voelde hij niet meer. Integendeel, hij stond te zweten. Hij bleef abrupt staan en keek voorzichtig om zich heen. Het verkeer was behoorlijk druk. Hij kon niets abnormaals bespeuren. Wat voor de hand lag, dacht hij schamper. Als ze hem in het vizier hielden, was het niet moeilijk om dat op een onzichtbare manier te doen. Met slepende tred ging hij verder. Ze hadden Jahl! Dat betekende dat het scenario van de aanval op SWIFT met het Renaultje voltooid verleden tijd was. Hoe ze daarin waren geslaagd, was een mysterie. Even spookte de naam Tavernier door zijn hoofd. Die woonde in Loverbeek, hetzelfde dorp als waar Jahl verbleef. Maar een paar korte telefoontjes met de gemeente hadden volstaan om te ontdekken dat die vent intussen onder de grond lag. Het was simpelweg een samenloop van omstandigheden dat een van de kopers van de beeldjes en zijn soldaat in hetzelfde gat woonden. Hoe onwaarschijnlijk het eerst had geleken. Op dit ogenblik was de vraag alleen wat Jahls opsluiting voor hem betekende. Kon hijzelf ook ieder ogenblik worden opgepakt? Was zijn dekmantel weg? Hij dacht koortsachtig na. Het belangrijkste was dat hij nog vrij rondliep. Misschien hielden ze hem in de gaten. Misschien niet. Als ze die beelden van Jahl op het avondjournaal vertoonden, kon het niet anders of zijn soldaat was al uren geleden gearresteerd. Uren geleden. En zelf liep hij nog vrij rond. Faoust zuchtte zenuwachtig. Hij begon het weer koud te krijgen. Ofwel hadden ze Jahl nog niet ondervraagd, ofwel had die vent zijn klep gehouden. Faoust dacht dat de tweede mogelijkheid het meest voor de hand lag. Jahl zou hem niet verraden. Daarvoor was die man veel te grondig gebrainwasht. Veel te veel strijder voor het ware geloof.

Plotseling bleef hij staan. Het mobieltje! Hij had Jahl die Motorola cadeau gedaan! Weliswaar met betaalkaart. Maar hij had hem ook het nummer gegeven van zijn eigen gsm. Zijn eigen telefoonnummer stond waarschijnlijk geprogrammeerd in het apparaatje van de man die was opgepakt! Faoust dwong zich kalm te blijven. Rustig nadenken, daar kwam het op aan. Hij besefte dat als Jahl zijn bek hield, dit de enige link met hem was. Hij herinnerde zich vaag dat het mogelijk was om een mobieltje te lokaliseren door kruisbepaling. Aan de hand van de dichtstbijzijnde zendmasten waarop een toestelletje zich automatisch richtte, was het voor de politie kinderspel om uit te vinden waar hij op dit ogenblik was. Maar hij liep nog vrij rond, hamerde het opnieuw in hem. Ze hadden hem nog niet. Zenuwachtig tastte hij in de zak van zijn jasje naar zijn Nokia. Hij hield het toestelletje in de hand en staarde ernaar als was het zijn doodvonnis. Het stond aan. Het had verdomme al heel de tijd contact met de zendmasten hier in de buurt. Al uren aan een stuk! Faoust moest moeite doen om het apparaatje niet op de grond te gooien en wild te vertrappen. Het brandde in zijn hand. Hij ademde twee keer diep in en dwong zich op die manier om zijn kalmte te herwinnen. Het belangrijkste was dat ze hem nog niet hadden opgepakt. Misschien hadden ze de Motorola van Jahl nog niet onderzocht, welde de hoop in hem op. Misschien was zijn nummer bij de politie nog onbekend. Hij moest zijn Nokia op een slimme manier zien kwijt te raken. Zodat die vette varkens – wanneer ze ten slotte zijn mobieltje peilden – compleet op het verkeerde been zouden staan. Nerveus drukte hij de toetsencombinatie in om het telefoonboek te wissen. Dan zocht hij naar zijn zakdoek en begon het toestelletje met de grootste zorg van zijn vinderafdrukken te ontdoen. Ten slotte keurde hij het in het licht van een straatlantaarn en zag dat het goed was. Hoewel hij het koud had, liep hij zonder haast naar de volgende verkeerslichten. Het mobieltje hield hij, gewikkeld in de zakdoek, in zijn rechterhand. Hij moest drie keer het verkeerslicht op rood laten springen tot een geschikte vrachtwagen met schreeuwende remmen tot stilstand kwam. Vliegensvlug kieperde hij zijn Nokia die nog altijd aanstond en met zakdoek eromheen, in de open laadbak. Faoust liep enkele passen achteruit en speurde de omgeving af. Intussen stonden twee auto's achter de vrachtwagen te wachten, maar het zag er niet naar uit dat de inzittenden iets hadden opgemerkt. Tenminste, ze maakten geen aanstalten om uit hun voertuig te springen om hem aan te spreken, wat ze wellicht zouden hebben gedaan als ze hem iets in die laadbak hadden zien gooien. Hoewel, zeker was dat niet. Hier leefde je in een maatschappij van ieder voor zich. Toen de vrachtwagen zich schokkend op gang trok, koos Faoust opnieuw voor de relatieve anonimiteit van de gevels langs de Frankrijklei. Hij kon nog net zien dat de vrachtwagen een adres droeg van een bedrijf in Zelzate. Hij begon breed te grijnslachen toen hij zich de gezichten van de Belgische speurders voorstelde die later in de nacht zijn mobieltje waarschijnlijk op die plaats zouden vinden.

In zijn appartement en nadat hij zich een kop hete muntthee had ingeschonken, schakelde hij zijn flatscreen in en zocht naar teletekst op RTBF. Op pagina 204 vond hij wat hij zocht. Onder de titel *Terreurcel opgerold* werd gemeld dat de genaamde A. J. vroeg in de morgen in Loverbeek was opgepakt. Naast de melding dat een belangrijke hoeveelheid explosieven en wat geld waren gevonden, was alleen het bericht van belang dat de politie onderzocht of er nog andere personen tot de cel behoorden. Ze zouden uiteraard niet alles tegen de pers zeggen, ging het door Faoust heen, maar nu het acute gevaar van zijn mobieltje was bezworen, werd hij rustiger. Zijn soldaat had gefaald – en het bleef een raadsel hoe ze hem op het spoor waren gekomen – maar zijn eigen opdracht kwam daarom niet in gevaar. Tenminste, zolang Jahl over hem zweeg. Maar zelfs in het onwaarschijnlijke geval dat die kraakte, wat gelet op de Belgische ondervragingsmethodes hoogst onwaarschijnlijk leek, dan zou hij alleen maar een persoonsbeschrijving kunnen geven. Nooit had hij zijn naam aan Jahl genoemd. Nooit had hij zelfs maar laten doorschemeren waar hij woonde. Faoust genoot van de hete thee en voelde de kou uit zijn botten wegtrekken. Er was niets verloren, concludeerde hij met herwonnen zelfvertrouwen. De enige materiële band tussen hem en Jahl was zijn Nokia. Nu dat risico letterlijk ver weg was, bleef er weliswaar de kans dat zijn soldaat ging emmeren. Maar die schatte hij uiterst klein in. Zelfs indien hij SWIFT zou noemen, zelfs indien hij de datum van de geplande aanslag ophoestte, dan wist hij van geen kanten wat hij, Rachid Faoust, in de zin had. Hij streek zich nadenkend over de kin en voelde hoe zijn baard stevig prikte. Hij had zin in een heet, met papyrusolie geparfumeerd bad. Hij wilde in het dampende water rustig nadenken. Niets was verloren, maar het feit dat Jahl was aangehouden, vroeg om een aantal maatregelen. Op de eerste plaats moest hij een nieuw mobieltje kopen en sjeik El Jahmin op de hoogte brengen van de tegenslag. Die zou er niet om lachen. Maar so what? Als die hoorde dat de tweede aanslag op SWIFT zoals gepland doorging, zou die beseffen dat er niet echt veel was gebeurd. Een soldaat verloren, dat wel. Maar stierven er in Libanon, in Irak, in Israël niet iedere dag broeders onder de kogels van die baarlijke duivels? Faoust stond fiks op om naar de badkamer te gaan. De vraag kwam in hem op of hij de timing van zijn aanslag niet beter kon veranderen. Stel dat Jahl toch uit de school klapte, dat hij niet alleen 6 mei noemde, maar ook de plaats, had hij er dan geen belang bij om de aanslag te vervroegen? Maar natuurlijk niet met één week, want dan was het het verlengde weekeinde van 1 mei. Of was dat juist goed? SWIFT zou dan op vrijdag wellicht onderbezet zijn. Wat het risico verkleinde dat hij iemand tegen het lijf liep. Hij draaide de badkraan helemaal open en kleedde zich uit. De radertjes in zijn hoofd gingen op topsnelheid door. Een kleine week vroeger, vrijdag 2 mei, leek perfect. Hij moest Helena overtuigen, maar die geile snol zou gewoon doen wat hij zei. Die kroop voor hem. Zo snel mogelijk de tickets van de trip naar Barcelona veranderen, daar kwam het op aan. En Aboe Jahl vergeten alsof die nooit had bestaan.

37

Ze hadden de kap van zijn hoofd genomen. Hij had er geen flauw idee van waar hij was. Daarstraks was hij voortgeduwd en getrokken. Gangen door. Een lift in. Toen moeten wachten tot een deur zich knarsend opende. Ten slotte een trap af met treden zo smal dat hij twee keer was gestruikeld. De man aan wie hij met handboeien was vastgeklonken, hield hem steeds recht. Hij knipperde een paar keer met zijn ogen. Meer was niet nodig omdat de kamer slecht was verlicht. Alleen in het midden een enkele tl-buis tegen het plafond. Geen ramen. Terwijl de politieman de boeien ruw losmaakte, keek hij langzaam om zich heen. Hij zag een brede, aluminiumtafel die in de vloer was vastgeschroefd en twee stevige stoelen, van blank hout. De wanden, de vloer en het plafond waren uit beton waarvan de naden zelfs niet waren opgevoegd. Het geheel gaf een compleet desolate, steriele indruk. Een hol diep onder de grond. Ver weg van alles en iedereen.

'Zitten!'
    Op het bevel van iemand die duidelijk zijn meerdere was, duwde zijn bewaker hem naar de dichtstbijzijnde stoel. Buiten hemzelf waren er vier mannen in de ruimte. Eén had met gekruiste armen postgevat bij de enige deur die toegang gaf tot de kamer. Het was geen grote kerel, maar hij

kon zien dat hij flink was gespierd. Een ander leunde nonchalant tegen de muur en hield hem scherp in de gaten. Of beter, bestudeerde hem. Ten slotte ging de man die het bevel had geroepen tegenover hem zitten. Zijn bewaker bleef achter hem staan.

'U zegt dus dat u Aboe Jahl heet.' Zijn ondervrager die Engels sprak, keek hem niet aan. Hij opende de dunne, plastic map die hij onder zijn arm had gedragen, trok er een vel in *small print* bedrukt papier uit en legde dat voor hem. De map schoof hij opzij.

'Dendermonde zegt dat hij geen woord heeft gepiept sinds ze hem hebben opgepakt.' Het was de man bij de deur die in het Nederlands had geantwoord.

'Dat weet ik. Anders waren we hier niet...'

'Heren, Engels spreken! De slanke persoon tegen de muur liet zijn passieve houding varen en deed een stap naar voor. 'Alles wat hier wordt gezegd, gebeurt in het Engels. Begrepen! Voor zover ik u daar aan moet herinneren, de gevangene valt onder het protocol dat uw regering en die van mij hebben afgesloten.'

De man tegenover Jahl reageerde nauwelijks. Tenminste, zijn gezicht vertoonde geen enkele emotie. 'Sorry, Len. Zal niet meer gebeuren.' Naar de man die de wacht hield bij de deur knikte hij veelbetekenend. 'Je hebt het gehoord. Engels.' De ander trok zijn schouders op. 'U hebt ervoor gekozen te zwijgen', richtte hij zich opnieuw tot de gevangene. 'Ik raad u dat ten stelligste af.' Hij probeerde Jahl in de ogen te kijken, maar die had zijn gebruikelijke pose aangenomen: ogen gericht op zijn afgedragen baskets – het paar dat in nog slechtere staat was dan datgene dat hij na de moord op die blonde hoer had weggegooid – schouders ingezakt en de handen in zijn schoot. 'Ik weet dat u Engels begrijpt', ging de ondervrager bijna al keuvelend verder. Dat blijkt namelijk uit de verslagen die de OCMW-ambtenaar over u heeft opgesteld. In het kader van uw zogezegde asielaanvraag.' Hij lachte gemaakt en plaatste de vingertoppen tegen elkaar. 'Ik zal u zeggen waar het op staat...' Hij wachtte en lette op enige reactie, maar toen die niet kwam, vervolgde hij traag. 'Wij hebben springstof bij u gevonden. Wij willen weten wat u daarmee van plan was. Wij willen weten waar uw kompanen zich bevinden. Wat hun bedoelingen zijn. Wij willen weten tot welke organisatie u behoort...' Hij zweeg en keek naar de man die hij Len had genoemd. Die gaf een kort teken met de kin om aan te geven dat hij de ondervraging moest voortzetten. 'Spreken doet u hoe dan ook, meneer Jahl.' Die dreigende uitspraak leek tegen de betonmuren te weerkaatsen. Niemand verroerde zich, niemand zei iets. Jahl gaf geen teken van leven. 'Hoe langer u blijft zwijgen, hoe lastiger het straks wordt... Wij hebben het nummer in uw mobieltje getraceerd', probeerde hij verder. Dat was niet gelogen. Maar tot nog toe hadden ze daaraan niet veel. Met dat blinkende toestelletje waren bijzonder weinig gesprekken gevoerd. Eigenlijk maar één. Dat nummer hadden ze meteen geïdentificeerd, maar het hoorde bij een simkaart die anoniem was gekocht. Intussen hadden ze dat toestelletje in hun bezit. Nota bene gevonden in de laadbak van een vrachtwagen van een transportbedijf uit Zelzate. Het geheugen was gewist, maar dankzij Belgacom kenden ze alle nummers die de laatste drie jaar met dat mobieltje waren gebeld. Bijna allemaal nummers uit het Midden-Oosten, uit Libanon vooral. Maar daaraan hadden ze op dit ogenblik niets. De eigenaar van dat toestelletje moest gehoord hebben over de aanhouding van Jahl. En daar de juiste conclusies uit hebben getrokken. Waren die stommeriken van Dendermonde beter bij de pinken, alles had zoveel sneller kunnen gaan. Dan had het geen halve dag geduurd voor die misdadiger naar Brussel werd overgebracht. Dan hadden ze dat terroristische netwerk wellicht meteen kunnen oprollen. En dan zat hij nu niet, om twintig minuten na middernacht en twee verdiepingen onder de grond, in deze hermetisch geïsoleerde ruimte te wachten op de dingen die de laatste jaren zo vanzelfsprekend waren.

'Ik geef u nog één kans. Wat is uw echte naam?'

De vuistslag trof Jahl zonder dat hij zich erop kon voorbereiden. Het was zijn bewaker die hem met de snelheid van een panter en bijna zonder uithaal, volop op zijn kaakbeen raakte. Hij vloog met stoel en al op de harde, betonnen vloer en bleef versuft liggen. Hij proefde bloed. Toen hij met zijn hand aarzelend naar zijn kaak tastte, voelde die nat aan. Met een wazige blik staarde hij naar zijn rode vingertoppen. Hij probeerde zijn kaken te bewegen, maar dat lukte niet. Het was alsof die slag ze voor eens en altijd in dezelfde positie had vastgepind. Hij kroop, nog altijd verdwaasd, op zijn knieën.

'Je hebt zijn kaak gebroken', stelde zijn ondervrager koel vast. 'Zet hem weer op de stoel.'

Hij werd, als woog hij twee keer niks, opgetild en op de houten stoel neergesmakt.

'Ik hoop dat u nu begrijpt dat het ons ernst is', vervolgde de man tegenover hem met dezelfde, bijna keuvelende stem. 'Dus. Nog eens. Uw echte naam. Wie zijn de andere leden van uw netwerk? Waar zijn ze? Welk doel of doelen hebben jullie op het oog?'

Traag herwon Aboe Jahl zijn tegenwoordigheid van geest. Zijn kaak zwol pijnlijk. Maar de mist in zijn hoofd trok weg. In plaats daarvan kwam een gevoel van opluchting.

Bijna van blijdschap, omdat die mannen de taal spraken die hij zo goed verstond. De taal van het brute geweld. Dit zou een ondervraging worden volgens de regels van de kunst. Op hem inslaan tot hij brak. Tot hij zijn makkers verklikte. Hij keek naar de vloer, maar zijn ogen vulden zich met haat en vastberadenheid. Niets zou hij hen geven. Niet de minste informatie zou hij lossen. Hij begon zacht neuriënd de eerste soera van de Koran te reciteren. *'In naam van Allah, de Barmhartige, de Genadevolle. Alle lof zij Allah, de heer der Werelden...'*

'Het is weer zover', besloot zijn ondervrager. Hij herinnerde zich de vele andere keren dat terroristen God aanriepen om sterkte te vinden. Religieus fanatisme, heette zoiets.

'Toch nog eens proberen', sprak de man die zich Len noemde. 'Die vent bezit informatie die ons misschien toelaat een zware aanslag te voorkomen. Tot nog toe zijn jullie daaraan in België ontsnapt...' Het klonk als een verwijt. Niettemin was die aansporing voldoende om de bewaker weer tot actie te bewegen. Ditmaal met een grote uithaal trof hij Jahl vol op zijn kinnebak. Opnieuw vloog die met stoel en al op de grond.

'U alleen aanbidden wij en U alleen smeken wij om hulp. Leid ons op het rechte pad...' Aboe Jahl voelde geen pijn meer. Integendeel. Het was alsof Allah hem had aanhoord. Wat konden die zielenpoten hem maken? Hij was een strijder van het enige echte geloof. Die christenhonden zou hij laten kennismaken met een ware islamiet. Terwijl zijn bewaker hem weer op zijn stoel hees, kon hij het niet laten de Amerikaan spottend aan te kijken. Want dat die Len een Amerikaan was, daar was hij zeker van. Niemand anders sprak Engels op zo'n platte, boerse manier. Hij had de eer geconfronteerd te worden met het hoerengebroed van de CIA. De uitkomst van dat gevecht stond bij voorbaat vast. Daar twijfelde hij – vervuld van vastberadenheid – geen seconde aan.

'Het heeft geen zin', gaf de man die zich Len noemde hem gelijk. 'Wij zijn hier niet goed uitgerust om... de zaak tot op de bodem uit te spitten, zal ik maar zeggen.'

'We stoppen ermee?' vroeg zijn ondervrager op een toontje niet gespeend van opluchting.

'Ja.' De ander keek op zijn polshorloge. 'Het is nu iets over halfeen. Ik heb een vliegtuig geregeld op de militaire luchthaven van Bierges. Als we nu vertrekken, zit ik met die geitenneuker binnen het uur in de lucht.'

'Polen?'

'Nee. Duitsland. En van daaruit hoef jij niet te weten waar naartoe.'

De ondervrager haalde ostentatief de schouders op. 'Het papierwerk moet nog wel...'

De Amerikaan onderbrak hem kort. 'Intussen zou je moeten weten dat onze regeringen daar bijzondere procedures over hebben uitgewerkt.' Hij lachte zuur. 'Stuur die papierwinkel maar na. Je krijgt alles binnen een week netjes ingevuld terug. Met een strikje eromheen.'

Aboe Jahl, die intussen aan vers 21 van de tweede soera toe was, nam alles minutieus in zich op. Binnen het uur zou hij op weg zijn naar één van die geheime CIA-gevangenissen in Europa die zogezegd nooit hadden bestaan of intussen al lang waren opgedoekt. Daar zou hij anders worden ondervraagd. De fysieke martelingen zouden doorgaan, dat stond vast. Maar ze zouden hem ook op een andere manier folteren. Hij zou allerlei smeerlapperij krijgen ingespoten. Drugs die zijn geest kapotmaakten, die hem alle werkelijkheidszin deden verliezen. En ze zouden hem proberen te pakken op zijn geloof. Hem varken doen eten, op de koran doen pissen. Dingen die de wereld van de Amerikaanse satan in Irak had geleerd. Maar Allah zou hem niet verlaten. De co-

coonachtige warmte van zijn geloof was overal in hem. Eerst was hij er zeker van dat de *shahadat* zijn roeping was. Dat Allah die blijde opoffering van hem vroeg opdat de strijd van zijn broeders in het Midden-Oosten door niemand zou worden vergeten. Maar nu was het duidelijk dat hij zich daarin had vergist. Hoewel. Het martelaarschap zou hij misschien toch nog verwerven. Maar op een andere manier. Door die helse creaturen uit te lachen door koppig te blijven zwijgen. Tot ze hem ten slotte uit wanhoop zouden vermoorden. Een mooiere overwinning op Gods vijanden kon hij zich niet wensen.

38

'Wij krijgen de restjes? Is dat het?' Toine Van Walleghem smeet het kantschrift dat zijn baas hem zopas had laten lezen terug op het bureau met een gebaar waaruit tegelijkertijd afkeur en ontgoocheling sprak.

'We doen wat men ons opdraagt...' Janssens grinnikte vol begrip. 'Maar je mag natuurlijk zoveel commentaar leveren als je wilt.' Drie dagen geleden was Jahl naar Brussel afgevoerd. Sindsdien had hij nauwelijks meer over de zaak vernomen dan wat hij in de krant las. Tot vandaag die instructie van de onderzoeksrechter op zijn bureau belandde. Met de ongelooflijk interessante opdracht een tiental Belgische telefoonnummers na te trekken. Een taak die hij zonder scrupules aan Toine cadeau deed.

'Kunnen ze dat in Brussel niet zelf?'

De commissaris schokschouderde. 'Ik weet ook niet waarom wij worden opgetrommeld. Jahl is weliswaar in ons gerechtelijk arrondissement opgepakt. Maar je zou inderdaad verwachten dat alle onderzoek in Brussel wordt gecentraliseerd.'

'Misschien vermoeden ze een link met de moord op Arlette Lepoutre. Dat dossier zit bij ons.'

'Zou kunnen. Maar Jahl is niet meer in België. Uitgeleverd aan de Amerikanen in het kader van de internationale strijd tegen het terrorisme.'

'Bedoel je dat die nu ook in Guantánamo op Cuba zit?'

'Geen idee. Wij zijn maar de moordsectie, hé. Dan nog van Dendermonde. Ik heb trouwens nog een tweede instructie gekregen. Wij moeten uitzoeken van wie Jahl dat Renault-bestelwagentje heeft gekocht. Of die persoon op een of andere manier deel uitmaakt van het netwerk.'

Toine begreep het van geen kanten. 'Waarom moeten wij dat allemaal doen? Er bestaat toch zoiets als de Cel Terrorismebestijding? Die heren beschikken over het modernste materiaal, de best uitgeruste laboratoria. Technische hulpmiddelen waarvan wij alleen maar kunnen dromen... Trouwens, wat voor zin heeft dat allemaal nog nu die terrorist het land uit is?'

'Het draait rond internationale samenwerking. Wat wij hier vinden, kan elders van belang zijn.' Hij wist dat het niet overtuigend klonk.

'Die telefoonnummers...' Van Walleghem greep opnieuw naar het kantschrift. 'Veel is dat niet om mee te werken.'

'Dat is juist.' Janssens zuchtte verveeld. 'Veel meer is er niet. Benedicte wist te vertellen dat Belgacom die nummers heeft kunnen traceren via dat mobieltje dat jij bij Jahl thuis hebt gevonden. Dat platte, zilveren hebbedingetje.'

'Ik dacht dat daar maar één nummer in stond geprogrammeerd?'

'Klopt. Maar dankzij dat ene nummer wist DJP een ander toestelletje op te sporen. De simkaart was gewist, maar intact. Het kostte geen moeite om te achterhalen welke nummers via dat apparaatje werden gebeld.'

'En dat zijn er niet meer dan tien?' Toine keek zijn baas vol ongeloof aan.

'Het waren er een pak meer. Maar vooral buitenlandse. Bovendien zijn de meeste nummers herhaaldelijk gebeld. Uiteraard staan die maar één keer op de lijst.'

Van Walleghem overliep voor de zoveelste keer de instructie van de onderzoeksrechter. 'Ik zie slechts Belgische nummers...' Hij keek Janssens met een diepe frons in het voorhoofd aan. 'Heeft Brussel misschien om wie weet wat voor staatsbelangrijke reden beslist dat zij alleen goed genoeg zijn om de buitenlandse te traceren? Dat die Dendermondse boerkens daar met hun pollen niet aan mogen zitten?'

De commissaris lachte toegeeflijk. 'Ik moet bekennen dat ik eerst hetzelfde dacht. Maar volgens Benedicte hebben de Amerikanen het interessante werk voor zichzelf gehouden. Alle buitenlandse nummers, vooral Libanese, trekken zij na.'

'En die hightechhufters uit Brussel voelen zich daardoor zo opgenaaid dat zij ons die tien Belgische nummers cadeau doen. Je moet verdomme maar durven...'

'Komaan! We hebben simpelweg geen keus. Alsjeblieft geen gespeculeer over wat hierachter zit. Het is een opdracht van de onderzoeksrechter. Zoals zovele andere.'

Van Walleghem trok een scheve mond. 'Bon. Dus die telefoonnummers natrekken...' Hij staarde naar het vel op de werktafel van de commissaris. 'Of moet ik voorrang geven aan dat bestelwagentje?'

'Dat is voor iemand anders. Jij houdt je bezig met die telefoonnummers. Exact tien nummers. Zodra je weet wie hun eigenaars zijn, voel je die aan de tand. Zoek uit wat hun relatie met de eigenaar van dat mobieltje is. Want zoals ik daarstraks zei, dat is niet Jahl. Dat is iemand die wij niet kennen.'

'Ik blijf het merkwaardig vinden dat Brussel daarvoor een beroep op ons doet. Je moet toch geen hooggeletterde professor zijn om te beseffen dat de eigenaar van dat mobieltje deel uitmaakt van een terroristische organisatie. Hoe komt het nummer van die vent anders in het mobieltje van Jahl terecht? Nota bene als enig nummer! Waarom dat deel van het onderzoek naar ons doorschuiven?'

Commissaris Janssens kreeg het op zijn heupen. 'Ze denken waarschijnlijk dat alle gevaar is geweken. Nu we de explosieven tijdig hebben gevonden. Verdekke, Toine, doe gewoon wat ik zeg! Doe wat in dat verzoekschrift staat!'

Met een diepe zucht liet Van Walleghem zich op zijn stoel terugvallen. 'Is er haast bij? Je weet dat ik volop bezig ben met die doodslag in Sint-Amands. Een passioneel drama uit de goede oude doos. Man slaat met voorhamer hoofd van echtgenote in.' Met veel inleven deed hij de stem van een nieuwslezer na. 'De dader heeft volledige bekentenissen afgelegd. Ik moet alleen nog wat details uitpluizen.'

Janssens meesmuilde. 'Al goed, al goed. Wij zijn een moordbrigade. Dus spreekt het vanzelf dat je eerst dat moordonderzoek afrondt. Trouwens, was het opsporen van die telefoonbellers zo dringend, dan hadden ze dat niet naar ons doorgespeeld.' Hij keek zijn medewerker samenzweerderig aan. 'Laten we zeggen dat je mij tegen half mei het pv'tje brengt met het resultaat van dat telefoononderzoek. Lukt dat?'

39

'U bent een echte held! Straks siert uw foto nog de voor-
pagina van Knack...' Pastoor Moens lachte de commissaris
gemoedelijk toe.

Janssens friemelde gegeneerd aan zijn butterfly. Bergen
lofbetuigingen had hij over zich heen gekregen. Maar zoiets wende niet. 'Tja... Uw naam is nergens genoemd, maar
het is dankzij u dat wij die terrorist konden oppakken. Het
is daarom dat ik u heb gevraagd om hiernaartoe te komen.
Om u persoonlijk te bedanken.'

Het was donderdag 24 april, bijna middag en voor het
eerst dat jaar zat de lente echt in de lucht. De pastoor had
zijn kledijkeuze meteen aangepast en droeg een sportieve,
lichtgrijze blouson over een geblokt, ruwgeweven hemd.
'U zegt mij dat die Aboe Jahl de moordenaar is van Arlette.
Maar hoe weet u dat eigenlijk? Ik bedoel, in de pers heb ik
daarover niets gelezen.'

Janssens greep naar een balpen. Hij hield graag iets in
handen als het erop aankwam dingen uit te leggen die niet
vanzelfsprekend waren. 'Er is geen onomstootbaar bewijs
dat die Jahl de moordenaar is', begon hij. 'Maar wij denken
meer dan ooit dat alles is gegaan zoals we tijdens onze vergadering van nog niet zolang geleden, hier in mijn kantoortje, hebben geconcludeerd. De dag erna hebben we die
vent opgepakt. De springstof gevonden...'

''s Avonds was u op het tv-journaal. U glunderde van top tot teen.'

'Het is niet iedere maand dat je zo'n vangst doet.' Janssens kon een triomfantelijke grijns niet onderdrukken. Hij had de dvd-opname van die avond al wel tien keer opnieuw bekeken. Het hoogtepunt van zijn loopbaan, daar was hij zeker van.

Moens wreef zich nadenkend over de kin. 'Wat was Jahl eigenlijk van plan? Wat wilde hij opblazen?' Terrorisme in Loverbeek, laat staan in België, leek hem nog altijd ongerijmd.

'Dat weten we niet.' De commissaris aarzelde. De relaties met DJP – en dan meer in het bijzonder met de Cel Terrorismebestrijding – waren niet van de hartelijkste. Voor die zogezegde superflikken was hij niet meer dan een negertje dat alleen maar ja moest knikken. Het zou een stuk van zijn frustratie wegnemen een en ander aan Moens te vertellen. 'Nadat Jahl door Brussel was afgehaald, hebben we voor hen nog enkele opdrachten uitgevoerd. De verkoper van het autootje teruggevonden dat hij waarschijnlijk voor de aanslag ging gebruiken. Een Renault Kangoo. Tweedehands. Eerst dachten we dat die handelaar deel uitmaakte van het netwerk. Maar dat bleek niet zo.'

'Jahl heeft helemaal niets bekend? Niets over de aanslag die hij plande? Niets over Arlette?'

'Jahl wordt nog altijd ondervraagd. Weet u, tegenwoordig wordt terrorisme heel ernstig genomen. Niet dat dit vroeger niet het geval was', onderbrak de commissaris zichzelf. 'Maar sinds 11 september is er heel wat veranderd. De samenwerking met de Amerikanen bijvoorbeeld. België, zoals zovele andere landen, heeft verdragen met de Verenigde Staten afgesloten over de aanpak van het internationale terrorisme. Al Qaida, nietwaar...' Daarmee vertelde hij niets wat de ander niet mocht weten.

'Wat bedoelt u?'

'Jahl is niet langer in België, maar wordt ergens door Amerikaanse terrorisme-experts ondervraagd. Ze proberen te weten te komen van welke organisatie hij deel uitmaakt. Want dat hij niet alleen werkte, dat staat vast.'

Moens fronste vragend de wenkbrauwen. 'In Loverbeek? Nog andere terroristen?'

'Nee, nee. U begrijpt mij verkeerd. Ik bedoel dat Jahl dat geld en die explosieven van iemand anders heeft gekregen. Van een medestander, misschien van buiten België. Trouwens,' ging hij met fiere stem verder, 'ik heb vernomen dat de Amerikanen via Jahls mobieltje – dat wij hebben gevonden – een aantal telefoonnummers in Libanon hebben kunnen lokaliseren.'

'Dus weten jullie wie zijn opdrachtgevers zijn?'

'Dat ware mooi geweest. Libanon is België niet. Voor die enige informatie doorspelen...' Karel Janssens vertelde er niet bij dat de Amerikanen die inlichtingen intussen wellicht bezaten, maar dat ze die voor zichzelf hielden. Zelfs DJP in Brussel bleef buitenspel. Het enige wat hij mocht doen – moest doen, omdat die blaaskaken in Brussel zich te verheven voelden voor wat minder opwindend werk – was dat tiental Belgische nummers traceren.

'Dat die Aboe Jahl Loverbeek had uitgekozen... dat blijft mij verbazen.'

'Zijn dekmantel was die van een asielzoeker. Een sukkelaar die – in zijn geval uit Soedan – via ondoorgrondelijke wegen uiteindelijk in België belandt. En eenmaal beslist dat hij in aanmerking komt voor asiel, kan hij verder niet kiezen. Het is Loverbeek geworden, maar het had evengoed Dinant of Koksijde kunnen zijn.'

'De globalisering slaat toe', becommentarieerde Moens filosoferend.

313

De commissaris ging daar niet op in. 'Loverbeek staat de laatste tijd in het middelpunt van de belangstelling, niet?'

'Dat kunt u wel zeggen. De moord op Arlette. Het verdachte overlijden van Guido Tavernier met als kers op de taart de affaire rond Lutgart Vernimmen en die antieke beeldjes. Hoe ver staat u overigens met dat onderzoek?'

'Bedoelt u Tavernier of de heling?'

'Bah... Allebei.'

'Wat betreft die moordende hartaanval zie ik eerder een parallel met de moord op Arlette Lepoutre.' Karel Janssens boog zich naar de priester toe. 'Ik bedoel... Ik weet quasi zeker dat die Van Steirteghem de hand in dat overlijden heeft, maar zoals met Jahl kan ik niets concreet bewijzen. Iemand op stang jagen – en zeker iemand die niet lang geleden al het slachtoffer was van een zware hartaanval – dat kan niet. Maar het oorzakelijke verband is niet evident. Medisch gezien was het hart van Tavernier na die eerste hartaanval al zo zwaar beschadigd dat hij op ieder ogenblik een fatale tweede kon krijgen.'

'Van Steirteghem gaat dus vrijuit...'

'Ja.' De commissaris liet zich terug op zijn stoel vallen. 'Ik vind die man even antipathiek als u. Maar we leven in een rechtsstaat. Zolang een hard bewijs niet voorhanden is, speelt het voordeel van de twijfel. Al vermeld ik graag dat hij een paar weken geleden een flinke rammeling heeft gekregen. Met de groeten van Arlettes ex-lief. Paar tanden kwijt, een bloedneus, een gebroken rib...'

'Ja. Heb ik gehoord. Op veel medelijden kon hij niet rekenen. Integendeel. Maar... hoe dan ook, hij glipt ertussenuit.' Hendrik Moens beet op zijn onderlip en streek over zijn vormloze, donkerbruine, linnen broek. Er zat weliswaar lente in de lucht, maar dat kledingstuk oogde te licht, te zomers. Zich gepast kleden was nooit een van zijn sterke punten. 'En die gestolen beeldjes? Ook daar bent u met alle eer gaan lopen. Een glorieuze doorbraak die eveneens de pers heeft gehaald. Al was dat natuurlijk niet van hetzelfde kaliber als het oppakken van die terrorist.'

Janssens glimlachte als een boeddha. Die pastoor had er een handje van weg om zich sympathiek te maken. 'Die antieke beeldjes worden aan hun rechtmatige eigenaar terugbezorgd...' Hij greep naar een map met brede rug die op de hoek van de tafel lag. Hij begon erin te bladeren. 'Wist u dat ze op meer dan 2 miljoen euro worden geschat? Pas op. Dat is een voorlopig cijfer. Iedereen die ik ernaar vraag, spreekt over hun grote, historische waarde. Die niet in cijfers is uit te drukken.'

'Zoveel geld...' Moens knipperde met de ogen. 'Hoe heeft GT dat bij elkaar kunnen sparen?'

'Die vraag is niet moeilijk te beantwoorden. Guido Tavernier was een gehaaide zakenman. Over de jaren heeft hij zo'n som ongetwijfeld in het zwart achterover kunnen drukken. Overigens, Lutgart Vernimmen heeft dat bevestigd. De échte vraag is van wie hij die beeldjes heeft gekocht. Kunnen kopen. Dat blijft een vraagteken.'

Moens zuchtte. 'Wist u dat Tavernier mij op zijn sterfbed zowat opdracht heeft gegeven om Lut in te schakelen voor de verkoop van die stukken? Om zijn vastgoedkantoor voor een faillissement te behoeden... Als ik het mij goed herinner, heeft hij toen Antwerpen genoemd, een winkel op de Frankrijklei.'

'U hebt mij daar eerder nooit iets over gezegd.' Janssens maakte een vlugge notitie.

'Hoe kon ik weten dat dit van belang was? Pas toen die affaire in de media kwam, herinnerde ik mij die vitrinekast in GT's appartement met zijn collectie beeldjes.'

'Wel, nogmaals bedankt in naam van de Belgische Staat

voor uw hulp.' Commissaris Janssens stond op en reikte Moens de hand.

'Dat klinkt wel heel officieel.' Maar pastoor Moens nam het eresaluut in dank af. 'Als u mij nog een vraag toestaat. Wat gebeurt er met Lutgart Vernimmen? Ik ben haar laatst nog in Loverbeek op straat tegengekomen.'

'Haar dossier is rond. Ze heeft volledige bekentenissen afgelegd. In afwachting van haar proces is ze vrij. Maar ze mag het land niet uit. Ik schat dat ze tegen een veroordeling aankijkt van drie tot zes maanden. De helft voorwaardelijk. Tenslotte heeft ze goed meegewerkt.'

'En De Beemden?' drong Moens aan. Ze stonden op de gang.

'Ach... Dat project was gewoon te hoog gegrepen. Loverbeek is niet de navel van de wereld, nietwaar?'

Moens glimlachte. Hij had De Beemden altijd al iets megalomaans gevonden. Een idee ontsproten aan de geest van iemand die dacht dat bomen tot in de hemel groeiden. Maar hij herinnerde zich ook hoe Van Steirteghem zijn huishoudster onder druk had gezet om niet aan Tavernier te verkopen. Stel dat die dat niet had gedaan... dan zou GT geen eerste beeldje hebben hoeven te verkopen. Opnieuw een aanwijzing over de verderfelijke rol van Van Steirteghem. 'Wat gebeurt er met Taverniers immokantoor? En met zijn personeel?'

Terwijl ze naar de lift wandelden, voelde Karel Janssens voor de zoveelste keer aan zijn vlinderdasje. 'Tavernier zal erop gemikt hebben dat de succesvolle verkoop van De Beemden voldoende was om al zijn schulden aan te zuiveren. Om zijn kantoor te redden. Niet dat dit iets verandert aan het verhaal van die beeldjes. Ziet u, dat blijven gestolen goederen. Had hij nog geleefd, hij zou heel wat te verantwoorden hebben.'

'En zijn personeel?'

'Vastgoed Tavernier is een eenpersoons-bvba. Vandaag met veel meer schulden dan activa. Het bedrag dat hij voor de aankoop van die grond, voor De Beemden, heeft moeten lenen, is niet mis. Dus zijn zaak gaat op de fles. En het personeel komt op straat te staan.'

De pastoor knikte.

'Bovendien, in een zaak van witwassen of zware fiscale fraude zoals met die Sumerische beeldjes kan de procureur de inbeslagname vorderen van de activa van de vennootschap in kwestie. Het is dus best mogelijk dat De Beemden uiteindelijk eigendom wordt van de Staat. Zelfs een Van Steirteghem kan daar niks tegen doen.'

Terug op straat liep Moens met de handen in de zakken naar het station. Hij genoot van het aangename lenteweer, maar aan de andere kant voelde hij zich rot. Het was een eigenaardig gevoel. Blijdschap om de natuur die eindelijk haar winterkleed afwierp terwijl droefheid hem overmande om wat er allemaal in zijn Loverbeek was gebeurd. Op de eerste plaats was er natuurlijk Arlette. Straks zou hij tegen Maria, haar moeder, zeggen dat de moordenaar was gepakt. Dat het die terrorist was, die Aboe Jahl. Of hoe hij ook heette. Misschien kon hij de rol van Arlette wat in de verf zetten. Opdat haar dood niet compleet zinloos was. En dan was er Van Steirteghem. Hij had de Boskabouter nooit gemogen. En nu zag het ernaar uit dat die zonder schrammen zijn weg kon vervolgen. Ongemoeid door de politie of het gerecht. Zou die figuur aan politieke touwtjes hebben getrokken? Gelukkig zou hij De Beemden niet inpalmen. Die grond zou aan de Staat toekomen. Moens baalde. Ten slotte was er het verhaal van Lutgart. Hoewel hij niet helemaal overtuigd was van haar bedoelingen, liet hij haar het voordeel van de twijfel. Dat ze had gestolen om het kantoor waar ze werkte in leven te houden. Hij bleef staan en staarde met de hand voor de ogen naar de zon. Hij werd oud. Hij begreep de wereld niet meer. Oneerlijkheid die zegevierde, mensen die zomaar werden vermoord... En dat was dan nog maar Loverbeek. Een onooglijke vlek in het Waasland. Een dorp. Meer niet. Welke verhalen speelden zich af in Antwerpen of in Gent? In Londen of in New York? Hij schudde meewarig het hoofd en vervolgde zijn weg. Op naar het station, terug naar Loverbeek. Zijn Loverbeek.

EPILOOG

Donderdag 1 mei was een feestdag en de dag erna hadden de meeste SWIFT-medewerkers een brugdag. Bovendien was het een stralend lenteweertje. Sommigen die eerst van plan waren naar kantoor te gaan, bleven daarom thuis. Rachid Faoust vroeg niet liever. Hoe minder kans hij maakte om mensen tegen het lijf te lopen, hoe beter. Op ongeveer honderdvijftig meter van de hoofdingang van SWIFT was hij in de rue Adèle vliegensvlug door de afsluiting gekropen. Eerder had hij er zich al van vergewist dat dit gemakkelijk kon. Er was zelfs geen omheining die naam waardig. Alleen verroeste staaldraad die slordig aan betonnen palen van anderhalve meter hoog was bevestigd. Wat de bewakingscamera's betrof had zijn Deense snol hem in al haar onnozelheid uitgelegd dat die niet veel voorstelden. Patrouillerende bewakers met honden waren nergens te bekennen. Ze hadden misschien ook een brugdag, lachte hij bij zichzelf. Eenmaal op het terrein en in maatpak was hij relaxed tot aan het bordes van de hoofdingang geslenterd. Niemand had hem tegengehouden. Niemand had hem aangesproken. Even na de middag leek hij een medewerker die in het ruime park de benen strekte, op het piekfijn onderhouden gazon had gepicknickt en nu naar zijn werkplek terugliep met in zijn linkerhand een plastic tas van Delhaize met daarin wellicht zijn lege broodtrommeltje.

Het magnetisch beveiligde pasje van Helena deed exact waarvoor hij het had bedoeld. De toegangscontrole aan de hoofdingang van het gebouw was hij zo voorbij. Het was er niet druk en de twee receptionistes achter de opbouw waren in een geanimeerd gesprek gewikkeld over de kansen van Henin tijdens de Franse open tenniskampioenschappen. Hij had poeslief naar hen geglimlacht. Geen van beiden had gereageerd. Enkele tellen later stond hij in de lift, op weg naar de kelderverdieping, naar de computerzaal. De plastic zak woog heerlijk zwaar in zijn hand. Hij kon alleen maar vaagweg inschatten hoeveel schade de bijna drie kilogram explosieven zou aanrichten. Hij was geen expert in dat soort zaken. Het enige wat hij wilde, was de springstof op een zo strategisch mogelijke plaats aanbrengen. Zo dicht mogelijk bij de computers, het kloppende hart van SWIFT.

Een klein halfuur later zat hij weer achter het stuur van zijn Toyota. Verbaasd en opgelucht. Hij was dat bastion van westerse knowhow binnengewandeld, met een zak vol C4, drie geautomatiseerde toegangscontroles gepasseerd en had ten slotte de springstof verborgen achter het frame van wat hem de grootste computer leek. Het paar mensen in de zaal zo groot als een half voetbalveld keurden hem geen blik waardig of hadden hem simpelweg niet opgemerkt. Hij had de timer op het maximum ingesteld, op een halfuur. Dat gaf hem ruim de tijd om zich uit de voeten te maken.

*

De ontploffing doodde zesenzestig mensen en herleidde het gebouw aan de rue Adèle tot één grote puinhoop. Zonder er zich van bewust te zijn had Faoust de springstof geplaatst bij de hoofdserver die stond opgesteld tussen de twee onderste draagbalken van het gebouw. Toen de lading ontplofte, was de stabiliteit van de hele constructie weg. De bovenste verdiepingen vielen als het ware over de onderste heen in een enorme wolk van vuur en stof. Niets bleef over van de computerzaal. De back-upcomputers werden uitgeschakeld op hetzelfde ogenblik als alle andere. De glasvezelverbindingen ondergingen hetzelfde lot. Toen de hulpdiensten ter plaatse waren, wisten ze eerst niet hoe aan hun opdracht te beginnen. Wat ze zagen was niets anders dan een hoop verwrongen staal en kapotgeslagen beton. Weinige ogenblikken later was de pers op het appel. Na nog geen uur was de *Breaking News*-uitzending van CNN in de lucht. De eerste ogenblikken na de aanslag was het moeilijk een idee te krijgen van de schade die was toegebracht aan het wereldwijde financiële bestel. De general manager van SWIFT, die halsoverkop zijn lange weekend had onderbroken, legde geruststellende verklaringen af. Over back-ups die van Londen via New York tot Peking werden bijgehouden. De aanslag was verschrikkelijk – zeker wegens de vele slachtoffers – maar wat betreft de wereldwijde financiële infrastructuur, was er niets onherroepelijks gebeurd.

De dagen erna bleek dat niet te kloppen. Van de ongeveer twaalf miljoen transacties waarvoor SWIFT dagelijks tekende, was een aanzienlijk deel verloren gegaan. Onherroepelijk weg. Al wist niemand te zeggen hoe groot het aantal precies was. Eerst dacht men dat dit niet onoverkomelijk was. Tenslotte was SWIFT niet meer dan een organisatie die de uitwisseling van gegevens tussen financiële instellingen standaardiseerde en daardoor flink vergemakkelijkte. Maar het bleek geen sinecure voor de deelnemende banken om uit te vissen welke betalingen wel en welke niet op hun bestemming waren gekomen. Welke aandelenaankopen wel en welke niet correct waren geregistreerd. Het was alsof een boekhoudprogramma was gecrasht waardoor sommige bedragen aan de passiefzijde stonden, maar niet op een actiefrekening. Bovendien bleken de back-ups in andere SWIFT-kantoren waarop men zo overmoedig rekende, achter te lopen. De chaos verergerde toen grote klanten van financiële instellingen met schadevergoedingen dreigden omdat ze belangrijke sommen nog altijd niet hadden ontvangen. Op maandag vijf mei, drie dagen na de aanval, besloot de Raad van Bestuur van SWIFT alle transacties in ieder kantoor waar ook ter wereld stil te leggen tot zou zijn uitgezocht welke verrichtingen tijdens de aanslag verloren waren gegaan. De impact op de economische gang van zaken, vooral in de westerse wereld, was aanzienlijk. De wetenschap dat betalingen niet meer gebeurden, verlamde de handel. Net of het zakenleven van het ene ogenblik op het andere in een winterslaap terechtkwam.

Maar de grootste schade was voor de beurzen. Toen duidelijk werd dat terroristen erin geslaagd waren om de financiële stromen stil te leggen, kelderde de New York Stock Exchange op de dag van de aanslag met bijna tien procent. De volgende drie beursdagen kwam daar nog eens zoveel bij. Geen enkele aandelenmarkt bood weerstand. De waardevernietiging was onvoorstelbaar. Snel deden cijfers de ronde over hoe zwaar de wereldwijde beurskapitalisatie was getroffen. Sommigen spraken over een aderlating van zes biljard dollar. Anderen kwamen nog veel hoger uit. Als een sneeuwbal rolde de wereldwijde beurscrash over de financiële markten. Omdat effecten dienden als waarborg voor allerlei speculatieve constructies en omdat die effecten zoveel van hun waarde hadden verloren, gingen vrijwel meteen enkele durfkapitaalfondsen over de kop. In hun kielzog volgden een aantal kleinere, commerciële banken. Onder impuls van de Amerikaanse Federal Reserve grepen de westerse centrale banken ten slotte in. Op woensdag 7 mei verminderden de ECB en de FED in een gecoördineerde actie de korte rente in één klap tot 0,25 procent. Tegelijkertijd verhoogden ze de kredietfaciliteiten van de handelsbanken met een quasi onbeperkt bedrag om op die manier zoveel mogelijk liquiditeiten in het financiële bestel te pompen. Maar het duurde nog bijna een week voor de gemoederen enigszins bedaarden. Op een niveau bijna dertig procent lager dan voor de aanslag hervonden de meeste beurzen een labiel evenwicht. Hier en daar doken koopjesjagers op, die analogieën zagen met de weken na 11 september 2001. Dat prille enthousiasme werd echter vakkundig de kop ingedrukt toen op Bloomberg artikels van gerenommeerde economen circuleerden die de impact op de wereldeconomie raamden. Een Nobelprijswinnaar sprak onomwonden van een zware recessie met een negatieve groei van meer dan één procent per kwartaal voor het volgende jaar. Andere doemscenario's gingen verder en voorspelden de terugkeer van het telexverkeer voor interbancaire transacties en meer algemeen van een de-automatisering van het internationale financiële verkeer. Wilde speculaties over wat dat kon betekenen voor de waardering van aandelen van banken en van verzekeraars duwden de beurzen weer kopje onder.

*

Rachid Faoust nipte aan zijn hete muntthee, die hij zoals altijd mierzoet dronk. Hij lag languit op het brede designbankstel in zijn penthouse op de Mechelsesteenweg. Op zijn nieuwe mobieltje genoot hij voor de zoveelste keer van het sms'je van sjeik El Jahmin. Die wenste hem uitgebreid proficiat. Een voorbeeld voor alle ware strijders, luidde het. Faoust voelde overal in hem een diepe, warme tevredenheid. Eerst was hij onwillig geweest om zelf een actieve rol in de operatie te spelen. Want veel te gevaarlijk, te risicovol. Veel te dicht bij de harde actie. Maar achteraf bleek die vrees compleet belachelijk. Het was allemaal zo simpel gegaan. Zo moeiteloos.

Zo'n succesvolle operatie vroeg simpelweg om meer van hetzelfde. Straks in zijn hete bad, dat hij volgens gewoonte met papyrusolie zou parfumeren – alleen in tijdnood nam hij een douche – was het tijd om aan nieuwe doelwitten te denken. België had zijn deel van de koek gehad. Voorlopig tenminste. Waarom nu niet Nederland aanpakken, waar hij toch ook al over een slapende cel beschikte? Zijn gedachten sprongen van de ene opwindende mogelijkheid naar de andere. Een of ander scheikundig complex op de Maasvlakte. Of die grote opslagtanks van Shell in Pernis. Stel je voor dat die de lucht in gingen! Hoe wild zou de prijs van de ruwe olie niet de pan uitswingen? Hoe groot zou de economische schade voor het westen niet zijn? Hij sloot in een devoot, dankbaar gebaar de ogen. Het was een lange, op het eerste gezicht ongelijke strijd, maar de komst van het eeuwigdurende, glorievolle rijk van de islam stond vast. Het was alleen een kwestie van tijd, geld en geloof. Dingen waarover hij en zijn medestanders in eindeloze hoeveelheden beschikten. Op geen enkel ogenblik dacht hij aan Aboe Jahl, aan Arlette of aan Helena. Zulke details interesseerden hem niet.

*

'Ik weet het. Het duurde wat langer. Maar als gevolg van die aanslag op SWIFT duurde het een hele tijd voor ik iedereen kon ondervragen. De mensen zijn nog altijd over hun toeren. Het is of die terreurdaad hen hypnotiseert. Ze slagen er niet in de draad weer op te nemen. Naar het schijnt was dat in New York in de weken na 11 september niet anders...'

Commissaris Janssens keek verstoord op. 'Waar heb je het in godsnaam over?'

Van Walleghem beet zich op de lip. Hij onderdrukte een glimlach. Had hij het niet gedacht? Janssens die hem opzadelde met het traceren van die telefoonnummers. Maar die zich intussen zelf niks meer van die instructie herinnerde. 'Wel, dat verzoekschrift. Ik moest toch de eigenaars van een reeks telefoonnummers opsporen? Hen ondervragen?'

'Ah... Ja, ja. Nu weet ik het weer. En? Iets interessants ontdekt?' Met moeite haalde hij zijn ogen van het verslag van de wetsdokter over een lijk dat eergisteren uit De Dender was gevist.

'Ik denk het wel. Je zit vast op je stoel? Je bent klaar voor een verrassing van formaat?' Toine genoot met volle teugen. Hij wachtte tot hij Janssens' onverdeelde aandacht had. 'Het heeft allemaal niet veel met terrorisme te maken. Drie van de getraceerde bellers hebben toegegeven dat ze met zwart geld ook van die Sumerische beeldjes hebben gekocht. En een ander nummer, dat ik om voor de hand liggende redenen niet heb kunnen bereiken, hoorde toe aan iemand uit Loverbeek. Een zekere Guido Tavernier...'

'Wablieft!'

Toine triomfeerde. 'Het gaat dus over een veel grotere zwendel dan die met die beeldjes die we al kenden... Alleen al die drie kopers hebben er in totaal tweeëntwintig afgenomen. We zullen opnieuw de pers halen, commissaris!'

'Zwijg!' Janssens schoof met een wild gebaar het verslag

van de wetsdokter ver van zich af. Met brandende ogen fixeerde hij Van Walleghem. 'Waar hebben ze die stukken gekocht?'

'In een winkel op de Frankrijklei. In Antwerpen. Daar huist een importhandel die eigendom is van een zekere Rachid Faoust. Een Belg met een dubbele nationaliteit. Hij is ook Libanees.'

Commissaris Janssens' hart verstijfde. Plots herinnerde hij zich wat pastoor Moens hem een paar weken geleden had verteld. Dat Tavernier op zijn sterfbed een antiekzaak in Antwerpen had genoemd. Plots zag hij het grote plaatje. Plots wist hij hoe de vork in de steel zat. 'Je weet toch hoe wij aan die nummers zijn gekomen?'

'Bah... Die stonden toch in dat verzoekschrift van de onderzoeksrechter?'

'Nondedju, Toine! In het mobieltje van Jahl was maar één nummer geprogrammeerd. Van een toestel dat met compleet gewist geheugen in Zelzate is teruggevonden. Maar de simkaart was intact. Via Belgacom heeft de Cel Terrorismebestrijding alle nummers van de gevoerde gesprekken teruggevonden. De buitenlandse nummers zijn naar de Amerikanen verhuisd. Wij moesten de Belgische controleren... Verdomme! Dat heb ik je toch allemaal al verteld!' Uit frustratie begon hij te schreeuwen.

Van Walleghem krabde aan zijn neus. Hij wist niet wat te denken. Natuurlijk had zijn baas hem dat allemaal gezegd. Maar toen hij had gevraagd of hij haast moest maken met die telefoonnummers had de commissaris hem als een deugniet opgedragen dat niet te doen. Zijn moordonderzoek kwam op de eerste plaats. Waren zij immers geen moordbrigade? Toen had hij er niets anders in gezien dan wat terechte tegenwerking tegen die Brusselse betweters, die in hun Dendermondse collega's niets anders zagen dan willoze slaafjes.

Terwijl Janssens naar de telefooon greep, snauwde hij zijn medewerker toe. 'Die zwendel met gestolen Sumerische kunst dient om terroristen te financieren. Godverdomme, Toine! Die Libanees, die Faoust, is het contact van Aboe Jahl. Zijn opdrachtgever. Die moeten we hebben! Wie weet welke plannen die nog heeft!' Hij begon in de telefoon te brullen. 'Janssens hier. Nationaal antiterrorismealarm! Geef mij Brussel, DJP. Nú!'

Van MARC CAVE is verschenen:

Draaikolk

De thriller *Draaikolk* biedt ons een blik achter de schermen van een grote verzekeringsmaatschappij. Het is verbazend en tegelijk ook beangstigend hoe eenvoudig fraude kan zijn.

Wanneer Paul Jamieson tot managing director wordt benoemd van het Luxemburgse BI World Fund, een filiaal van het verzekeringsconcern British Insurers, gaat hij vol enthousiasme aan de slag. Maar al vlug blijkt dat de stevige loonsverhoging waarop hij had gerekend nauwelijks iets voorstelt, evenals de nieuwe baan zelf. Zijn ontgoocheling en frustratie zijn groot. Tot overmaat van ramp loopt zijn huwelijk, dat ook al niet veel voorstelde, op de klippen. Op aanraden van een geldgeile medewerker gaat hij in op een twijfelachtig voorstel van een Amerikaanse bank. Als hij merkt hoe eenvoudig fraude kan worden georganiseerd, krijgt hij de smaak te pakken en zet hij samen met een charmante medewerkster nog een aantal frauduleuze valutatransacties op die bijna niet op te sporen zijn. Alles lijkt prima te verlopen, totdat Londen hem totaal onverwacht een assistent opdringt.

De pers over *Draaikolk*:

'Méér dan zomaar beloftevol.' – TRENDS

'Je komt te weten wat er met je spaargeld en
verzekeringspremies kan gebeuren. En wie heeft daar
geen belangstelling voor?' – DE MORGEN

'Een spannende thriller boordevol jaloezie en
persoonlijke drama's.' – TV-FAMILIE

De Optiekoning

Ruud Nooteboom, die als vermogensbeheerder een zware tijd achter de rug heeft, en zijn echtgenote Moniek kijken ernaar uit om tijdens de kerstperiode het druilerige Amsterdam enkele weken te verruilen voor de zinderende zon van Brazilië. Om de twee jaar brengen ze een bezoek aan Monieks zus Anja en haar echtgenoot Jeff da Conceiçao die in São Paulo wonen. De sfeer is bedrukt als Ruud en Moniek in de riante villa van het gezin aankomen. Vreemd, want Jeff is CEO van de grootste autofabriek in Brazilië, zijn inkomen is gigantisch en Anja en de kinderen genieten met volle teugen van hun luxeleventje. Jeff is echter ook een notoire gokker en ditmaal is hij in Las Vegas te ver gegaan. Hij heeft zijn gezin en zichzelf aan de rand van de afgrond gebracht en is daardoor een speelbal geworden van de maffia die de gokpaleizen via ingewikkelde netwerken controleert. Zijn enorme speelschuld kan hij alleen maar delgen dankzij een ingenieuze handel met voorkennis van opties en aandelen. Zijn slimme schoonbroer zal voor en met de maffia een constructie uitwerken waar iedereen, ook hijzelf, beter van moet worden. Wanneer Ruud iets te gretig wordt en ook nog een verhouding begint met het financiële brein van de maffiaorganisatie van Don Pieri, heeft hij zelf de touwtjes niet meer in handen.

De pers over *De Optiekoning*:

'Goede karakters, schitterend plot, nette dialogen, een einde dat vraagt om meer. Wie kan Cave nog verslaan?'
– DE STANDAARD

'Een attractief spannend plot.'
– VRIJ NEDERLAND, THRILLERGIDS

'*De Optiekoning* verdient een plaats tussen het betere werk.'
– BASIS

'Cave heeft de lezer bij de strot.' – TRENDS